KB196777

미완의 사랑

Lover in the Rough

by Elizabeth Lowell

미완의 사랑

엘리자베스 로웰

조지현 옮김

현대문화센타

1

「파렐양, 하얀색 비취 접시를 바로크식의 진주 브로치 옆에 놓을까요, 아니면 상아 조각 옆에 놓을까요?」

사진작가가 그녀에게 물었다.

레바 파렐은 우아한 몸짓으로 말라붙은 강바닥을 가로질러 사진작가를 향해 걸음을 옮겼다. 평평한 샌들 밑창 아래로 밟히는 뾰족한 자갈들이 자꾸만 신경에 거슬렸다. 레바는 사진작가의 뒤에 서서 몸을 숙여 카메라렌즈 안을 들여다보았다. 무의식중에 그녀는 간단히 틀어 올린 머리채에서 한 가닥 흘러내린 벌꿀색의 머리카락을 쓸어 올렸다. 단 몇 분만이라도 혼자서 울 수 있는 시간이 필요한 레바는 속마음을 숨긴 채 몸을 꼿꼿하게 펴고, 지적이고 유능해 보이기 위해 클립보드 위의 서류들을 펄럭였다.

「여덟 번째 분류를 말하는 거예요?」

평소의 콘트랄토(여성 최저음, 테너와 소프라노의 중간음)보다 더 높고 거친 목소리로 레바가 질문을 던졌다.

「네.」

사진작가가 레바의 클립보드를 들여다보며 대답했다.

레바는 천연그대로인, 대리석 암벽 위에 나열되어 있는 귀중한 골동품들을 향해 시선을 돌렸다. 메마른 강바닥 양쪽으로 솟아올라 있는 창백한 대리석 돌덩이들은, 굽이치고 휘감기는 물살에 의해 깨끗하고 매끄럽게 다듬어져 있었다. 크림색과 희미한 노란색 그리고 황금빛 회색의 띠들이, 윤기가 흐르는 바위 속에 뒤섞여 미묘하면서도 깊은 색조를 보여주고 있었다. 가파르게 솟아오른 대리석과 주홍색, 검정색, 초콜릿색 돌들이 뒤섞여 있는 침식지는, 태양이 그 강렬한 색들을 퇴색시킬 만큼 그리 오랜 시간이 흐르지 않았음을 알려주고 있었다.

갖가지 색조가 대비를 이루는 모자이크 협곡의 풍경은 그야말로 장관이었다. 그 어떤 성벽과 비교하더라도 뒤지지 않을 만큼 윤기가 흐르는 대리석 돌덩이 주위에는, 과거 화산폭발로 인한 들쭉날쭉한 잔해들이 널려져 있었다. 휘어지고 벌어지고 경사진 그리고 줄무늬가 있는 대리석들은 놀라우리 만큼 매끄러웠다. 투박하면서도 미묘한 색을 지닌 바위는, 차분하고 세련된 곡선을 가진 비취 접시와 환상적인 대조를 이룰 것 같았다. 하지만 바로크 양식의 진주들은…… 어쨌든 여기의 분위기와는 어울리지 않았다. 그리고 난해한 문양이 새겨진 아치 모양의 상아 다리는…….

「대리석 위에는 접시만 따로 진열하죠. 그리고 그 바로크식 진주들은 거기 그 오목한 곳에 집어 넣어봐요.」

레바는 약 3미터 정도 높이의 암벽 표면 위에 자연스럽게 만들어져 있는 울퉁불퉁한 바위 틈새 중 하나를 가리키며 말했다.

「내 생각에 그 다리는, 어두운 색조의 대리석과 강바닥에 있는 화산암 사이에 올려놓아 색상의 대비가 이루어지게 배치하는 편이 나을 것 같아요.」

사진작가의 조수는 비취와 진주 그리고 상아를 재배열하고 조명을 교정한 뒤 옆으로 물러섰다. 렌즈 안을 노려보던 사진작가는 하얀색 차단막과 반사판들을 재조정한 뒤 촬영을 시작했다.

피부 위에 축축하게 내려앉는 땀방울들을 무시하고 레바는 인내심을 발휘하며 작업을 지켜보았다. 그녀는 사람들을 모두 내쫓아버리고 싶은 자신의 희망이 어리석다는 것을 잘 알고 있었다. 사진작가는 일류였다. 경호원들은 모두 총을 소지하고 있는 만큼 조심스럽게 행동했고, 두 명의 보험사 직원도 작업에 방해되지 않으려고 멀찌감치 떨어진 곳에서 기다리고 있었다. 게다가 여러 명의 조수들과 잡일꾼들도 방해가 되기보다는 많은 도움을 주고 있었다. 토드 싱클레어만을 제외한 모든 사람들이 예상했던 것보다 더 열심히 일을 해내고 있었다. 어떻게 보면 토드도 예상했던 대로 제 역할을 다하고 있었지만, 자신의 할아버지가 살아 있을 때와 마찬가지로 여전히 거만한 얼간이처럼 행동하고 있었다.

레바는 소리 없는 절규와 함께 제레미 보위어 싱클레어가 평생에 걸쳐 모은 아름다운 골동품들에서 고개를 돌렸다. 한 달이라는 기간은 제레미의 죽음을 인정하기에는 너무나 짧았다. 80세라는 나이에도 불구하고 그는 강직하고 민첩했으며, 여전히 이치에 밝고 예리했다. 마지막 순간까지 그는 정확하고 우아한 프랑스어로 그녀 혼자서는 절대로 알 수 없었을 세상을 레바에게 보여주었다.

그들이 함께 다루었던 보석처럼, 50년이라는 세월의 차이도 서로를 이해하는 데 전혀 장애가 되지 않았다. 아버지란 존재가 없었던 레바를, 제레미는 딸처럼 아끼고 사랑해주었다. 또한 불안에 떨고 있

는 젊은 이혼녀가 똑똑하고 당찬, 그리고 타고난 골동품상으로 변해
가는 모습을 자부심과 기쁨을 가지고 마치 어버이처럼 지켜 봐주었
다. 제레미는 보석과 광석들은 물론이고, 그것들을 예술품으로 만드
는 광대한 지식을 레바에게 아낌없이 물려주었다. 그렇게 모든 것을
가르쳐주었으면서도, 레바가 그의 수집품에 포함시킬 수 있는 희귀하
고 뛰어난 작품을 발견했을 때는 기쁨을 함께 하는 것 외에는 아무
것도 받으려 하지 않았다.

　마침내 자신이 보여준 세상에 레바가 혼자 힘으로 설 때가 오자,
제레미는 그녀에게 아낌없는 축복을 보내주었다. 그녀의 기술과 취향
그리고 정직성에 대한 그의 무조건적인 믿음은 즉시 업계에 널리 퍼
져 나갔다. 인간의 성실함이 가장 중요하게 치부되는 세계에서 제레
미는 그녀의 보증인인 셈이었다. 그의 지지는 그녀에게는 값으로 따
질 수 없는 자산이었지만, 아직 그 사랑의 10분의 1도 보답하지 못
했다.

　그런데 벌써 돌아가시다니……

　「파렐양?」

　마치 여러 번 되풀이해서 부른 듯, 짜증 어린 어조로 사진작가가
그녀의 이름을 불렀다.

　「그린 스위트는 아무래도 협곡 입구 쪽으로 돌아가서 찍어야겠는
데요. 저 색깔은 대리석과는 어울리지 않아요. 아마도 바닥에 소금을
깔던가 아니면 모래 언덕이 괜찮겠어요.」

　「이봐, 귀염둥이 아가씨.」

　레바가 미처 대답하기도 전에 토드가 입을 열었다.

　「정신차리라고. 변호사들은 모두 갔어. 늙은 염소가 죽었다고 애
통해하는 척해 봤자 감동 받을 사람은 이제 아무도 없다고.」

　레바는 자신의 서른 번째 생일날 제레미가 주었던 황갈색 다이아

몬드처럼, 차갑고 투명한 황금빛 갈색 눈을 들어 토드를 바라보았다. 손바닥을 쥐었다 폈다하는 그녀의 동작에 따라 반지가 이리저리 빛을 내뿜고 있었다. 토드 싱클레어를 참고 견디는 것도 오늘이 마지막이었다. 물론, 어떻게 제레미와 같은 신사에게서 토드 같은 두꺼비(toad)가 태어났는지는 죽을 때까지 풀리지 않는 수수께끼로 남아 있겠지만…….

토드를 무시한 채, 레바는 사진작가를 향해 얼굴을 돌렸다.

「모래 언덕이 낫겠군요.」

시계를 내려다보면서 레바는 말을 이었다.

「모두들 잠시 쉬었다 가죠. 30분 후, 모래 언덕에서 모이도록 합시다.」

레바는 사람들이 장비를 챙기는 것을 바라보며, 그들이 모자이크 협곡 입구를 향해 천천히 걸음을 옮기기를 기다렸다. 협곡의 굽이진 대리석 암벽 뒤로 마지막 사람이 모습을 감추자, 레바는 가득 고이는 눈물을 감추려 애쓰며 눈을 감았다. 지금보다 더 열심히 일을 해야 했다. 제레미의 유언에는 자신의 수집품을 모두 처분하라고 명시되어 있었고, 그녀는 그의 요구대로 할 생각이었다. 또한 레바는 유언장에 명시되어 있는 5퍼센트의 수수료도 받아들일 생각이었다. 그리고 제레미가 살아 있는 동안 모았던 모든 수집품들을 완전 컬러판 사진집을 만드는 데 그 돈을 사용할 계획이었다. 그 책이야말로 제레미에 대한 그녀의 추도문이자, 제레미 보위어 싱클레어의 인생과 취향 그리고 정확한 판단력에 대한 찬사이자 기념비가 되리라.

우선 레바가 할 일은, 제레미가 죽은 뒤 매일매일 그랬던 것처럼 또다시 좌절이나 공허함에 빠져들지 않고 오늘 하루를 무사히 보내는 것이었다. 레바는 몸을 돌려 대리석 돌 벽에 뺨을 기대고 그 차가움을 즐겼다. 4월이긴 했지만 데스(Death, 죽음) 계곡은 여전히 메마른 바람이 몰아치고 있었고, 구름 한 점 없는 푸른 하늘이 황량한 산자락에 의해 가로막혀 있었다.

레바는 왠지 처음부터 이곳에 오기가 싫었다. 계곡의 이름이 그녀의 신경을 날카롭게 만들었던 것이다. 더구나 이곳에 도착한 순간, 눈에 들어온 황량하고 불쾌한 땅이 자꾸만 그녀의 심사를 뒤틀리게 하고 있었다. 아무리 사방을 둘러보아도 오래 전에 일어난 지질학적인 사건들의 흔적과 연대를 추측하기 어려워 보이는 기묘하고 복잡한 색조와 토양만이 존재할 뿐, 그것을 덮어줄 만한 식물이나 흙은 존재하지 않았다. 흔하디 흔한 돌덩이들과 희귀한 광석들이 한데 어우러져 계곡의 험난했던 역사를 분명하게 보여주고 있었다. 지진, 마그마와 여기저기 녹아 내린 바윗덩어리, 메말라서 갈라져버린 바다와 호수의 흔적들, 물줄기에 쓸려간 산기슭, 아래로 내려앉고 위로 솟구치고 여기저기 휘어지고 무너진 지층…… 이 딱딱한 지표면 위에 그 모든 것들이 한꺼번에 존재하고 있었다.

이 땅에 비하면 인간의 목숨이란, 바람을 타고 날아가는 반짝이는 금가루만큼이나 허망한 것이었다.

순간, 들려온 발자국 소리에 자신의 고독이 한순간에 무너져버렸다는 사실에 분노를 느끼며 레바는 재빨리 몸을 돌렸다. 토드 싱클레어가 말라버린 강바닥을 따라 그녀를 향해 걸어오고 있었다. 그의 고급 신발과 인도를 걷는 듯한 우아한 걸음걸이가 이 원시적인 땅에서는 어색하기 그지없어 보였다.

「뭘 원하는 거죠?」

레바는 차갑고 날이 선 목소리로 물었다.

「네가 노친네에게 주었던 것을 원해.」

두 사람 사이의 거리를 줄이기 위해 걸음을 재촉하면서 토드가 대답했다.

발바닥 아래에서 달가닥거리는 조약돌에 자꾸만 균형을 잃자, 그는 욕설을 내뱉으며 속도를 늦추었다. 레바는 역겨움에 한숨을 내쉬고 그의 곁을 지나쳐 갔다. 하지만 그가 옆으로 움직여 그녀의 길을 가로막았다.

「이리 오라고, 귀염둥이 아가씨.」

토드는 미소를 지으며 그녀를 향해 손을 뻗었다.

「사람들은 모두 다 갔어. 그러니 이제 날 원하지 않는 듯한 시늉을 할 필요는 없지 않겠어?」

레바는 발 밑에 신경 쓰며 재빨리 뒤로 물러서려 했지만, 대리석 벽이 길을 가로막고 있었다. 토드의 얼굴을 쳐다보자 갑자기 메스꺼워졌다. 큰 키에, 까무잡잡한 피부. 잘생긴 외모에, 부자……. 그야말로 완벽한 왕자님이었다. 하지만 그녀의 눈에는 지금 막 키스로 변신한 두꺼비 왕자로 보일 뿐이었다.

「난 당신을 예의바르게 대하고 있어요, 토드. 그리고 당신의 그 느끼하고 이중적인 말투와 우연을 가장한 손길을 내내 무시해왔어요. 하지만 내게 더 이상 그런 식으로 접근하지 않겠노라는 약속이 필요할 것 같군요. 지금 이 자리에서 분명히 할까요, 아니면 당신의 변호사를 통해 서류를 만들어 공증을 시킬까요?」

「이런, 이런. 진정하라고, 베이비. 난 그냥 그 늙은 염소가 무엇 때문에 760만 달러의 5퍼센트씩이나 되는 돈을 네게 주려했는지 그것이 궁금했을 뿐이라고.」

그녀의 팔목을 움켜쥐며 토드가 덧붙였다.

「만일 나도 그게 마음에 든다면, 죽은 노친네가 해줬던 만큼 네게 해줄 용의가 있다고.」

레바는 갑자기 팔을 쭉 펴 온힘을 다해 그를 밀어젖혔다. 그녀가 저항하리라는 생각은 하지 못했는지, 토드는 비틀거리며 두어 발자국 뒤로 물러서더니 자갈 바닥 위에 대자로 드러눕고 말았다. 그는 욕설을 퍼부으면서 자리에서 일어났다.

「이제 끝이야, 파렐. 나도 잘 대해줄 생각이었다고. 하지만 이제 이 사회에서 창녀의 자리는 어두운 그늘 아래뿐이라는 걸 누군가가 네년에게 가르쳐줘야 할 때가 됐어.」

재빨리 몸을 돌려 계곡 아래쪽으로 뛰던 레바는 따뜻하고 단단한 무언가와 부딪혔다. 낯선 남자였다. 그의 존재에 놀란 레바는 죽은 듯이 움직임을 멈추었다. 누군가 다가오는 소리도 없었고, 아무런 기척도 느끼지 못했는데, 계곡의 벽처럼 강해 보이는 사람이 그곳에 서 있었다. 낯선 남자는 그녀를 번쩍 들어 자신의 등뒤로 내려놓은 뒤, 분노해 있는 토드를 마주보았다.

낯선 남자는 아무런 말도 하지 않은 채, 거친 사막처럼 고요하고 굽힘없이 서서 그저 사태를 주시하고 있을 뿐이었다.

너무나 놀라 아무런 말도 하지 못한 채, 레바는 단단하고 따스한 손과 자신을 손쉽게 들어올리는 그의 강인한 힘 그리고 밝은 은녹색으로 반짝이는 눈동자가 주는 강한 인상을 멍하니 바라보았다. 그 남자는 토드처럼 키가 크지도 그렇다고 살이 찌지도 않았다. 하지만 근육질 육체에서 풍기는 강인한 힘이 우아하면서도 조화로운 움직임을 만들어내고 있었다. 그리고 이제까지 한번도 본 적이 없는, 말로는 표현할 수 없는 자신감이 온몸에서 발산되고 있었다.

레바를 향해 두어 발자국 앞으로 다가서던 토드가 순간 걸음을 멈추었다. 비록 화가 나 있기는 했지만 그리 멍청한 사람은 아니었다. 그는 낯선 남자를 훑어보았다.

「이건 당신이 끼여들 문제가 아니오.」

토드가 험상궂은 목소리로 말을 내뱉었다.

그는 여전히 아무런 말도, 아무런 움직임도 보이지 않았다. 그저 침착하게 서서 앞으로 벌어질 싸움을 준비하고 있었다.

다시 앞으로 한 발자국 걸음을 옮기던 토드는 낯선 남자가 자연스럽게 몸을 움직이는 것을 보고 재빨리 뒤로 물러섰다. 그런 다음 거친 욕설과 함께 등을 돌려 휘청거리며 메마른 강바닥 쪽으로 걸음을 옮기는가 싶더니, 갑자기 멈추어 서서 어깨 너머로 고함을 질렀다.

「그 창녀는 이럴 가치조차도 없어.」

낯선 남자는 토드가 시야에서 사라질 때까지 지켜본 뒤 레바를 향해 몸을 돌렸다. 햇볕에 그을린 어두운 얼굴과 그와는 대조를 이루는 반짝이는 은색이 뒤섞인 투명한 녹색 눈동자에 홀린 듯 레바는 빤히 그를 바라보았다. 어두운 색 카우보이 모자 아래로, 곱실거리는 검정 머리카락들이 삐져나와 있었다. 조각한 듯 모양새 좋은 입술 주변에는 덥수룩하니 윤기가 흐르는 콧수염이 자라 있었고, 소매가 없는 카키색의 낡아빠진 셔츠와 헤어진 청바지는 그의 남성적인 힘을 숨김없이 드러내고 있었다. 또한 넓은 가죽 허리띠에 매달린 고리에는 지질학자들이 사용하는, 한쪽 끝은 무디고 다른 한쪽은 날카로운 망치가 대롱대롱 매달려 있었다. 물론 토드와 맞설 때 그것을 무기로 사용할 수도 있었겠지만, 낯선 남자는 그 도구에는 아예 손조차 대지도 않았었다.

「고마워요. 덕분에 암벽을 뚫고 달아날 필요가 없어졌네요.」

그가 미소를 짓자, 어두운 피부 위로 하얀색 선이 그어졌다. 순간, 레바는 그의 나이를 조금 더 어리게 잡았다. 처음에는 분명 서른 다섯을 넘었을 거라 생각했다. 얼굴을 보고 있으면 그가 힘들게 살아 왔음을 쉽사리 알 수 있었지만, 뛰어난 신체적인 조건들이 그녀의 추측을 헷갈리게 만들고 있었다.

「다음에 또 혼자 있고 싶어질 때면, 차라리 계곡 안으로 들어가도록 하시오. 그곳은 언덕 아래로 흐르는 모래소리와 미세한 발자국

소리까지 들을 수 있을 정도로 조용하니까.」

부드럽게 끄는 듯한 서부식의 낮은 말투 속에는 그녀가 구분할 수 없는 낯선 억양이 뒤섞여 있었다.

「그리고…….」

그가 아무런 감정도 없는 목소리로 덧붙였다.

「그렇게 탁 트인 장소라면…… 손쉽게 접근하지는 못할 거요.」

「왜 내가 혼자 있고 싶어한다고 생각을 한 거죠?」

머리카락을 뒤로 쓸어 넘기며 레바는 질문을 던졌다. 그녀의 손동작을 따라 적갈색 다이아몬드가 햇살을 받아 반짝이고 있었다.

「저 도련님의 유혹에서 벗어나려는 노력이 그냥 속보이는 장난이 아니라는 걸 알아차린 것과 마찬가지 방법이었소. 바디 랭귀지는 절대 거짓말을 하지 않소.」

「당신이 거기 그렇게 가만히 서서 토드가 움직이기를 기다린 것과 마찬가지군요. 허리춤의 망치를 사용할 필요가 없다는 듯 자신감에 가득 차 있더군요.」

그녀를 다시 평가하는 듯 밝은 녹색 눈동자가 가늘어지며, 이해력이 담긴 시선이 얇은 블라우스와 황갈색 반바지, 이탈리아 제 가죽 샌들과 그녀의 오른손에서 반짝이고 있는 황갈색 다이아몬드, 그리고 꾸준한 운동을 해온 대부분의 여성들과 마찬가지로 우아하면서도 아름다운 곡선을 이루는 그녀의 몸매를 재빨리 훑어보았다.

「그는 당신을 잘 모르고 있군, 안 그렇소?」

낯선 남자가 부드럽게 입을 열었다.

「그래요.」

「분명, 그럴 생각도 없을 테지…….」

질문이라기보다는 단정에 가까운 말투였다.

「그렇다고 해도, 나와는 별 상관없어요.」

낯선 남자에게서, 제레미를 제외한 다른 남자들에게서는 느낄 수 없었던 편안함을 느끼며 그녀가 동의를 표했다.

짙은 수염 아래로 이를 드러내며 남자가 환한 미소를 지어 보이자, 거칠고 딱딱해 보이던 얼굴이 다소 부드럽게 변했다.

「아직도 그와의 게임이 끝나지 않았다면, 계곡을 벗어나는 다른 길을 알려주겠소.」

「토드가 계곡 입구에서 매복하고 있을 거라 생각하나보죠? 왜 그렇게 생각하는 거죠?」

「망치를 가지고 그를 후려칠 필요가 없다는 것을 아는 것과 마찬가지요. 본능이지.」

「아니면 거친 지역에서의 어떤 경험이거나?」

망치를 흉기로 사용하는 일을 당연하다는 듯이 말하는 남자의 말투에 약간은 놀라움을 느끼며, 레바는 가볍게 말을 던졌다. 낯선 남자가 거친 지역에서 살다왔을 거라는 의혹이 사실이라는 확신이 생겼다.

그는 한순간 정색을 하고 그녀를 바라보았다. 그러고는 갑작스럽게 고개를 끄덕였다.

「그런 곳도 있었지. 아직도, 내가 옆에 있어주길 바라는 거요?」

「그래요.」

레바는 재빨리 대답하면서도 스스로에게 놀랐다. 그녀는 언제나 전문가적이고 신중해 보이는 태도로 스스로를 칭칭 감아, 삶의 감정적인 충격에 대비하기 위해 무장을 하고 살아왔다. 하지만 제레미의 죽음으로 인해 레바의 보호장비에 고장이라도 난 듯, 그녀의 조심스러운 성격이 부주의한 석수에 의해 망가진 보석 마냥 산산이 부서져 내리고 있었다. 그리고 그녀의 앞에 서 있는 낯선 남자의 조용한 힘은, 이 황량한 땅의 아름다움처럼 분명하게 그녀를 매료시키는 능력이 있었다.

남자는 질문이 담긴 표정을 지은 채 검은 눈썹을 들어올리며, 아무런 말없이 잠시 그녀를 바라보았다. 그러고는 아무런 소리도 내지 않고 순식간에 굽어진 대리석 돌담을 돌아 몸을 감추었다. 그를 따라 걸음을 옮기던 레바는, 매끄러운 대리석 암벽을 손과 발을 이용해 계단을 올라가듯 쉽사리 기어 올라가는 그의 모습을 넋을 잃고 바라보았다. 그 빠른 속도와 조용한 움직임이 참으로 인상적이었다. 그녀의 추측대로, 이제까지 수년 동안 그런 험한 지방에서 살아왔다고 온몸으로 말해주고 있었다.

레바는 샌들의 매끄러운 가죽 바닥이 대리석 위를 오르는 데는 전혀 도움이 되지 않는 것을 깨달았다. 그녀는 샌들의 끈을 왼쪽 손목에 걸고, 낯선 남자가 가파르게 기울어진 화산암층 사이에 만들어진 틈새를 이용해 대리석 벽 위의 넓은 암붕(岩硼) 위로 올라갈 때까지 기다렸다. 그런 다음 몇 번 크게 숨을 들이마시며 간편한 체조동작으로 준비운동을 한 뒤, 발 디딜 곳을 찾아 위로 올라가기 시작했다. 단지 마지막 부분이 어려웠을 뿐, 규칙적이고 탄력 있는 동작으로 쉽사리 작은 구멍에 발을 집어넣고 올라 설 수가 있었다. 그녀는 180센티미터가 넘는 이방인보다 약 20센티미터 정도 키가 작았고, 암붕까지 1미터가 훨씬 넘는 벽 위에는 더 이상의 틈이나 구멍이 보이지 않았다.

「팔을 들어올려요.」

레바는 그의 지시에 따랐다. 낯선 남자는 몸을 굽혀 자신의 손으로 그녀의 팔목을 감싸쥐며, 미처 저항할 틈도 없이 약간의 반동과 함께 순식간에 그녀를 들어올렸다. 그러고는 레바가 넘어지지 않도록 잡아준 뒤, 그녀의 팔에서 샌들을 벗겨내고 신을 신기기 위해 무릎을 꿇었다.

그의 손가락이 복숭아 뼈와 발을 스치고 지나가자, 레바는 깜짝
놀라 신음을 냈다. 그리고 잠시 균형을 잃은 채 그의 등에 손을 얹
고 몸을 지탱했다. 손바닥 아래로 그의 탄력 있는 근육의 움직임이
느껴졌다. 따스한 손이 그녀의 발을 붙잡아 부드럽게 쓸어 내리며
먼지를 털어준 뒤, 샌들의 끈을 묶어주었다. 그가 너무나 재빨리 그
리고 단호하게 움직이는 바람에 그의 손길에 저항해야 한다는 것을
깨달은 순간, 상황은 이미 마무리가 된 뒤였다. 약간은 어색한 침묵
속에서 레바는 그가 다른 샌들의 버클을 채우는 것을 바라보았다.

「최악의 등반이었소.」

간단하고 매끄러운 몸놀림으로 일어서며 남자는 입을 열었다. 그
의 묘한 미소와 끄덕임이 그녀를 더욱 혼란스럽게 만들었다.

「그 도련님이 잘못 알고 있는 게 또 있더군.」

「뭐가요?」

「당신은 창녀가 아니오. 창녀들이라면 낯선 사람들의 손길에 익숙
한 법이거든.」

그는 몸을 돌려 암벽 가장자리를 따라 걷기 시작했다.

레바는 잠시 그를 바라보다가, 도대체 토드의 장광설을 얼마나 많
이 엿들은 건지 궁금하게 여기며 그의 뒤를 따라갔다. 토드의 비난
을 떠올리자 얼굴이 붉어졌다가 다시 핏기가 사라지는 것을 느꼈다.
공허함이 다시금 그녀의 마음속에 가득 차 올랐다. 그녀에 대한 믿
음뿐만이 아니라 한 사람의 인간으로서, 그녀를 사랑하고 보살펴주었
던 제레미라는 존재가 너무나 그리웠다. 제레미를 만나기 전까지 그
녀를 그런 식으로 대해준 사람은 아무도 없었다. 엄마도, 남편도, 그
누구도…….

눈물이 흘러나와 거친 길을 더더욱 흐릿하게 만들었다. 성급한 손
놀림으로 그녀는 두 눈을 문질렀다.

아직은 아냐……. 오늘밤에…… 제레미의 수집품을 찍은 뒤 사람들이 모두 로스앤젤레스로 떠나고 난 뒤에는…… 마음껏 울 수 있으리라.

레바는 낯선 남자가 걸음을 멈추고 몸을 돌려 자신을 기다리고 있음을 깨달았다. 그리고 은녹색 눈동자가 그녀의 흘러내린 한 방울의 눈물을 놓치고 있지 않는다는 것도 알았다. 그녀는 단호하게 턱을 치켜들고, 직업적인 냉정함으로 자신의 감정을 숨긴 채 그를 향해 걸어갔다.

그는 무언가 말을 하려는 듯, 아니면 그녀를 향해 손을 내밀려는 듯 잠시 주저했지만, 아무런 행동도 취하지 않았다. 그저 몸을 돌려 아무런 소리도 없이 침식되어 가고 있는 화강암들 사이로 걸음을 옮겼다. 레바는 울퉁불퉁한 부분을 따라 조심스럽게 걸음을 옮기는 동안, 그의 시선이 자신에게 쏟아지는 것을 느꼈다. 그리고 그의 눈길이, 따가운 햇살 속에서 몇 시간을 보낸 뒤에 험난한 길을 균형 있게 걸어가고 있는 것에 대한 칭찬임을 알 수 있었다. 하지만 그녀는 아무런 말도 하지 않았다. 아니, 다시 그와 얼굴을 마주하고 싶지 않았다. 다른 누군가가 토드의 잔혹한 비난을 엿들었다는 생각만으로도 그녀는 참을 수가 없었다.

걸음을 옮기는 동안, 계곡의 침묵과 원초적인 아름다움이 마음속으로 스며들어 분노와 수치 그리고 공허함을 조금씩 누그러뜨렸다. 이방인의 무의식적이면서도 우아한 움직임을 바라보고 있는 동안 레바의 마음속에 호기심이 조금씩 커져 갔다. 그의 은녹색 눈동자는 끊임없이 절벽과 바윗덩어리들을 살피며 아주 작은 소리 하나하나까지도 경계하고 있었다. 그는 황량한 대지 위를 소리도 없이 힘있게 움직이며 모든 것을 빈틈없이 인식하고 있는 야생동물과도 같았다.

그는 울퉁불퉁하게 솟아 있는 검은 바위층 옆에서 걸음을 멈추고 그녀가 다가오기를 기다렸다.

「전(前)캄브리아 시대 거요.」

그렇게 말하면서 그는 망치를 꺼내들고 바위를 내리쳤다. 그 거센 일격과 함께 유리가 부서지는 듯한 날카로운 굉음이 일어났다. 하지만 바위에는 아무런 흠집도 나지 않았다.

「지구상 가장 오래된 바윗덩어리 중 하나요. 그때는 아무런 생명체도 살고 있지 않았지. 그저 물과 바위 그리고 번개와 바람뿐이었소. 그후로 몇 억만년 후, 단세포로 구성된 생명이 나타났소. 조류(藻類)들이오. 뭐, 생명체라고 판단하기에는 좀 부족한 감이 있었겠지만…… 그들은 지금과 마찬가지의 웃기는 생태학적인 기능을 갖고 있었소. 우리가 이산화탄소를 내뱉는 것과 마찬가지로 조류들은 부산물로 산소를 배출해냈지. 그들은 점점 분화되었고, 종류도 다양화되어 갔소. 그리고 결국은 전 대기를 산소로 오염시켰고, 그 결과 안타깝게도 그렇게 멸종되어 갈 수밖에 없었소.」

「지금 오염이라는 말을 했나요?」

레바는 깜짝 놀라서 되물었다.

그의 입술이 미소를 짓듯 비틀어졌다.

「그들의 관점에서 보면, 그렇소. 하지만 그것들은 지금 우리가 알고 있는 이 환상적이고 풍요로운 세상을 남겨놓고 사라져 갔지. 산소를 호흡하는 생명체들을 위해 말이오.」

「'플러-사 체인지 플러-서 라 멤 츄우즈(Plus ca change, plus c'est la me^me chose).'」

부드러운 목소리로 그녀가 입을 열었고, 어색한 미소와 함께 굵은 목소리가 나지막하게 들려왔다.

「'변하는 것보다 더 많은 것이 그대로 남아 있다.' 정확한 표현이오. 40억 년이 지났지만 솔직히 말하면, 아무것도 변한 게 없지. 아무엇도.」

그는 다시 한 번 바위를 두들기며 평평한 금속이 바위에 부딪히는 소리에 귀를 기울였다.

「때때로 나는, 우리 또한 그들의 뒤를 따라 가고 있는 것은 아닌가 하는 생각을 하오.」

「우리가 조류들을 따라 간다고요?」

상상할 수 없을 만큼 오래된 검은 바윗덩어리를 바라보며 그녀는 부드럽게 물었다. 수억 년이라…… 생명이 성장하고, 죽고, 진화하고, 시간이 변화하고, 모든 것들이 새롭게 시작되고, 흠 하나 없는 완벽한 육각형 모양의 다이아몬드가 만들어지듯 삶과 죽음이 조화롭게 균형을 이룰 수 있는…… 실질적으로는 아무것도 중요한 것이 없는, 단지 시간의 연속선상 위에 삶과 죽음이 똑같은 비중으로 서로 다른 한 면을 구성하고 있는 그 유구한 시간들……

자신도 모르게 긴 한숨이 새어나왔다. 제레미가 죽은 날 밤 이후, 그녀의 가슴 언저리에 자리잡은 얼음덩어리가 서서히 녹기 시작했다. 여기 이렇게 서시 흑단처럼 검은 바위 속에 묻혀 있는 시간을 바라보며 그것을 묘사하는 나직하고 부드러운 목소리를 듣고 있자니, 세상에 혼자라는 끔찍한 기분이 조금은 가라앉는 듯했다.

「멸종이라는 말을 별로 두려워하지 않는 것 같군.」

부드러운 목소리로 그가 물었다. 파란 하늘처럼 투명한 눈동자가 그녀를 바라보고 있었다.

「모든 것이 다 변할 뿐이지, 사라지는 건 아니잖아요.」

그녀가 천천히 덧붙였다.

「새들도 한때는 공룡이었대요.」

갑작스러운 그의 웃음소리가 검은 오팔 속에 숨겨진 불꽃처럼 그녀를 놀라게 만들었다.

「여기서 다른 지질학자를 만나게 될 거라는 사실을 예상하고 있어야 했는데…….」

레바는 내리쬐는 햇살에 숱이 많은 벌꿀색 머리카락을 반짝이며 고개를 흔들었다.

「그저 진화와 발달에 관한 책을 몇 권 읽었을 뿐이에요.」

수년간에 걸친 결혼생활 동안, 교수인 레바의 남편은 그녀를 위해 생생하게 살아 있는 세상의 낭만적인 언어들을 연구하는 동안, 그녀가 고작 그런 '차갑게 죽어버린 학문'에 대한 책을 읽는다고 늘 비웃었던 게 떠올랐다. 남편은 자신이 연구한 언어들을 정확하고 명료하게 그녀의 머릿속에 집어넣으려고 갖은 노력을 했다. 결국 그 덕분에 이혼했을 무렵, 레바는 스페인어와 포르투갈어 그리고 이탈리아어를 읽고 이해할 수 있었고, 프랑스어의 경우는 아주 유창하게 할 수 있게 되었다.

하지만 제레미를 만나기 전까지 레바는 영어가 아닌 그 어떤 언어도 사용하려 하지 않았었다. 그녀와 반대로 제레미는, 자신의 어머니를 농락하고 버린 아버지로 인해 아버지의 언어인 영어를 거부했다. 처음 레바가 제레미를 만났을 때, 그는 정비공에게 자신의 차가 어떻게 이상한지를 설명하려고 갖은 애를 쓰는 중이었다. 나이 어린 정비공은 프랑스어는 전혀 하지를 못했고, 제레미의 설명 또한 그저 기묘한 손짓 발짓에 지나지 않았다. 그때 레바가 통역을 자원했고, 태어나서 처음으로 하나 이상의 언어로 이야기하는 즐거움을 이해할 수 있었다. 제레미가 순수한 파리 발음으로 그녀에게 대답을 했을 때, 레바는 학문적인 연구가 아닌 실생활에서 대화의 형태로 마주친 프랑스어의 아름다움에 기묘한 전율을 느껴야만 했다.

「그리고 언어학자군.」

낯선 남자가 말했다.

「뭐라고요?」

자신의 생각을 집어내는 듯한 그의 말에 깜짝 놀라며 그녀가 되물었다.

「문화발달사에 대해 나름대로 조예가 있으면서도 뛰어난 언어학자라고 했소. 네세파(n'est-ce pas, 안 그렇소)?」

그녀의 놀란 얼굴을 보며 그가 미소를 지었다.

「내 발음이 당신만큼 세련되지는 않을 거요. 하지만 내가 만난 프랑스 인들의 대부분이 소르본 대학의 근처도 가보지 못한 사람들이라…….」

손을 들어올려 흘러내린 한 줌의 머리카락을 쓸어 올리며 자신 앞에 서 있는 남자를 살펴보던 레바는 갑자기 그가 어디를 다녔고, 무슨 일을 하는 사람인지 궁금해졌다. 그녀는 그의 시선이 자신의 눈동자에서 반지로 향했다가 다시 올라오는 것을 보았다.

「그가 준 다이아몬드군. 안 그렇소?」

「그라뇨?」

황금빛 오렌지색과 갈색이 뒤섞인 아주 희귀한 보석을 정확히 알아보는 낯선 남자의 안목에 당황하며 그녀가 물었다. 대부분의 사람들은 그런 색조의 다이아몬드가 존재한다는 사실조차 알지 못했다.

「누구요?」

「당신과 자고 싶어 숨이 넘어가고 있는 도련님 대신 당신의 마음을 차지하고 있는 남자 말이오.」

일순 레바의 손이 축 처졌다. 그녀는 분노와 함께 이유를 알 수 없는 마음의 상처를 감추며 어색하게 뒤로 돌아섰다.

「제레미와는 그런 관계가 아니었어요.」

그는 차갑고 민첩한 시선으로 그녀의 변화를 살폈다. 그러고는 고개를 끄덕였다.

「하지만 그가 당신에게 반지를 준 건 사실이잖소.」

「왜 그럴 거라고 확신하는 거죠?」

경직된 어조로 질문을 던지는 레바의 시선이 그를 조심스럽게 살피고 있었다.

「황갈색 다이아몬드는 일반적으로 너무 어둡거나 너무 창백한 색조라 식별하기가 꽤 어려운 물건이오. 하지만 당신 건 굉장히 희귀하고…… 또한 매우 아름다운 거요. 그리고 그 광택이나 색조가 당신의 눈동자와 똑같소. 단지 당신과 아주…… 가까웠던 사람만이 당신에게 그런 보석을 선물할 수 있었을 거요. 분명 그 반지를 구하는 데 꽤 오랜 시간이 걸렸겠지.」

자신에게 반지를 주었을 때 제레미가 했던 말이 떠오르자, 레바의 목구멍이 바짝 메말라왔다.

「7년이에요.」

그녀가 속삭이듯 덧붙였다.

「이것을 찾아내는 데 7년이나 걸렸다고 했어요.」

이방인의 손이 너무나 빨리 움직였기 때문에 레바는 뒤로 물러설 시간이 없었다. 그의 차분한 손가락이 머리카락을 쓸어 올리자마자 놀랍게도 따스한 바람이 그녀의 얼굴 위로 스쳐 지나갔다.

「그럴 가치가 있는 시간들이었을 거요.」

반지와 똑같은 빛을 띤 황갈색 눈동자를 번갈아 바라보며 남자가 말했다.

「제레미도 그렇게 말했어요.」

눈가에 가득 고여오는 눈물과 함께 그녀의 목소리가 갈라져 새어나왔다. 레바는 눈을 깜박이며 얼굴을 돌렸다. 낯선 이방인의 꿰뚫어 보는 듯한 시선을 견디어낼 수가 없었다. 반짝이는 눈물 방울이 그녀의 속눈썹에 매달려 있었다. 그녀는 자신의 시계를 내려다보았다.

「15분 안으로 모래 언덕에 가야만 해요.」

기다란 손가락이 그녀의 턱을 들어올렸다.

「그 버릇없는 도련님을 짓눌러버릴 만큼 이제 감정은 다 정리된 거요?」

그녀는 낯선 남자의 투명한 은녹색 눈동자를 아무런 깜박임 없이 마주보았다.

「그는 아무것도 아니에요.」

제레미와 그를 잃었다는 차가운 공허함을 생각하며 레바가 말을 이었다.

「하지만…… 그래요, 난 준비가 되었어요. 그리고 별다른 선택의 여지도 없어요.」

그는 오랫동안 그녀를 마주보고 서 있다가 고개를 끄덕였다.

「좋소.」

남자는 몸을 돌려 검은색을 띤 오래된 지층을 따라 걸음을 옮겼다. 그녀의 관심은 거친 대지와 부드러운 목소리를 가진 뻔뻔스러운 남자로 나누어져 있었다. 수집을 위해 많은 곳을 여행하면서 레바는 많은 남자들을 만나왔다. 그 중에는 세련된 사람도 있었고, 그렇지 않은 사람도 있었다. 또한 굉장히 좋은 대학을 졸업한 사람도 있는 반면 야비한 거리에서 인생을 배운 사람도 있었다. 하지만 지금 자신 앞에 걷고 있는 남자와 비슷한 유의 사람은 한번도 만난 적이 없었다. 지식과 거친 행동의 절묘한 조화는 그녀의 마음을 불안하게 만드는 힘과 부드러움이 숨어 있는 손길의 조화만큼이나 생소하게 느껴졌다.

오래된 산자락의 어둡고 구불구불한 후미 부분을 돌아서자, 발 아래로 전 계곡의 풍경이 한 눈에 들어왔다. 그는 모자이크 협곡 앞부분에 위치한, 작고 더러운 주차장 위쪽으로 그녀를 안내한 셈이었다.

그곳에는 단 두 대의 차만이 남아 있었다. 토드의 메르세데스와 자신의 2인승 BMW. 주위를 살펴보았지만, 토드는 보이지 않았다.

「분명 계곡에서 당신을 기다리고 있을 거요.」

「그럴 거예요.」

레바는 한숨을 내쉬었다. 이젠 그가 자신의 생각을 꿰뚫어본다고 해도 별로 놀랍지가 않았다. 그녀는 손등으로 이마를 문질러 방울방울 맺힌 땀을 닦아냈다.

「그냥 그렇게 익어버렸으면 좋겠어요.」

「7월이라면 그럴 수 있겠지. 하지만 4월은 아니오.」

그가 험악하게 미소를 지으며 말을 이었다.

「7월이라면 열기가 올라와 부츠를 뚫고 발바닥을 태우거나 물집을 만들 수도 있지. 아웃백에서는 가끔 그런 일이 있었소.」

「라이트닝 산맥을 말하는 건가요?」

그가 깜짝 놀란 시선으로 자신을 바라보자, 레바는 갑자기 기분이 좋아졌다.

「그곳을 어떻게 알고 있는 거요?」

「대부분의 사람들은 이것이 황옥(黃玉) 아니면 지르콘(zircon, 정방정계의 광물. 다이아몬드 광택이 나는 무색·황색·황갈색 등의 투명 내지 반투명체)이라고 생각해요.」

레바는 손가락에 끼어져 있는 다이아몬드를 들어 보이며 말했다.

「다이아몬드만이 이렇게 무수하게 빛을 분사시킬 수가 있소.」

그는 어깨를 으쓱하며 말했다.

「그것 또한 내 생각을 증명해주는군요. 당신은 보석을 아는 사람이에요. 그리고 보석을 아는 사람들에게 있어서 아웃백은 단 한 가지만을 의미해요. 바로 오팔이죠. 아무리 봐도 당신은 최고가 아닌 것에 시간을 낭비할 사람이 아니에요. 그렇다면…… 검은 오팔을 의미하는 거고, 그건 다시 말해 오팔 산지인 라이트닝 산맥을 떠올리게 되는 거죠. 거기다 당신은 보기에도…….」

레바는 약간 주저하며 말을 이었다.

「꽤 괜찮아 보였고, 또한 검은 오팔 광산에서도 살아남을 만큼 거칠어 보였어요.」

「오…… 그렇게 나쁜 곳은 아니오.」

그녀를 내려다보며 그가 미소를 지었다. 그러고는 약간 입술이 휘어지는 듯싶더니, 눈빛이 딱딱한 은빛으로 변했다. 무엇을 떠올리고 있는지는 몰라도 불쾌한 기억이 분명했다.

「남아메리카에서의 다이아몬드 탐사는 최악이었소.」

레바의 눈이 휘둥그레졌다. 그곳에 대해 궁금한 점이 수백 가지가 넘었지만, 과연 그가 대답해줄지는 미지수였다. 남아메리카의 다이아몬드 발굴은 마치 베트남 전쟁을 방불케 했다. 마찬가지로, 그곳에 갔던 그리고 모든 것들을 보았던 사람들은 그곳에서 일어났던 일에 대해 아무런 말도 하려 하지 않았다.

「곧바로 모래 언덕으로 갈 거요?」

「네.」

「그럼, 오늘은 내내 그곳에 머무를 생각이군?」

은녹색의 눈동자를 들어 태양의 위치를 가늠해보면서 그가 물었다.

「아마도 그럴 거예요.」

「차안에 물을 가지고 다니는 거요?」

그녀는 머리를 흔들었다.

「아직 4월이잖아요. 물이 필요할 거라곤 생각하지 않았어요.」

「사막에서는 항상 물이 필요한 법이오.」

그는 허리띠 뒤쪽으로 손을 뻗어 허리춤에 매달아놓았던, 올이 굵은 삼베로 감싼 수통을 벗겨냈다. 그러고는 바지 주머니에서 가죽끈을 꺼내어들고는 들고 다닐 수 있도록 수통을 묶었다.

「이걸 가져가시오.」

레바는 메마른 입술을 핥으며, 수통과 반경 2킬로미터 안에 존재하는 유일한 물을 자신에게 건네는 낯선 남자의 무표정한 얼굴을 번갈아 바라보았다.

「하지만 당신은 어쩌고요?」

그는 어깨를 으쓱해 보였다.

「당신 말대로, 아직은 4월이잖소.」

그는 부드럽게 미소를 지으며, 여전히 젖어 있는 그녀의 속눈썹을 손가락 끝으로 문질렀다.

「그리고 지금 나보단 당신에게 더 필요할 거요.」

「난······.」

가빠오는 호흡을 진정시키며 레바는 잠시 동안 그의 기묘한 색을 가진 눈동자를 뚫어지게 바라보았다. 깨끗하고 투명한 녹색과 은색으로 반짝이는······.

「당신의 눈동자와 어울리는 보석을 찾을 필요가 없다는 게 기쁘군요.」

생각에 잠긴 그녀는 중얼거렸다.

「분명······ 평생이 걸려도 불가능할 거예요.」

자신이 내뱉은 말을 들은 레바는 머리를 휘저으며 힘없이 웃음을 터뜨렸다.

「용서하세요. 보통 때는 이렇지 않은데······ 너무나 열중해 있었네요.」

그녀는 독특한 빛의 눈동자에서 시선을 떼고는 물통을 가볍게 흔들었다. 물통은 가득 차 있었다. 그녀는 뚜껑을 열고 재빨리 물을 마셨다. 그런 다음 수통을 닫아 다시 그에게 돌려주었다.

「이 정도면 버틸 수 있어요. 고마워요.」

그녀의 눈동자에 시선을 고정시킨 채, 낯선 남자는 수통의 뚜껑을 열고 물을 마음껏 들이킨 뒤 다시 물통을 봉해 그녀에게 돌려주었다. 일순, 그녀는 그의 입술이 방금 전 자신이 물을 마신 그곳에 닿았을 거라 생각했다. 순간 묘한 느낌이 들었다. 그리고 그에게서 시선을 돌리려 했지만…… 그럴 수가 없었다.

「박하…….」

그가 중얼거렸다.

「좋군.」

「박하요?」

순간, 레바는 자신이 가장 좋아하는 사탕의 맛이 수통의 가장자리에도 남아 있었다는 것을 깨달았다.

「아…… 박하요.」

그녀는 웃음을 터뜨리며 붉어진 양 뺨을 손으로 감싸쥐었다.

「오, 하나님. 도대체 당신 지금 무슨 생각을 하는 거죠?」

그는 모자를 벗고 손가락으로 숱이 많은 자신의 검은 머리카락을 쓸어 올렸다.

「당신이라면 언제든지 내 물통의 물을 마셔도 상관없다고 생각했을 뿐이오.」

그는 낮게 웃음을 터뜨렸다.

레바는 그의 머리카락이, 보이는 것처럼 매끄러울지 궁금했다. 갑자기 그가 — 마치 지금 그녀가 무슨 생각을 하고 있는지 아는 것처럼, 그리고 그 생각이 자신을 기쁘게 하는 것처럼 — 그녀를 바라보며 미소를 지었다. 레바는 날카롭게 숨을 들이마셨다. 그는 이제껏 만났던 그 어떤 남자보다도 더 그녀를 불안하게 만들었다.

「늦었어요.」

레바가 재빨리 말했다. 그리고 고개를 돌려 그를 바라보았다.

「도와줘서 고마웠어요.」

남자의 미소가 더욱 더 커졌다.

「만일 당신이 그 우스꽝스러운 샌들을 신고 있지만 않았다면, 난 그냥 당신이 혼자 힘으로 그 도령을 무찌르고 바위틈으로 도망치게 놔두었을 거요.」

낯선 남자는 레바의 여성적인 곡선과 우아함을 지닌 매끄러운 다리를 바라보며 말을 이었다.

「빌어먹을 정도로 괜찮은 몸매요. 그러니 그가 보이는 것만큼 좋은 느낌이 들지 궁금해서 몸이 달아오르는 것도 이상하지가 않지.」

「한번이라도 생각을 입 밖으로 내지 않을 수는 없나요?」

레바가 톡 쏘듯 물었다.

「늘 그렇게 하는 편이오.」

그녀의 입술과 헐렁한 실크 블라우스 아래로 봉긋하게 올라온 가슴의 윤곽, 그리고 샌들을 신기기 위해 손바닥으로 쓸어주었던 발과 매끄러운 맨 다리를 바라보면서 그가 낮은 어조로 중얼거렸다.

「지금 내 머릿속에 있는 것들을 큰소리로 말하기 전에 가는 게 좋겠소.」

레바는 머리를 옆으로 기울이며 그를 올려다보았다.

「지금 내가 곧바로 당신에게 달려들지도 모른다는 걱정은 하지 않나요?」

느리게 번져 가는 미소가 그녀의 마음에 따스함을 던져주었다.

「그러고 싶소?」

아주 짧은 순간, 그녀는 그렇게 하고 싶은 충동이 생겼다. 하지만 늘 그렇듯 이성이 먼저 제자리를 찾았다. 그녀의 내면에 자리잡았던 그 순간적인 열정을 감지한 것처럼 낯선 남자의 근육이 부드럽게 움직였다. 그 모습을 보자, 토드가 앞으로 다가선 순간 그의 온몸이 긴장하던 모습이 생각났다. 그는 그때처럼 부드럽던 근육을 딱딱하게 긴장시키고 온몸에 균형을 잡은 채, 색이 짙어진 은백색 눈동자로 앞으로 닥쳐올 상황을 가늠해보면서 기다리고 있었다. 그녀의 결정을…….

레바는 눈을 감고 온몸을 가볍게 떨었다. 갑자기 스스로의 반응을 신뢰해서는 안 된다는 생각이 들었다. 제레미가 죽은 후 지난 몇 주일간, 일상적인 자제심마저 완전히 조각나 이제는 아주 개인적인 감정까지도 쉽사리 밖으로 드러나려 하고 있었다. 더군다나 이 거친 이방인에게는 그런 감정들을 일깨우는 기묘한 능력이 있었다. 아무리 부드러운 손길로 다가온다고 해도 두렵기는 마찬가지였다. 어렸을 때 이후, 스스로가 이렇게 나약하게 느껴지기는 처음이었다. 레바는 그런 감정을 참을 수가 없었다.

그녀는 다시 눈을 떴다. 이방인은 여전히 그녀를 바라보고 있었다. 한순간의 강렬함은 이미 사라져버리고 확연히 드러나는 부드러움만이 자리잡고 있었다.

「죽었군. 안 그렇소? 저 철부지 도령이 대신하고 싶어하는 그 자리의 임자말이오.」

「네, 한 달 전에요.」

그의 손이 살짝 올라왔지만, 그녀를 만지지 않고 다시 아래로 내려갔다.

「처음 한 주가 가장 힘들뿐이오.」

담담한 어조로 그가 말했다.

「나도 그러길 빌어요.」

그녀가 속삭였다.

「이렇게 살 수는 없어요. 온몸이 뒤집힌 것 같고, 전 신경이 다드러나는 듯한 기분이에요.」

「여전히 그런 기분과 싸우고 있군. 그 싸움을 그만두고 나면 조금
씩 치유가 될 거요.」

「어제였다면 당신의 그 말에 '절대로 아니에요'라고 대답했을 거
예요. 하지만 오늘 당신이 보여준 바위가 그렇게나 오래…….」

충동적으로 레바는 손가락 끝으로 그의 뺨을 쓰다듬었다. 손끝으
로 따스함이 물결쳐 들어왔다.

「고마워요.」

레바는 몸을 돌려 차가 있는 방향으로 재빨리 걸음을 옮겼다. 여
전히 그의 물통을 손에 들고 있다는 사실을 깨닫고 재빨리 몸을 돌
렸지만 그곳에는 아무도 없었다. 마치 처음 나타났을 때와 마찬가지
로 그는 소리소문도 없이 사라져버렸다. 손에 느껴지는 물통의 무게
가 아니었다면, 자신이 꿈을 꾸고 있었다고 생각했을지도 몰랐다.

이방인의 존재 여부에 대한 그녀의 여러 가지 의혹들은 모래 언덕
위로 또다시 모습을 드러낸 토드로 인해 사라져버렸다. 그는 북적거
리는 사람들에게서 조금 떨어진 곳에 서서, 비라도 오길 기원하는
것처럼 연신 하늘을 올려다보고 있었다. 레바는 그와 거리를 두기
위해 노력했다. 다가서는 토드를 모르는 척 도망치던 그녀는 갑자기
이방인의 말이 떠올랐다.

'탁 트인 곳이라면 쉽게 접근하지 못할 거요.'

사진작가가 모래 언덕의 윗부분에 그린 스위트의 보석 세트를 다
시 한 번 재배열하는 동안, 레바는 참을성 있게 상황을 지켜보았다.
저물어 가는 태양이 희미한 그림자를 던지며 모래 위에 펼쳐진 잔물
결과 같은 무늬들을 더욱 강조하고 있었다. 잘려진 돌들과 반짝이는
보석들이 그 밑에 펼쳐진 적색의 모래와 대조를 이루며 다양한 밝기
와 색조를 지닌 녹색을 만들어내고 있었다. 모래 위에 놓여진 에메

랄드의 매끄러운 커팅과 짙은 녹색을 가진 투명한 감람석과 투휘석, 단단한 청옥, 토파즈, 그리고 반짝이는 다이아몬드와 경이로운 색을 가진 브라질 산(産) 투어말린(전기석) 결정과 수정 등의 갖가지 보석들이 녹색이라는 단어에 새로운 의미를 부여해주고 있었다.

투어말린을 바라보는 레바의 입술이 부드러운 미소로 변해 갔다. 적어도 단 하나, 세상이 그녀에게 빼앗아가지 못하는 것이 있다. 차이나 퀸의 소유권 중 절반, 샌디에이고 주의 황야 한 귀퉁이에 위치한, 버려진 투어말린 광산만이 그녀에게 남겨진 유일한 어린 시절의 추억이었다.

투어말린 광산은 고조 할머니의 유산이었다. 유언장에 따라 광산은 장녀에게서 장녀에게로 스무 살의 생일이 되던 날 상속받게 되어 있었고, 지금까지도 잘 지켜지고 있었다. 적어도 엄마가 쌍둥이의 한 쪽으로 태어나기 전까지는……

엄마는 자동차의 뒷좌석에서 태어났고, 할머니와 쌍둥이 아기들이 병원에 도착했을 때 어느 쪽이 먼저 태어난 아기인지를 아는 사람은 아무도 없었다고 했다. 덕분에 엄마는 광산 소유권의 절반만을 물려받았고, 나머지 반은 이모가 물려받았다고 했다. 이모는 호주인과 결혼해서 아웃백으로 갔고, 광산 소유권의 절반 또한 그때 그녀와 함께 멀리 사라져버렸다.

한때, 레바는 차이나 퀸을 다시 열어 이전의 광부들이 미처 발견하지 못한 전설적인 보물들을 발견하는 상상을 하곤 했었다. 가끔 레바는 그러한 환상이 그녀로 하여금 제레미를 따라 보석 수집상이라는 길을 걷게 만든 건 아닌가 하는 생각을 했다. 어떻게 보면 보석에 관한 꿈은 이루어진 셈이었다. 하지만 광산에 대한 부분은…… 그저 유치한 환상에 지나지 않았다. 채광비도 감당할 수 없었고, 광산 그 자체만 해도 지난 80여 년 간의 무시와 경제 침체 속에 하락의 길을 걷고 있었다. 그녀만 해도 어린아이였을 때를 제외하고 단 한번도 차이나 퀸을 방문한 적이 없었다.

「파렐양? 괜찮다면 우린 떠날 준비가 됐는데요.」

레바는 끈기가 담긴 목소리의 임자를 향해 시선을 돌렸다.

「미안해요. 그린 스위트를 보면 항상 백일몽에 빠져들곤 해요.」

사진작가는 얼굴을 찡그리며, 귀중한 보석들이 한 점 한 점 각각의 상자에 담겨 밀봉되고 있는 모습을 바라보았다.

「보험회사 사람들에게는 악몽일 겁니다. 조금이라도 빨리 로스앤젤레스로 돌아가 강철 금고 안에 저것들을 집어넣기 위해 안달이니까요. 저기 언덕 주변을 얼쩡거리는 저 사람이 아무래도 저들의 신경을 거슬리게 만드는 것 같아요.」

레바는 몸을 돌려 저물어 가는 저녁 햇살을 등지고 서 있는 사람을 바라보았다. 차분하게 서 있는 그에게서는 유연하면서도 편안한 하지만 분명한 힘이 넘쳐흐르고 있었다. 지금 그녀의 허리와 규칙적으로 부딪히고 있는 물통의 임자가 분명했다.

「경비원들에게 긴장을 풀라고 말해주세요. 저 사람이라면 스미스소니언(미 국립박물관)의 안내원보다 더 많은 희귀한 보석들을 구경했을 거예요.」

「싱클레어씨에게도 그렇게 말해보세요. 아까부터 경비병들에게 저 남자를 내쫓으라고 계속 재촉하고 있으니까요.」

「오, 데스 계곡은 역사적인 유물이에요. 저 사람도 우리와 똑같이 이곳에 있을 권리가 있다구요.」

「경비원도 그렇게 말을 하더군요. 그것도 여러 번이나요.」

사진작가는 어깨를 으쓱이며 몸을 돌렸다.

「오늘 일한 것들이 나오면 당신에게 전화를 할게요.」

레바는 모래 언덕 위에 서서 사람들이 삼삼오오 무리를 지어왔던 발자국을 따라 돌아가는 모습을 지켜보았다. 그녀는 이방인이 아직 그 자리에 있으리라는 기대를 품은 채 어깨 너머를 바라보았다. 하지만 산마루는 이미 비어 있었고, 바람만이 불어오고 있었다. 다시 고개를 돌리던 그녀는 휘청거리며 결심 어린 몸짓으로 모래 언덕을 걸어오고 있는 토드를 바라보았다. 그녀가 있었던 자리에 막 토드가 도착했을 무렵, 레바는 이미 또 다른 모래 언덕을 너머 멀리 자리를 옮긴 뒤였다. 사막의 바람을 타고 무슨 소리가 들려왔지만 분명하지는 않았다. 레바는 기분이 좋아졌다. 토드가 자신을 뭐라고 부르던 간에 별로 신경 쓰고 싶지 않았다.

이방인이 서 있던 장소로 방향을 잡긴 했지만 그의 모습은 어디에도 보이지 않았다. 레바는 다시 몇 개의 모래 언덕을 건넌 뒤 뒤를 돌아보았다. 하지만 눈앞에 보이는 건 진홍색 석양을 배경으로 비틀거리며 조그만 자갈들이 널려 있는, 좁은 도로 옆에 세워져 있는 차를 향해 천천히 걸어가는 토드의 뒷모습뿐이었다.

레바는 토드가 차를 타고 떠날 때까지 기다렸다. 태양과 함께 기온도 떨어져 이제는 냉기만이 느껴졌다. 천천히 그녀는 몸을 돌려 사방을 둘러보았다. 움직이는 거라곤 그녀의 그림자와 바람뿐이었고, 눈앞에 보이는 것은 햇살에 순간순간 색을 달리하고 있는 부드러운 모래사장뿐이었다. 이제 그녀의 주위에는 침묵과 아름다움만이 존재하고 있었다.

서쪽으로 자리잡은 산맥은 검은 수정더미처럼 붉디붉은 하늘을 배경으로 반짝이고 있었고, 동쪽의 산봉우리들은 투명하고 차가운 분홍색으로 물들이는 황혼을 배경으로 여러 개의 뾰족한 첨탑처럼 반짝이고 있었다. 모든 색조가 보석처럼 선명하고 아름다워서 그녀는 자신이 마치 거대한 검정 오팔의 심장부에 떠 있는 듯한 느낌이 들었다.

레바는 자신이 울고 있다는 사실조차 인식하지 못했다. 처음에는 부드러운 빗방울처럼 눈물이 흘러내렸다. 곧바로 무자비한 고통이 그녀를 흔들어놓으면서 레바는 자리에 무릎을 꿇었다. 흐느낌을 멈추려고 노력했지만 그럴 수가 없었다. 지난 한 달간 그녀를 지탱해주었던 자제력과 정신력은 완전히 바닥나버렸고, 남은 것이라곤 통렬한 슬픔과 차가운 상실감뿐이었다. 그녀는 모래 위에 주저앉아 마치 어린아이처럼 스스로를 부여안고 통곡했다.

순간, 레바는 자신을 들어올리는 이방인의 손길을 희미하게 느꼈다. 그의 강한 팔이 그녀를 감싸안아 자신의 무릎 위로 끌어안은 뒤, 천천히 그녀의 몸을 흔들어주었다. 머리카락 위로 뭐라고 부드럽게 속삭이는 나직한 목소리가 들려왔다. 레바는 무엇인가를 말하려고, 그에게 제레미에 대해 말을 하려 노력했다. 하지만 그저 흐느낌만이 새어나올 뿐이었다.

「난…… 난…… 그를…… 사랑했어요. 그런데…… 그가 죽었어요.」

「포우브 페티테.」

그녀의 머리카락에 입술을 댄 채 벨벳처럼 따스한 목소리로 그가 부드럽게 속삭였다.

'불쌍한 우리 아기.'

낯익은 프랑스 말투로 인해 레바는 마지막 남아 있던 자제력마저 무너지고 말았다. 나약한 신음 소리와 함께 그녀는 이방인에게 자신의 팔을 두른 채 슬픔에 온몸을 내맡겼다. 그의 손가락이 머리카락 사이로 미끄러져 들어와, 머리카락을 고정시켜주고 있던 상아 빗을 풀어버렸다. 머리카락이 물결치듯 그녀의 어깨와 그의 팔 위로 흘러내려왔다. 강인한 힘으로 그녀를 꼭 끌어안은 채, 그는 그녀의 머리카락과 등을 쓰다듬으며 위로해주었다.

오랫동안, 아주 오랫동안 통곡한 뒤에야 레바는 흐느낌을 멈추고 숨을 내쉴 수 있었다. 그는 자신의 재킷으로 그녀를 감싸주면서 물통에 남아 있던 물로 조심스럽게 얼굴을 닦아주었다. 달빛에 비친 그의 눈동자는 녹아 내린 은색으로 보였고, 어둠 속에 가려진 얼굴 위에는 아무런 표정도 드러나 있지 않았다. 상식대로라면, 이름도 알지 못하는 거친 이방인과 아무도 없는 모래사장에 단 둘이 있다는 사실에 두려움을 느껴야만 했다. 하지만 오히려 그를 올려다보는 그녀의 마음은 너무나 평화로웠고, 그의 따뜻한 체온으로 인해 졸음이 밀려오고 있었다.

작은 한숨과 함께 레바는 그의 가슴에 몸을 기대었다. 온몸에 힘이 다 빠져나간 듯 몸을 똑바로 일으켜 세울 수조차 없었다. 그의 팔이 단단하게 레바를 감싸안으며 아무런 말없이 그녀를 지탱해주었다. 강한 손가락이 천천히 그녀의 등과 목을 문지르면서 지난 몇 주간 엉켜 있던 근육을 풀어주고 있었다. 그녀는 뭐라고 중얼거리며 한숨과 함께 온몸에 남아 있던 긴장을 풀었다.

조금씩 몸에 힘이 돌아오고 있었지만, 레바는 그에게서 몸을 떼지 않았다.

「좀 낫소?」

낯선 남자가 부드럽게 물었다.

레바는 고개를 끄덕였다. 달빛이 내려앉아 머리카락이 황금색으로 빛을 발하고 있었다.

그는 그녀를 끌어안은 채 자리에서 일어났다. 그리고 레바가 혼자 힘으로 설 수 있다는 확신이 들 때까지 그대로 붙잡고 있었다.

「차까지 데려다주겠소.」

「그럴 필요 없어요. 이제는 나 혼자서도 할 수 있어요.」

그녀의 목소리는 울음으로 인해 거칠어져 있었고, 피부는 달빛만큼이나 창백했다.

「정말이에요. 혼자 할 수 있어요.」

「당신이 그럴 거라는 건 알고 있소. 하지만 그럴 필요가 없소.」

남자는 그녀의 손을 붙잡고 달이 떠오르는 방향으로 걸음을 옮겼다. 두 사람은, 모래사장의 가파른 언덕을 타고 흘러내리는 모래의 속삭임만이 들려오는 적막하고 어두우며 은색으로 빛나는 땅 위로 천천히 걸음을 옮겼다. 두 사람 다 아무런 말도 하지 않았다. 둘 다 부드러운 침묵이 깨어지는 것도 원하지 않았다.

차가 있는 곳에 다다르자 그는 그녀 쪽으로 몸을 돌렸다. 그의 손가락이 부드럽게 그녀의 머리카락을 쓰다듬으며 차가운 실크 아래에 숨어 있는 따스함을 찾아 움직였다. 그리고 레바의 머리를 뒤로 젖혀 달걀형의 얼굴 위로 달빛이 쏟아지게 만들었다. 천천히 그는 몸을 숙여 그녀의 입술을 덮고는 잠시 그녀가 자신의 입술을 느낄 수 있는 시간을 주었다.

레바는 그의 손가락이 부드럽게 머리카락을 움켜쥐면서, 그의 넓은 어깨가 달을 가리는 것을 보았다. 그리고 그의 나직한 숨소리와 함께 눈을 감고 그의 온기를 받아들였다. 자신의 입술 위에서 움직이는 그가 너무나 부드럽고 따스해 레바는 그 달콤한 압력을 거부할 수 없었다. 본능적으로 그녀의 입술이 저항을 멈추고, 곧 항복과 함께 그를 받아들였다. 약간은 억제되고 조심스러운 키스에 그녀는 신음을 내뱉었다.

그는 몸을 움직여 두 팔로 그녀를 잡아당기며, 밤처럼 깊은 굶주림이 담겨 있는 키스를 했다. 단단한 그의 몸에 그녀가 완벽하게 들어맞을 때까지 두 사람은 서로에게 녹아들어 갔다. 뜨거운 열기와 혀의 부드러운 움직임에 전율하듯 작은 신음을 내뱉으며 레바는 다른 누구에게도 보인 적 없는 뜨거운 반응을 보였다.

마침내 그가 입술을 떼어냈을 때, 레바는 서 있는 것조차 힘이 들었다. 챈스는 깊게 숨을 들이마시고 오랫동안 그녀를 바라보았다. 그의 몸은 남성적인 열기로 딱딱하게 굳어져 있었고, 목소리는 나지막하고 거칠게 갈라져 있었다.

　「만일 당신이 그를 사랑했다면, 그는 죽는 순간까지도 행복했을 거요.」

　챈스는 그녀를 감싸안고 있는 재킷과 그녀의 핏속에 타오르고 있는 자신을 향한 욕구를 남겨놓은 채, 몸을 돌려 어두운 밤 속의 달그림자 속으로 사라져버렸다.

2

 오브제 다르(작은 미술품·골동품)는 로데오 거리를 따라 들어서 있는, 무수히 많은 작은 가게들 중 하나였다. 외양은 작고 허름해 보였지만 최신식 경보장치가 달려 있고, 신중한 감시체제가 이루어져 있었다. 물론 레바가 설치한 건, 추한 전선들과 전당포에서나 볼 수 있는 검은 빗장이 아니었다. 그녀의 사업은 눈에는 보이지 않는 광학섬유와 두꺼운 유리문 그리고 눈높이에 맞추어 보석들을 진열해놓은, 창문들 속에 숨겨져 있는 머리핀 두께의 철사들에 의해 완벽하게 보호되고 있었다. 또한 밖으로 약간 튀어나온 유리창 그 자체도 경사를 이루며 비스듬히 설계되어 있어, 그 안에 놓여져 있는 보석들만큼이나 눈부신 빛을 발하고 있었다.
 레바는 그린 스위트의 광물 표본과 정교하게 세공한 보석들 중 몇 점을 선택해 깨끗한 받침대와 교묘하게 주름잡은 실크 위에 진열해놓았다. 여러 종류의 아름다운 보석이 레바의 트레이드마크이기도 한 검은 실크 깔개 위에서 다양한 각도로 들어오는 빛에 따라 현란한 광채를 발하고 있었다.

레바도 똑같은 검정 실크로 만든 단순한 모양의 긴소매 블라우스와 그에 어울리는 바지를 입고 있었다. 굽이 높은 검은 샌들이 그녀의 키를 더욱 커 보이게 만들었고, 반짝이는 어두운 벌꿀색의 머리카락이 창백한 타원형의 얼굴을 돋보이게 했다. 완벽하게 調和를 이루는 두 개의 검은 오팔이 그녀의 귓불에서 어둡게 빛나고 있었다. 레바가 착용하고 있는 보석은 오팔을 제외하고, 제레미가 준 반지가 전부였다. 그 반지는 약 12개월 전 생일선물로 받은 뒤, 단 한번도 그녀의 손을 벗어난 적이 없었다.

황갈색으로 빛나는 다이아몬드를 바라보며 레바는 제레미가 아닌 낯선 이방인을 생각하고 있었다. 그날 이후로 열흘이라는 시간이 흘렀지만, 어린아이처럼 그에게 매달려 눈물을 흘렸던 일이나 자신이 지구상에 남은 마지막 여인인 것처럼 키스를 퍼붓던 그의 입술 감촉이 아직도 낯선 감정과 전율을 불러일으키고 있었다.

「그 안에 세상의 모든 녹색이 다 들어 있어요.」

팀이 말을 걸었다.

「그렇지도 않아.」

그녀는 아무런 생각 없이 팀을 향해 말했다.

「은녹색은…….」

레바는 못마땅한 신음 소리와 함께 정신을 찾으려 노력했다. 심지어 그녀는 그 남자의 이름이 뭔지도 모르고 있었다. 이건 그녀답지 않았다. 그는 저무는 태양처럼 완벽하게 사라져버렸다. 그런 것처럼 그녀의 기억 속에서도 그렇게 사라지면 되는 거였다. 그는 공허했던 그녀의 감각들 중 한 가지를 채우는 데 도움을 준 것뿐이었다. 비이성적이리 만큼 강렬했던 욕망…….

하지만 단 한번도 가져보지 못한 감각을 어떻게 채울 수가 있다는 거지?

「첫 번째 약속은 몇 시지?」

날이 선 목소리로 레바는 질문을 던졌다.

「11시요.」

노트를 펼쳐들며 팀이 대답했다.

「누군데?」

「토드 싱클레어.」

레바는 얼굴을 찌푸렸다.

「도대체 뭘 원하는 거야?」

「그린 스위트요.」

「지옥이 얼어붙기 전까지는 그걸 가질 수 없을 거야.」

예민하게 살피는 듯한 갈색 눈동자를 들어올린 팀이 그녀를 올려다보았다.

「그 말은, 이제 결정을 내렸다는 건가요?」

레바는 간신히 자신의 불쾌한 반응을 숨길 수 있었다. 세상의 절반이 그녀를 쫓아다니며 제레미의 수집품 중 어떤 것 두 개를 선택할 건지 알아내기 위해 안달하고 있는 것만 같았다. 제레미의 유언장이 공개되고 난 순간부터 개개인의 수집가들, 박물관들, 신문, 잡지 그리고 변호사들과 토드 싱클레어까지 모두들 그녀를 괴롭히고 있었다. 이제까지 그녀란 존재조차 알지 못했던 사람들이, 죽은 제레미 보워어 싱클레어와 그녀와의 정확한 관계에 대해 비밀리에 혹은 공개적으로 떠들어대고 있었다.

피후견인인 — 아니면 다른, 뭔가 조금은 더 친밀한? — 레바 파렐이 후견인의 유품 중에서 어떤 것을 선택할 것인가. 과연 돈을 택할 것인가, 아니면 둘 사이의 어떤 감상적인 물건은 아닐까 하는 궁금증을 캐내려는 듯이.

마치 날아오는 화살을 피하려는 듯 팀이 두 손을 머리 위로 들어올렸다.

「날 치지는 말라구요, 보스. 나도 세상 사람들과 똑같이 호기심을 먹고사는 동물이라고요.」

레바는 단단한 체격의 젊은 청년을 어쩔 수 없다는 시선으로 바라보았다. 팀은 위조 보석에 대한 본능적인 감각을 지닌 탁월한 보석 감정사로 그녀의 오른팔과 같은 존재였다. 그는 나태해 보이는 태도 아래에 인간의 본성과 보석 거래에 대한 재빠른 이해력을 숨기고 있었고, 무엇보다 자신의 아내를 너무 사랑하는 남자였다. 팀은 레바를 마치 자신의 손가락 사이에 놓여진 보석을 다루듯 대했다. 이해, 존경 그리고 소유하고자 하는 욕심을 완전히 버린 마음으로……. 그녀를 위해 일한 지난 2년이라는 시간 동안 두 사람 사이에는 남매와 같은 정이 생겨났고, 그의 어쩔 수 없는 유머가 가끔씩 그녀에게는 커다란 힘이 되어주곤 했다.

「난 그린 스위트를 가질 생각이야.」

「지금 막 1,000달러를 땄어요.」

팀은 의기양양하지만 약간은 기묘한 표정과 수줍은 말투로 소리쳤다.

「누구한테?」

팀이 악의 서린 미소를 지었다.

「싱클레어라고 불리는 얼간이한테요.」

레바의 입술이 어쩔 수 없는 미소로 곡선을 그렸다.

「토드가 지불하기 전까지 계산에는 넣지 말아.」

「오, 그는 지불할 거예요. 어떻게든지 그에게서 마지막 일 달러까지 쥐어짤 셈이니까요. 그는 당신이 다이아몬드 에이스를 선택할 거라고 자신만만하게 장담하더라구요. 어쩌면 그게 두 번째 선택일지도 모르겠네요.」

레바는 머리를 흔들었다.

「그것도 예쁘기는 해. 하지만 그건 그저 커다란 다이아몬드일 뿐이야.」

「잠깐만요, 보스. 그저 커다란 다이아몬드라는 게 마지막 감정 때 185만 달러가 매겨졌다고요. 그것도 2년 전에요. 만일 그걸 판다면 분명히 평생 쓰고도 남을 돈을 벌게 되는 거라고요.」

「난 내 힘으로 버는 돈이 좋아. 구식이긴 하지만.」

팀이 가까이 다가와 그녀를 바라보았다.

「솔직히 사람들이 돈 때문에 제레미의 환심을 사려했다고 말하는 게 듣기 싫은 거죠? 안 그래요?」

「날 혼자 내버려둬, 팀.」

담담한 어조로 레바는 입을 열었다.

「사람들이 물어보면, 다이아몬드 에이스는 너무 번쩍여서 내 취향이 아니라고 말해줘.」

팀이 재빨리 그녀의 손을 쓰다듬었다.

「미안해요, 레바. 당신에게 제레미가 어떤 의미인지 잘 알아요. 비록 그렇게 고집투성이 늙은…….」

팀이 기침을 하며 재빨리 어투를 바꾸었다.

「그는 당신을 제외한 다른 사람들하고는 잘 어울리지 못했잖아요.」

「내가 프랑스어를 했잖아.」

자신의 모국어를 사용하며 행복해하던 제레미를 떠올리자, 레바의 목소리가 조금씩 부드러워졌다.

「그건 저도 마찬가지였어요.」

팀이 투덜거렸다.

「그 끔찍한 억양으로 말이지.」

그녀가 지적했다.

「됐어요, 됐어.」

팀은 노트를 가볍게 툭 쳐서 덮은 뒤, 엷은 황갈색 슈트 주머니에 집어넣었다.

「그럼, 두 번째 선택은요?」

「그런 점 때문에 내가 널 좋아하는 거야.」

레바가 신랄하게 말했다.

「넌 이미 눈치챘을 텐데…….」

「으흠…… 말해봐요.」

「또 다른 내기라도 했어?」

팀은 그저 씩 웃어 보일 뿐이었다.

「좋아, '호랑이 신'을 가지려구.」

레바가 포기한 듯 대답했다.

「뭐라고요?」

「호안석(虎眼石)으로 장식된 조각품 말이야.」

「오…….」

팀이 나직하게 신음을 내뱉었다.

「어떻게 안 거죠?」

「누가?」

「지나 말이에요. 당신이 그 조각상을 선택할 거라고 그녀가 내기를 걸었거든요.」

「그래서 얼마나 잃었는데?」

응석을 받아주듯 레바가 물었다. 지나는 오브제 다르의 접수원이면서 경리이자 비서였고, 또한 팀의 부인이기도 했다.

「뭐, 정확히 다른 사람들이 손해보는, 그런 걸 걸지는 않았어요.」

기묘한 미소를 지어 보이면서 팀이 대답했다.

팀이 자신의 마음속에 있는 차가운 공허함을 발견하지 못하기를 바라면서 레바는 미소를 되돌렸다. 양쪽 다 패자가 아닌 승자가 될 수 있는 그런 친밀한 관계를 공유할 수 있는 누군가가 있다는 게 어떤 느낌일까? 매일 밤 누군가를 꼭 끌어안고 '작은 죽음'처럼 편안하게 잠이 들었다가 새로 태어나듯 아침을 맞이하는 건 어떤 느낌일까? 상대방에 대해 아주 사소한 부분까지 알고 있고, 또한 그에게 자신의 아주 작은 부분까지 드러낼 수 있는 관계란 어떤 걸까? 그런 느낌을 알게 된다는 것에 비하면, 아무리 희귀한 보석이라 해도 모래 언덕 위로 흘러내리는 한 움큼의 모래만큼의 가치도 없다는 생각을 했다.

「레바, 괜찮아요?」

「오, 괜찮아.」

그녀는 멍하니 대답했다.

「단지 두통이 조금 생긴 것뿐이야.」

모래사장과 달빛, 이름도 모르는 남자에 대한 기억들이 가차없이 그녀를 괴롭히고 있었다.

「제레미의 수집품 사진들을 고르는 작업을 할 생각이야. 그러니 도련님이 오면 내 사무실로 안내해줘.」

「도련님이라뇨?」

「싱클레어.」

무심결에 흘러나온 말에 얼굴을 찌푸리며 레바는 대답했다. 토드 싱클레어를 '도련님'이라고 말했던 사람은 단 한 명뿐이었다.

팀이 그녀를 향해 불분명한 시선을 던졌다.

「데스 계곡에서 싱클레어와 안 좋은 일이 있었나요?」

「평상시보다 나쁘지는 않았어.」

그녀의 간단한 대답에 팀은 미소를 지었다.

「내가 거기에 있었어야 했는데. 가만 보니까, 오두막에서 만났을 때도 술이 덜 깬 것 같았는데.」

「걱정했던 것처럼 위험하거나 폭력적인 짓은 아무것도 하지 않았어.」

하지만 토드가 한 발자국만 더 앞으로 다가왔다면 그런 일이 일어날 수도 있었다. 야생동물처럼 거친 움직임으로 레바를 두렵게 만드는 동시에 보호해주었던 이방인의 몸짓이 떠올랐다. 토드가 그랬던 것과는 달리, 그 낯선 남자가 자신의 약점을 이용하기보다는 오히려 도와주려 한다는 사실을 알았을 때 레바는 안도감을 느꼈었다. 그리고 슬픔에 잠겨 스스로를 완전히 주체할 수 없게 되었을 때에도, 이방인은 레바가 스스로의 힘으로 일어설 수 있을 때까지 그저 그녀를 안아주었을 뿐 아무런 짓도 하지 않았다.

「오늘 아무래도 점심을 늦게 먹을까봐요.」

팀이 불쑥 입을 열었다.

평상시 팀은 11시에서 12시 사이에 반드시 점심을 먹었다. 토드와의 약속은 11시였다.

「그럴 필요는 없어.」

「아침을 늦게 먹었을 걸요.」

그녀가 반대의 말을 더 꺼내기 전에 팀은 재빨리 덧붙였다.

「당신이 뭘 선택했는지에 대해 지나가 언론에 공개해도 되는 건가요?」

「불쌍한 지나! 싫은 일은 죄다 그녀가 하잖아.」

「사실은 그걸 좋아하는 걸요. 만일 제레미의 수집품에 대한 당신의 책에 글을 쓸 사람이 필요하다면 지나를 한번 고려해봐요.」

그녀의 대답에 대해 흥미가 있다는 표정을 적나라하게 드러낸 채, 팀은 진한 갈색 눈동자로 레바를 바라보았다.

아무런 생각 없이 정수리 부근에서 흘러내린 머리카락을 잡아당기며 레바는 고개를 옆으로 숙였다.

「그것도 좋겠지.」

마침내 그녀는 결심하듯 대답했다.

「그래, 하지만 그렇게 되면 다른 경리를 구해야만 할 거야. 지나의 상태를 봐서 너무 많은 일은 무리니까 말이야.」

「그녀가 아기를 가졌다고 말하던가요? 나한테도 겨우 지난주에야 말을 했는데.」

팀이 놀란 목소리로 물었다.

「딱 보니까 알겠던데, 뭐.」

아무도 안 본다고 생각될 때마다 팀이 지나의 가녀린 허리를, 소유욕 있는 손길로 어루만지는 것을 몇 번 본 적이 있었다.

「걱정하지 마, 아무에게도 말하지 않을 테니까. 왜 그걸 비밀로 하고 싶은지는 잘 모르겠지만 말이야. 만일 내가 지나라면, 로스앤젤레스 타임스에 전면광고를 냈을 텐데 말이야.」

「그러니까 당신은 결혼을 해야 한다구요.」

미소를 짓는 동시에 심각한 표정을 지으며 팀이 말했다.

「했었어.」

팀은 깜짝 놀란 표정을 지었다.

「아주 오래 전 일이지만.」

그녀는 무심하게 대답했다.

「그런데요?」

「난 성숙했는데, 남편은 내가 성숙하는 걸 원하지 않았어.」

「유감이군요.」

불편한 듯 팀이 말했다.

「남편으로서는 형편없었지만, 끝내주는 프랑스어 선생이었어. 그이가 없었다면 난 결코 제레미를 알지 못했을 거야.」

그때 전화벨이 울렸다. 팀이 전화기를 들어 귀를 기울이더니, 수화기를 틀어막은 채 퉁명스럽게 말했다.

「싱클레어요. 지금 당장 보고 싶대요.」

레바는 어깨를 으쓱해 보였다.

「좋아, 적어도 그럼 넌 평상시처럼 점심을 먹을 수 있겠네.」

팀은 수화기를 귀에 가져다댔다.

「10분 안에 이곳으로 올 수 있다면, 우리도 당신을 위해 시간을 쥐어짜 보도록 하죠.」

토드가 무슨 말을 하기도 전에 팀은 전화를 끊었다.

「눈에 띌 정도로 무례한걸.」

웃지 않으려고 노력하면서 레바가 말했다.

「고마워요. 오는 길에 딱지나 끊었으면 좋겠네.」

「아마, 그런 행운은 없을 걸. 신은 바보와 술주정뱅이를 굽어살피시니까.」

「싱클레어는 어느 쪽인데요?」

「양쪽 다.」

레바는 자신의 사무실로 걸어갔다. 사무실 문을 열자마자 처음으로 눈에 들어온 것은, 남아프리카의 프라빈스 곶(串)에서 발견한 45센티미터짜리 청면석(靑面石)이었다. 한 독일 조각가가 그 위에 더없이 훌륭한 호안석(虎眼石)을 박아 넣고 다듬어, 마치 사람과 비슷한 모양으로 변형시켜놓았다.

'호랑이 신'은 단단한 금 화살만을 어깨에 맨 채, 벌거벗은 자세로 유연하고 편안한 모습으로 서 있었다. 그의 손에는 황금 화살이 아무렇게나 들려 있었고, 허벅지 위에 놓여져 있는 삼각형 모양의 화살촉은 굴곡진 근육과 뚜렷한 대비를 이루고 있었다. 광물 위에 비스듬히 나 있는 묘한 색의 줄무늬를 그대로 살려 조각한 석상은, 고요함과 완숙된 힘이 균형 잡힌 감각적인 인상을 사람들에게 심어주고 있었다. 햇빛이 '호랑이 신'의 남성적인 육체의 표면 위를 비추면서, 풍요로운 황금색에서 반짝이는 갈색까지 어우러진 색의 향연을 만들어내고 있었다.

하지만 레바가 석상을 선택한 이유는 단순히 그것이 가지고 있는 힘과 뛰어난 아름다움 때문은 아니었다. '호랑이 신'의 육체에 깃들여 있는 위엄과 자부심이, 낯선 남자와 칠흑처럼 까맣던 사막의 밤 그리고 정상적인 남자의 팔 안에서 대부분의 여성들이 느끼는 감정을 느낄 수 있게 해준 키스를 떠올리게 만들었기 때문이었다.

오브제 다르의 문이 열릴 때마다 특색 있는 벨 소리가 사무실에 울려 퍼졌다. 그녀의 사무실 문은 한쪽에서만 볼 수 있는 특수유리였기 때문에 완벽하게 비밀을 유지하면서 가게 내의 상황을 한 눈에 알아볼 수 있었다. 레바가 머리를 돌리자 토드가 자신을 향해 걸어오고 있는 모습이 보였다. 나지막한 한숨과 함께 욕설을 중얼거리며 레바는 '호랑이 신'을 책상 위에 올려놓고 자리에 앉아 사무실의 경보장치를 해제시켰다. 자동적으로 문이 약간 열렸다. 그녀는 그렇게 않아 도령이 자신의 사무실로 오는 모습을 계속 바라보고 있었다.

「난 갑작스럽게 열리는 이 문 때문에 넌더리가 나, 파렐.」

책상 반대편에 놓여 있는 의자에 몸을 던지며 토드가 말했다.

「그 빌어먹을 수집품들을 당장 팔아버리라구. 늙은 염소의 나머지 재산만 가지고는 변호사의 임금을 지불하기도 어렵다고. 난 돈이 필요해. 그것도 지금 당장.」

레바는 팔짱을 낀 채 몸을 뒤로 젖혀 의자에 깊숙이 몸을 기대며, 긴 속눈썹 아래로 토드를 향해 차가운 시선을 던졌다. 그가 몸을 거칠게 뒤척거릴 때까지 아무런 말없이 그를 살펴보았다. 술 냄새와 밤새도록 싸돌아다닌 흔적이 역력하게 드러나 있었다.

「말이 늦게 달리던가요? 아니면 패가 나빴어요?」

그녀가 무심하게 물었다.

붉어진 토드의 얼굴이 그녀의 관찰이 정확했음을 말해주고 있었다.

「입 닥쳐.」

토드가 탁한 목소리로 소리쳤다.

레바는 자신의 반지에 박힌 다이아몬드처럼 딱딱한 눈으로 토드를 바라보았다. 토드가 카드 실력만큼이나 술버릇 또한 나쁘다는 걸 경험상 잘 알고 있었다. 제레미마저도 경호원들에게, 토드가 술에 취해 있으면 아무리 손자라 해도 접근을 불허한다는 명령을 내렸었다. 일 년 전 토드는 술에 만취한 채 분노해서 자신의 할아버지를 공격한 전력이 있었다. 그런 기억에 레바의 여성적인 입술이 혐오와 분노로 딱딱하게 굳어져버렸다.

「그렇게 가만히 않아서 자신이 잘났고 완벽한 것처럼 남을 바라보지 말라고.」

토드가 으르렁거렸다.

「그래봤자, 넌 늙어빠진 영감이 길거리에서 주운 싸구려 장난감일 뿐이라고.」

벨이 다시 울리면서 누군가가 가게에 들어왔다고 레바에게 알렸다. 하지만 토드의 우람한 어깨가 가게로 향하는 그녀의 시야를 가로막고 있어서 누구인지는 보이지 않았다. 아마도 지나가 약속을 마치고 돌아온 것 같았다.

「뭐라고 말을 좀 하라고, 이 빌어먹을.」

「진정해요.」

담담한 어조로 그녀는 입을 열었다.

「'입 닥쳐, 뭔가 말을 해' 따위는 도로 가져가요, 토드. 두 가지를 한꺼번에 할 수는 없으니까요.」

「이, 버릇없는 창녀 같으니.」

순식간에 자리에서 일어나 책상을 향해 다가온 토드는 그녀를 움켜쥐려 두 팔을 휘저으며 고함을 질렀다.

레바는 우아한 동작으로 그의 손가락 끝을 빠져나왔다. 하지만 그녀의 그런 행동은 토드의 분노를 더 크게 만들었을 뿐이었다. 그는 책상을 거칠게 밀어붙여 그녀를 벽에 가두었다. '호랑이 신'이 흔들리자 레바는 그것을 움켜쥐었다. 순간, 석상이 무기로도 사용될 수 있다는 사실을 깨달으며, 이런 아름다운 세공품이 토드 싱클레어와 같은 쓰레기를 내리치는 데 사용되어야 한다는 사실에 다소 씁쓸한 아쉬움을 느꼈다.

그때 팀이 오른손에 곤봉을 들고 방안으로 뛰어들어 왔다.

「그녀를 건드리기만 해봐, 네놈의 목을 분질러버리겠어.」

「뒤로 물러서시오.」

순간, 차갑고 조용한 목소리가 팀의 뒤에서 들려왔다.

팀과 맞춰한 토드는 난폭함이 묻어 나오는 목소리에 놀란 듯이 몸을 돌렸다. 레바는 울고 싶은 기분과 웃고 싶은 기분을 동시에 느꼈다. 그리고 그를 향해 소리를 치고 싶었지만, 여전히 그의 이름을 알지 못했다.

이방인이 조용히 먹이를 노리는 육식동물과 같은 걸음걸이로 방안으로 들어왔다. 그리고 토드의 먹살을 움켜쥐고 가뿐하게 들어올려, 자신보다 덩치 큰 남자를 벽에 밀어붙였다. 머리를 흔들던 토드는 밀려드는 두려움을 주체하지 못하는 듯 갑자기 흐느끼기 시작했다.

「지금 당장 네놈의 목을 부러뜨리지는 않겠어.」

이방인은 부드러우면서도 적의가 가득한 목소리로 말을 이었다. 그의 손은 강철같은 힘으로 토드의 목을 움켜쥐고 있었다.

「먼저 네 녀석의 손가락을 분질러놓겠어. 그런 다음에는 손목을 그리고 나선 어깨까지 이어지는 모든 뼈를 분질러주겠어. 차례차례로. 네 녀석의 목을 분지를 때가 되면, 아마 네놈은 내게 고맙다는 말을 하게 될 거야. 알았나, 도령?」

토드는 목 졸린 신음 소리로 알겠다는 표시를 했다.

이방인이 고개를 돌려 레바를 바라보았다. 그의 거친 얼굴 표정이 순식간에 변했다.

「이놈이 당신을 건드렸소, 채튼(chaton, 아기 고양이)?」

레바는 무시무시한 분위기를 가진 이방인이 생명처럼 작으면서 소중하고 활기를 띠는, 작은 보석을 의미하기도 하는 부드러운 프랑스 애칭으로 자신을 부르자, 북받쳐오는 감정들로 인해 말을 할 수가 없어 그저 고개만 저었다.

이방인은 토드를 향해 다시 고개를 돌렸다.

「앞으로 또 그렇게 나서보라고, 도령. 그땐 반드시 그렇게 해줄 테니까.」

잔혹한 기술과 함께 손가락이 살 속으로 파고들었다. 이방인은 다시 그를 들어올려 열려진 사무실 문 쪽을 향해 내던지듯 내려놓았다. 그 힘에 떠밀려 토드는 비틀거리며 뒤로 밀려나갔다. 남자는 아무런 말없이, 토드가 휘청거리며 가게를 가로질러 문 밖으로 나가는 모습을 지켜보았다. 그러고는 여전히 팀에게 등을 보인 채 차가운 목소리로 말했다.

「그 곤봉을 지금 당장 사용할 생각이 아니라면 주머니에 집어넣도록 하시오.」

팀은 레바를 바라보았다.

「괜찮아, 팀.」

이방인에게서 시선을 떼지 않은 채 그녀는 재빨리 대답했다. 솔직히 레바는 그가 나타났을 때와 마찬가지로 갑자기 사라져버리지 않을까 두려웠다.

이방인은 팀에게 몸을 돌려 청년이 결정을 내리기를 기다렸다. 팀은 한참 동안 보석을 감정하듯 그를 바라보더니, 마치 언제든 재빨리 무기를 꺼낼 수 있음을 시사하듯 능숙하고 유연한 손놀림으로 곤봉을 뒷주머니에 집어넣었다..

곤봉이 사라지자 이방인의 어깨가 약간 들썩이는가 싶더니, 방어를 위해 긴장해 있던 근육이 조금은 누그러들었다.

「이제 우리 두 사람을 소개시켜주시오, 팀.」

레바를 향해 눈짓을 해 보이며 남자가 말했다. 기묘한 미소로 휘어진 입술은 더 이상 거칠어 보이지도, 위험해 보이지도 않았다.

놀란 듯 팀이 이방인을 바라보았다.

「이봐요, 레바가 당신을 안다고 했잖아요?」

「물론 그렇소.」

부드럽게 웃음을 터뜨리며 그가 덧붙였다.

「하지만 내 이름은 알지 못하고 있소.」

믿을 수 없다는 듯 팀이 레바를 바라보았다.

「미안하지만 그의 말이 맞아, 팀. 말하자면 얘기가 길어져. 그러니까…….」

그녀가 말꼬리를 흐리며 대답했다.

「레바 파렐, 이쪽은 챈스 워커예요. 챈스, 레바요. 자, 이제 두 사람 중 누구든 내게 이 빌어먹을 상황이 어떻게 진행되는 건지 말을 좀 해봐요.」

팀이 화가 난 듯한 소리로 말했다.

챈스는 팀을 무시한 채 미소를 지었다.

「안녕하시오, 레바 파렐양.」

챈스는 재미있다는 듯한 억양의 굵은 저음으로 인사했다. 그리고 손쉽게 레바의 책상을 제자리에 돌려놓은 뒤, 그녀의 손아귀에서 '호랑이 신'을 빼앗아들고 석상을 이리저리 돌려보면서 그 표면의 색조를 감탄하듯 살펴보았다.

「이게 그 도령의 두꺼운 두개골 때문에 부러지기라도 했다면 진짜 아쉬웠을 거요.」

남자의 말에 레바는 약간 거칠게 웃음을 터뜨렸다.

「그것을 움켜쥐는 순간, 나도 그런 생각을 했어요.」

챈스는 검은 실크 아래에 감추어진 매력적인 곡선에서 거무스름하게 윤기가 흐르는 머리카락까지 샅샅이 훑어보듯 그녀를 바라보았다.

「당신은 밤을 좋아하나보군. 온몸을 검은색으로 치장할 정도로. 아름답소, 채튼.」

챈스가 조용히 말했다.

레바는 그의 찬사가 뇌리를 꿰뚫으며 온몸을 변화시키는 것을 느꼈다. 그녀는 한번도 자신이 아름답거나 예쁘다고 생각한 적이 없었다. 하지만 챈스가 자신을 바라볼 때마다 마치 자신이 세상에서 가장 매력 있는 여인처럼 느껴졌다. '호랑이 신'이 눈동자 가득 관능적인 빛을 발하며 그녀를 향해 미소짓고 있었다.

팀이 헛기침을 하자, 레바는 자신이 계속 챈스만을 바라보고 있음을 깨달았다. 마지못해 그녀는 팀을 향해 고개를 돌렸다.

「챈스…… 그러니까, 워커씨가…….」

「챈스.」

'호랑이 신'이 단호하게 정정했다.

「챈스.」

특이한 그의 이름을 음미하듯 그녀는 중얼거렸다.

팀이 다시 헛기침을 했다.

「데스 계곡에서 챈스가 토드를 물리쳐준 적이 있었어.」

레바는 재빨리 설명했다.

「그후에 챈스는 내가…….」

레바는 자신이 생면부지의 남자 품에 안겨 제레미에 대한 슬픔을 털어놓은 채 통곡했다는 사실을 어떻게 설명해야 할지 몰라 하는 시선으로 팀을 바라보았다.

「난 제레미가 너무나 그리웠고, 챈스는 그것을 이해해주었어. 오, 젠장.」

그녀는 얼버무리는 것이 짜증나는 듯 재빨리 말을 이었다.

「좋아, 난 그의 품에 파고들어서 아기처럼 울음을 터뜨렸지. 그리고 이 사람은 인내심을 가지고 날 부드럽게 위로해주었고. 내가 기대했던 것보다 훨씬 더.」

팀은 의심스러운 눈초리로, 술에 만취한 거대한 고깃덩어리를 손쉽고 가차없이 흐느끼는 햄버거조각으로 만들어버린 사내를 바라보았다.

「'부드럽다' 그리고 '인내심'이라고 말했나요? 그래요. 분명 그럴지도. 내가 바에서 일을 해 학업을 마치는 동안 챈스처럼 부드럽고 인내심 많은 사람을 만나지 못했다니, 기쁘군요.」

「거기서 곤봉을 사용하는 걸 배운 건가?」

챈스가 물었다.

「넵.」

「대부분의 바텐더들은 총을 더 좋아하던데.」

「곤봉은 선택의 폭이 더 넓죠.」

팀이 차갑게 대답했다.

청년을 인정한다는 듯 챈스는 고개를 끄덕였다. 그런 다음 레바를 바라보았다.

「그가 당신 거요, 채튼?」

미처 예상치 못했던 질문이라 그 의미를 알아듣기까지 레바는 잠시 시간이 걸렸다.

「팀이요? 내 거냐구요? 오, 하나님, 아니에요! 그에게는 놀라운 능력을 지닌 아내가 있어요.」

챈스는 몸을 돌려 팀에게 자신의 손을 내밀었다.

「만나서 반갑소, 팀. 당신이 결혼을 했다니, 지독하게도 기쁘군.」

갑자기 팀이 웃음을 터뜨렸다.

「나도 그렇습니다. 당신과 당신이 원하는 것 사이에 끼여들게 되었다면 아마도 끔찍했을 겁니다.」

「팀!」

챈스 워커에 대한 팀의 속단에 충격을 받은 듯 레바가 소리쳤다.

팀은 챈스의 손을 흔들며 미소를 지었다.

「만나서 반가워요, 챈스. 내가 만난 사람들 중에서 고집불통인 우리 보스를 돈과 상관없이 접근하는 첫 번째 남자인 것 같군요, 보니 챈스.」

그는 거의 알아들을 수 없을 만큼 작게 프랑스어를 중얼거렸다. 하지만 당혹스러운 표정을 짓는 챈스의 얼굴을 보고는 재빨리 번역을 해주었다.

「행운이 있기를 빌어요.」

팀은 주저하며 물었다.

「지금 내가 뭔가 말실수를 했나요?」

「아니오. 한때 럭(Luck, 행운)이라고 불리는 형이 있었던 적이 있었소.」

일순 챈스의 얼굴이 심각하게 변했고, 별로 즐겁지 않은 기억을 떠올리는 듯 은녹색 눈동자가 가늘어졌다.

「있었다고요?」

챈스는 아무런 말도 하지 않았고, 팀도 되묻지 않았다. 챈스 워커에게는 단호하게 질문을 거부하는 듯한 무엇인가가 있었다.

그때 다시 벨이 울렸다. 가게를 살피던 팀은 문 앞에서 기다리고 있는 예쁘장한 붉은 머리의 여인을 보았다. 그는 어린아이처럼 미소를 지으며 서둘러 걸어나갔다.

「아내요?」

팀이 자리를 뜨자 챈스가 레바에게 물었다.

「네, 지나는 그야말로 보석이에요. 그녀에게 있어 유일한 결점은 주변에 있는 모든 여자들을 다리가 세 개 달린 얼룩말처럼 보이게 만든다는 거예요.」

단 두 발자국만에 챈스는 레바의 곁으로 다가왔다. 그녀는 그의 몸에서 뿜어져 나오는 열기를 느낄 수가 있었다.

「모든 여성은 아니오.」

미소를 지으며 그가 말했다.

레바는 그를 올려다보며, 그의 팔이 처음 자신을 감싸 안아주었던 순간을 그리고 그의 남성적인 열기에 보석 세공인의 도가니 속에 들어 있는 금덩이처럼 녹아들던 자신의 반응을 떠올렸다. 그후로도 예기치 못한 순간순간 그때의 느낌이 떠올라, 마치 숨겨진 전선을 따라 전기가 흐르듯 온몸 구석구석에 전율이 일어나 그녀를 당혹스럽게 만들곤 했었다.

레바는 한번도 남자의 팔 안에서 그런 느낌을 받은 적이 없었다. 그녀는 순진한 처녀에게 관심이 있던 남자와 결혼했었다. 결혼 후 처음 몇 주가 지나자 남편이 포옹해주는 일조차 점차 줄어들기 시작했고, 나중에는 거의 무관심에 가까운 태도를 취했다. 그리고 이혼한 뒤 많은 남자들과 데이트를 해 보았지만, 이제까지 육체적인 반응을 보일 만큼 신뢰감이 가는 남자는 단 한 명도 만나지 못했다. 결국 레바는 자신에게 무엇인가 잘못된 것이 있을지도 모른다는 생각을 하기 시작했다. 하지만 낯선 남자에게서 받은 단 한번의 키스가 수년간의 결혼생활보다 더 많은 것을 가르쳐주었다.

이제까지의 삶과 비교해볼 때, 레바는 왜 자신이 챈스 워커에게 그토록 강렬하게 반응을 보이는 건지 이해할 수가 없었다. 그녀는 훨씬 더 잘생긴 사람들과 그리고 훨씬 더 부자이고 사회적 지위나 예절 면에서도 더 나은 남자들과 데이트를 했었지만, 그녀의 우아한 외모와 꾸며진 행동을 깨부수고 그녀에게 열정적인 키스를 한 사람은 이 이방인뿐이었다.

「무슨 생각을 하는 거요?」

계속해서 변해 가는 그녀의 표정을 지켜보던 챈스는 손가락으로 그녀의 머리카락을 쓸어 올린 뒤, 딱딱한 두 손으로 그녀의 두 뺨을 감싸쥐었다.

온갖 감각들이 스치고 지나가자, 레바는 잠시 숨을 멈추었다. 그녀는 그의 질문에 침묵으로 일관할지 아니면 아무렇게나 둘러대야 할지 고민했다. 순간 레바는, 챈스 워커라면 자신이 무슨 말을 하든 무슨 행동을 하든 그리 쉽게 충격을 받지는 않을 거라 확신을 품었다. 분명 그는 역경을 뚫고 이제까지 살아온 사람이었다. 그것도 여러 번의……

「왜 당신이 매력적으로 보이는지 궁금하게 여기고 있었어요.」

레바가 담담하게 대답했다.

챈스의 두터운 수염이 약간 움직이는가 싶더니, 사무실의 불빛 아래 미소짓는 그의 입술이 보였다.

「당신도 내게 그렇소, 채튼.」

레바는 그의 은녹색 눈동자 깊숙한 곳을 뚫어지게 바라보았다. 갑자기 그의 검은 속눈썹이 살포시 내려앉는가 싶더니, 굶주림과 부드러움이 뒤섞인 동작으로 그녀의 입술을 소유했다. 틀어 올린 머리카락을 붙잡아주고 있던 그녀의 핀이 떨어지면서, 그의 손가락이 매끄럽고 따스하게 흘러내리는 머리카락을 마음대로 어루만지고 있음을 느꼈다. 그의 혀끝이 그녀의 입술을 따라 움직이며, 그녀가 한숨을 내쉬고 입술을 벌릴 때까지 그녀를 희롱하고 있었다.

챈스의 손가락이 그녀의 머리카락 깊숙한 곳으로 들어갔다. 부드러운 손에 담긴 힘 때문에 레바는 고개를 돌릴 수가 없었다. 반쯤 저항하듯 반쯤 응답하듯, 그녀는 자신의 손을 그의 팔 위에 얹었다. 손아래 느껴지는, 거칠고 힘이 넘치며 바위처럼 단단한 팔에는 그녀를 안고 있는 남자의 힘과 굶주림 그리고 자기 억제가 확연히 드러나 있었다. 그는 그녀의 숨결까지 모두 지배하고 쉽사리 사로잡아 자신에게 열정적인 키스를 하도록 강요할 수 있는 힘이 있었다.

하지만 그는 그렇게 하지 않았다. 그는 마치 그녀가 굉장히 연약한 존재라도 되는 듯 끌어안은 채 그녀에게 가까이 다가가, 자신의 쾌락을 함께 공유하자고 요구하듯 유혹하고 있었다. 레바는 한번도 이렇게 거세게 안겨본 적도, 남성의 강한 힘과 안전함을 동시에 느껴본 적도 없었다.

입술 안으로 부딪혀오는 부드럽고 거친 혀가 느껴지자, 레바는 그의 팔을 꼭 움켜쥐었다. 조금씩 자신감이 커져 가는 것을 느끼며 레바는 조심스럽게 매끄러운 입술과 깔쭉깔쭉한 이 그리고 달콤하고 따스한 그의 혀까지, 그가 주는 키스의 감미로움을 만끽했다. 그의 몸이 움직이며 자신의 머리카락을 움켜쥐고 있던 손에 힘이 들어가고, 다른 손이 매끄러운 머리카락을 따라 아래로 내려와 그녀의 몸을 자신에게 바짝 잡아당기는 것을 느꼈다.

마침내 챈스가 머리를 들어올렸다. 그의 양팔에서 힘이 빠지며 그의 손이 어르듯 부드럽게 움직였다.

「당신을 느끼고 싶어서 참을 수가 없었소.」

나직한 목소리로 그가 말했다.

「난 아니…….」

그녀가 숨가쁜 목소리로 입을 열었다.

「알아요. 하지만 난 그랬소. 난 당신과 했던 키스를 생각하며, 그것이 내 기억만큼이나 좋았는지 다시 한 번 느껴보고 싶었소.」

그의 눈이 부드러운 입술 윤곽을 따라 움직였다.

「훨씬 더 좋았소. 아니, 내가 원했던 곳보다 훨씬 더.」

갑자기 몸을 숙인 챈스는, 거칠고 날카로운 키스를 퍼부으며 그녀가 균형을 잃고 자신에게 매달리게 만들었다.

「그리고 지금 난 더 많은 것을 원하고 있소. 난 당신의 옷을 모두 벗기고 다시는 그런 헝겊들이 내게서 당신을 가리지 못하게 만들고 싶소. 난 당신에게 키스를 하고 날 원해 숨을 쉬지 못하게 만들고 싶소. 그런 뒤 내 손가락에 얽혀 들어오는 부드러운 머리카락처럼 내 온몸으로 당신을, 당신의 모든 것을 덮어주고 싶소.」

레바는 눈을 감고 자신에게 밀려드는 기묘하게 나약한 느낌에 온몸을 떨었다. 그의 말 한마디 한마디가 불길이 되어 그녀의 내부에서 타오르고 있었다. 레바는 자신에 대한 불확실함과 그에 대한 두려움으로 인해 흐릿해진 황갈색 눈으로 그를 바라보았다.

「챈스…….」

그는 그녀에게 부드럽게 키스했다. 이번에는 그녀를 압도하기보다는 위로하는 듯한 키스였다.

「하지만 이미 당신과 팀은, 하루치치곤 너무 큰 충격을 받은 것 같군.」

그는 레바를 내려다보며 기묘한 미소를 지어 보였다.

레바의 머릿속이 순식간에 제자리를 찾았다. 그녀는 문이 활짝 열린 사무실에 서서 제대로 알지도 못하는 사람과 열정적인 키스를 나누고 있음을 깨달았다. 순간, 그녀의 광대뼈가 새빨갛게 물들었다.

「문이요.」

그녀는 챈스에게서 벗어나기 위해 뒷걸음을 치며 말했다.

「팀이 닫았소.」

팔에 힘을 주어 그녀를 꼭 끌어안은 채 챈스가 대답했다.

「지각 있는 청년이오. 당신의 팀은.」

「그는 나의 것이 아니에요. 지나의 것이지.」

「그것 또한 좋은 일이오.」

레바의 아랫입술을 천천히 깨물면서 챈스가 말했다. 그의 부드러운 애무에 그녀는 또다시 힘이 빠지는 것을 느꼈다.

「저런 괜찮은 청년을 사막으로 불러내 맞붙게 되었다면, 참으로 유감이었을 거요.」

미소를 짓고 있었지만, 그의 눈동자는 차가운 은색으로 빛나고 있었다.

「팀은 내게 있어서 한번도 가져보지 못한 남동생 같은 존재예요. 단지 그것뿐이에요.」

챈스의 팔을 움켜쥔 채, 그가 이해해주길 바라며 레바가 말했다. 그리고 그녀는 자신이 했던 말에 놀라움과 분노를 느껴야만 했다.

'왜 내가 챈스 워커에게 인간 관계에 대해 설명을 해야 하는 거지?'

아무리 챈스가 그녀에게 강렬한 감정을 불러일으킨다고 할지라도,

그녀가 실제로 그를 안 지는 얼마 되지도 않았다.

「그리고…….」

래바는 담담하게 덧붙였다.

「내가 팀에게 어떤 감정을 가지고 있든 당신이 상관할 바가 아니에요.」

「정말로 그렇게 생각하는 건 아닐 거요. 안 그렇소?」

챈스가 조용히 물었다.

레바는 한참 동안 그의 투명하고 강한 눈동자를 바라보았다. 그리고 천천히 머리를 흔들자, 그녀의 짙은 금발머리가 속삭이듯 뺨 위에서 흔들렸다.

「그래요, 그렇게 생각하지 않아요. 하지만 나도 그 이유를 알았으면 좋겠어요. 난 당신을 몰라요, 챈스 워커. 그리고 당신과 함께 있을 때면 내 자신에 대해서도 잘 모르겠어요.」

「당신도 내 마음속을 전부 빼앗아 가고 있소.」

그는 천천히 말을 이었다.

「그러니 둘이 점심을 먹으면서 스무고개 놀이로 서로에 대해 알아보는 건 어떻소?」

레바는 챈스라는 이름을 가진 남자와 어린아이들이 하는 놀이를 즐긴다는 생각에 자신도 모르게 미소를 지었다.

「좋아요. 물론, 내가 먼저 할 거예요.」

능숙한 솜씨로 머리를 하나로 모아 틀어 올리며 레바가 대답했다.

「왜?」

재미있다는 듯 챈스가 되물었다.

「당신은 나보다 훨씬 더 크고 강하잖아요. 그러니 내게 뭔가 유리한 것이 있어야 하잖아요?」

챈스는 그녀의 뺨에 손을 얹으며 그녀의 얼굴을 살펴보듯 가만히 들여다보았다.

「날 두려워하지 마시오, 채튼.」

그의 조용한 말 아래 숨겨 있는 상처를 느끼며 래바는 머리를 돌려 그의 딱딱한 손바닥에 키스를 했다.

「당신의 힘을 두려워하는 게 아니에요. 당신이 뭔가 내가 거북해할 질문을 던질까봐 그러는 거죠.」

챈스의 놀란 표정을 보며 레바는 미소를 지었다.

「당신에게는 그냥 말하기 싫은 그런 일이 없나요?」

투명하고 묘한 색을 띤 챈스의 눈동자를 살피며 그녀가 물었다.

순간 그의 얼굴이 변하면서 모든 표정이 사라지고, 그녀의 뺨 위에 있던 그의 손이 떨어졌다. 챈스는 다시 강하고 거친, 완전히 자신감과 완벽함을 갖춘 남자로 변해 있었다.

「마음속으로 무언가 특별한 질문을 던져야겠다고 생각하고 있나보군.」

단조로운 어조로 그가 물었다.

챈스의 검은 수염이, 그의 거친 얼굴 윤곽선과 뚜렷하게 드러나는 지성을 가려주지 못한다는 사실에 레바는 감탄했다. 단호하고 위험스러운 모습이 단단한 바위를 쪼아 만든 '호랑이 신'처럼 보였다.

「그건 아니에요.」

레바가 속삭이듯 말했다.

오랫동안 방안에는 고요함만이 감돌았다. 천천히 챈스의 주위를 맴돌던 긴장이 사라지기 시작했고, 그는 그녀의 뺨을 어루만졌다.

「그렇소, 내게도 다소 말하기 껄끄러운 부분들이 있소.」

「아하, 그런 게 여러 가지인가 보군요. 안 그래요?」

「재킷은 가지고 있소?」

그가 조용히 덧붙였다.

「밖에는 차가운 바람이 불고 있소.」

잠시 레바는 질문을 되풀이할까 생각하다가, 그가 토드에게 했던 차가운 말을 떠올렸다.

'앞으로 또 그렇게 나서보라고, 도령. 그땐 반드시 그렇게 해줄 테니까.'

레바는 그를 밀어붙이고 싶지 않았다. 아니, 아직은 아니었다. 챈스와 같은 남자를 밀어붙이는 건 위험할 뿐만 아니라 별 소득이 없는 일이었다. 레바는 억지로 산을 밀어 옮길 생각은 전혀 없었다. 언젠가 그녀를 믿게 되면, 그는 자연스럽게 말을 해주리라.

문제는 챈스 워커와 같은 사람이 누군가를 믿어본 적이 있는가 하는 거였다. 믿음 없이는 아무것도 – 기쁨도 우정도 그리고 사랑에 대한 확신도 – 가능한 것이 없었다.

두려움에 가까운 충격과 함께 레바는 자신이 그에 대한 모든 것을 알고 싶어한다는 사실을 깨달았다. 서로의 이름도 모른 채 모래 언덕의 그림자 속에서 키스했을 때 느꼈던 그 깊은 굶주림을 채우는 것 이상의 더 많은 것들을……. 그런 친밀한 무언가를 원한다는 생각이 그녀에게는 충격이었고, 동시에 불안함을 느끼게 만들었다.

「아무래도 핀을 잃어버린 것 같군요.」

레바는 쾌활한 목소리로 말했다. 하지만 머리카락을 움켜쥐고 있는 손은 부들부들 떨려오고 있었다.

챈스는 미소를 지으며 검은 울 바지의 주머니에 손을 집어넣고 뺀 다음 그녀를 향해 손을 뻗었다. 그의 손바닥 위에는 이제까지 그녀의 머리 위에 꽂혀 있던, 단순한 모양의 흑옥색 빗이 놓여 있었다.

「이거요? 아니면…….」

그는 진주빛이 섞인 회색 세무 셔츠 주머니로 다시 손을 집어넣었다가 뺐다.

「이거요?」

그의 왼손에는 그녀가 데스 계곡에서 하고 있던 매끄러운 상아 빗이 놓여 있었다. 레바는 그 빗을 바라보며, 그날 밤 그 모래 언덕들 속에서 세상을 향한 모든 방어벽을 내려놓은 채 그의 품에 안겨 지쳐 쓰러질 때까지 통곡했던 자신을 떠올렸다. 그리고 한번도 느껴본 적이 없었던 욕구와 가능성들을 발견하게 해준, 서로를 제외한 모든 세상을 잊어버리게 만들었던 그의 키스도 기억했다.

「이 흑옥색인 거 같군.」

레바가 아무런 말도 하지 않자 챈스가 말했다. 그는 레바의 머리카락을 말아 올려 윤기 흐르는 머리 위에 핀을 꽂았다. 그러고는 흘러내린 머리카락을 어루만져주었다.

「이런 아름다운 것을 묶어놓는 것은 부끄러운 일이오. 하지만 그에 대한 보상이 있으니까.」

챈스의 이가 그녀의 귓불을 따라 조심스럽게 움직였다.

레바는 눈을 감고, 배꼽에서부터 목덜미까지 온몸이 경직되는 듯한 감각에 몸을 떨었다. 그의 혀끝이 귀의 윤곽을 따라 더 친밀하게 움직이자, 그녀는 알아들을 수 없는 신음 소리를 냈다. 레바는 갑자기 빙글빙글 돌기 시작하는 세상 속에서 몸을 지탱하고 균형을 잡기 위해 그의 팔을 꼭 움켜쥐었다. 그녀와 맞닿은 그의 온몸이 긴장과 열기로 전율하는 것을 느꼈다.

부드럽게 욕설을 중얼거리며 챈스는 그녀의 팔을 움켜쥐었다.

「점심…….」

거친 목소리로 챈스가 입을 열었다.

「만약 당신이 메뉴가 될…….」

「왜 갑자기 내가, 호랑이가 노리는 사냥감이 된 듯한 느낌이 들까요?」

레바는 자신의 심각한 동요 상태를 숨기려는 듯 웃음 섞인 질문을
던졌다.

챈스도 웃음을 터뜨리면서 그녀의 관자놀이 부근을 입술로 문질렀
다.

「이 주변에 살아 있는 메인 주(Maine, 미국 동북부 대서양 연안의
주)의 가재를 요리하는 레스토랑이 있소?」

「대화의 주제를 바꾸는 일도 능숙하군요.」

챈스가 그녀를 내려다보며 미소를 지었다.

「만일 가재를 좋아하지 않는다면…….」

「메인의 가재라면 좋아요.」

과장된 목소리로 그의 말을 가로채며 레바가 대답했다.

「나도 그렇소. 하지만 그것을 먹어본 지도 거의 7년이 넘었소.」

그녀의 눈에 가득한 호기심을 무시한 채 챈스가 미소를 지었다.

「당신은 굉장히 멋진 고양이요.」

그가 중얼거렸다.

「황갈색의 나긋나긋하고 우아함과 호기심으로 가득한 고양이 말이
오.」

「그런 아첨으로 원하는 것을 얻을 수 있을까요?」

「원하다니? 무얼?」

레바는 고양이처럼 미소를 지으며 아무런 대답 없이 사무실 밖으
로 걸어나갔다.

3

　작고 검소한 식당은, 환상적인 인테리어보다는 맛있고 질 좋은 음식에 돈을 쓰는 것을 더 좋아한다는 경영원칙으로 운영되고 있었다. 그 결과 제이미의 가게는 번드르르한 외관이나 유명하고 물 좋은 사교장을 찾는 관광객들에게는 그리 알려지지 않았다. 가게의 분위기는 활기가 넘쳤고, 비록 선택 범위는 좁았지만 질 좋은 와인들만이 준비되어 있었다. 손님들 또한 낯선 사람들을 구경하며 놀라움의 탄성을 지르기보다는, 상대방과의 대화에 더 많은 흥미를 갖는 편이었다. 그런 이유로 제이미의 가게는 제레미가 가장 좋아하는 장소 중 하나였다.

　「무슨 일이오?」

　주변을 둘러보던 레바의 태도에 변화를 느낀 듯, 챈스가 조용하게 물었다.

「제레미가 이 장소를 무척 좋아했어요.」

평온한 목소리로 레바가 대답했다.

「어디 다른 곳으로 가고 싶소?」

양손으로 그녀의 손을 감싸쥐며 챈스가 물었다.

「아니에요.」

자신의 손을 감싸는 따스하고 강한 힘을 느끼며 레바가 대답했다.

「데스 계곡에 갔던 날 이후로…… 많이 나아졌어요. 그의 사진도 볼 수 있는걸요. 그리고 함께 했던 일들을 떠올릴 때마다 눈물을 터뜨리는 일도 이제는 거의 없어졌어요. 이제야 제레미가 죽었다는 사실을 받아들였다는 생각이 들어요.」

레바는 챈스를 바라보았다.

「고마워요. 모래 사막에서 당신이 날 발견하기 전까지, 난 무작정 앞을 향해 달리고 있었어요. 아마도 앞으로 넘어져 크게 다치는 건 시간문제였을 거예요.」

챈스는 그녀의 손을 들어 입술에 가져다대었다. 그의 수염이 실크처럼 레바의 손바닥을 문질렀다.

「그래도 당신은 살아남았을 거요. 당신은 자신이 생각하는 것보다 훨씬 더 강한 사람이오.」

레바는 가냘프게 미소를 지었다. 눈물이 그녀의 눈을 더욱 커 보이게 만들었다.

「분명 그럴 거예요.」

그녀가 나지막하게 덧붙였다.

「나는 땅에 두 발을 디디고 서 있는 아주 평범한 고양이에요. 하지만 당신이 발견했을 때의 난, 균형을 잃어 가며 비틀거리고 있었어요.」

챈스와 레바가 앉아 있는 식탁으로 웨이터가 천천히 다가왔다. 챈스는 레바의 옆에 앉아 메뉴판을 펼쳐들고, 2인분의 바닷가재 요리를 주문했다. 그런 다음 포도주 목록을 살펴보고 다시 레바를 바라보았다.

「오스트레일리아 포도주는 없군.」

챈스가 인상을 쓰며 빈정대듯 말했다.

「당신이 특별히 좋아하는 상품이 없다면, 눈을 감고 백포도주 중 아무 거나 하나 찍을까 하는데……」

「난 샤르도네(샤르도네 품종 혹은 샤르도네로 만든 백포도주를 통칭하는 말. 섬세하고 마른 과일 향을 갖는 고급 포도주)를 무척 좋아해요.」

메뉴판에 재빨리 눈길을 돌리며 레바가 말한 다음, 숱이 많은 짙은 갈색 속눈썹 아래로 그를 올려다보았다.

「아니면 좀더 달콤한 종류를 좋아하나요?」

천천히 번져 가는 그의 미소에 레바의 속이 울렁거렸다.

「내가 원하는 건 그 포도주 목록에는 없소.」

굶주림이 가득 담긴 은녹색 눈동자가 그녀의 입술 위에 고정되며, 그가 점잔을 빼는 말투로 부드럽게 말했다.

「그럼, 발베르네 샤르도네로 하죠.」

미소를 참으려고 헛된 노력을 하는 웨이터를 바라보며, 레바는 재빨리 주문을 마쳤다.

챈스가 웃음을 터뜨렸다. 나직한 웃음소리는 그가 입고 있는 세무 셔츠처럼 길들여지지 않은 부드러움이 담겨져 있었다.

「자, 첫 번째 질문이에요.」

단호한 목소리로 레바가 말했다.

「어디서 태어났고, 지금까지 어디서 살았어요?」

「그건 질문이 두 개요.」

챈스가 지적했다.

「그럼, 태어나서 지금까지 어디서 살았나요?」

두 개의 질문을 하나로 요약하며 레바는 승리의 미소를 지었다.

챈스는 그녀의 기민한 머리를 칭찬하듯 아무런 말없이 레바에게 경례를 해 보였다.

「난 뉴멕시코와 텍사스 그리고 멕시코의 국경 지역에서 태어났소. 어머니께서 더 이상 걸을 수가 없어 길바닥에 누워 나를 낳으셨을 때, 우리가 어디에 있었는지 정확히 아는 사람은 아무도 없었소. 아버지는 항상 그녀를 끌고 빌어먹을 보물을 찾아, 어리석게도 이리저리 돌아다니셨소. 항상 그랬지만 그 지도라는 게, 17세기에 어떤 거짓말쟁이가 한 말을 20세기 식으로 대충 짜 맞추어놓은 얼룩덜룩한 쓰레기였을 뿐이오.」

그는 대수롭지 않게 어깨를 으쓱해 보였다. 하지만 눈동자는 창백하니, 유리처럼 차가운 녹색으로 변해 있었다.

「내 여권에는 출생지가 뉴멕시코로 되어 있소.」

챈스의 얼굴 표정이 미묘하게 변하는 과정을 바라보며 레바는 그의 말에 귀를 기울였다.

「우여곡절 끝에 우리는 라이트닝 산맥으로 갔소. 그때가 언제인지 정확하게는 기억하지 못하오. 하지만 굳이 내게 고향이라고 부를 만한 곳이 있다면, 아마도 오스트레일리아가 아닐까 하는 생각을 한 적이 있었소. 세상의 변두리에 위치한 험한 오지 한 귀퉁이에서 아버지가 또다시 실패를 할 때마다, 우리는 다시 라이트닝 산맥으로 돌아가 또 다른 빌어먹을 보물지도를 살 돈을 모을 때까지 오팔을 캐러 다녔으니까.」

그는 쓸쓸한 미소를 지었다.

「보물지도를 가진 텍사스 인보다 더 미친 사람은 세상에 없을 거요. 그런 텍사스 인의 아들들도 결국은 똑같은 방식으로 자신을 증명해 보이려고 필사적인 법이오.」

「당신을 말하는 건가요?」

레바의 부드러운 질문에 챈스는 어깨를 으쓱해 보였다.

「럭을 생각하고 있었소. 물론, 열 네 살 때의 나 또한 그런 표현이 어울렸을 거요.」

「럭은 몇 살이죠?」

잠시 그는 침묵을 지키다가 이내 대답했다.

「럭은 죽었소.」

레바는 그의 손위에 자신의 손을 얹었다. 챈스의 손가락이 그녀의 것을 감아쥐며 말없는 위로를 받아들였다.

「그는 내가 열 다섯 살이 되던 해에 죽었소.」

챈스의 말투는 더 이상 느릿느릿하지 않았다.

「그때 럭은 스물 네 살이었지. 하지만 나이만큼 영리하지는 못했소. 그는 남아메리카의 첫 번째이자 유일한 규칙을 어겼소. '다이아몬드 채굴꾼들 하고는 절대 술을 먹지 말아라.' 어느 날인가 밤이 되어서도 럭이 캠프로 돌아오지 않자, 난 그를 찾아 나섰소. 하지만 사방 어디에서도 럭을 찾을 수가 없었소. 그리고 마침내 내가 찾아낸 건 그의 목을 자르고 있는 광부였소.」

레바는 잠시 기다렸다.

「그날 이후 글로리 ― 내 누나요 ― 는 다이아몬드 채굴꾼들에게 자신을 팔아 나와 함께 오스트레일리아로 돌아갔소. 아버지는 베네수엘라를 떠나려 하지 않았지. 그는 오리노코 강(Orinoco River, 남아메리카 북부를 흐르는 강. 기아나 고지에서 발원하여 대서양으로 흘러 듦)의 지류를 따라 몇 킬로미터 떨어진 구아니아모라는 곳에 커다란 다이아몬드가 널려 있다는 소문을 믿고 있었소. 글로리는 그의 말에 토를 달지 않았소. 그냥 그렇게 정글을 빠져나왔을 뿐이오. 그녀는 단 한번도 뒤를 돌아보지 않았소. 우리가 라이트닝 산맥으로 돌아간 건, 아마도 그곳이 적어도 한 번 이상 머물렀던 곳이기 때문일 거요. 누나는 그곳에서 오팔 광부들을 상대로 음료수를 날라다주는 작은 사업을 시작했소.」

「당신은 뭘 했죠?」

「그 사람들과 함께 오팔을 캐는 일을 했소.」

챈스가 냉소적으로 대답했다.

「탐사꾼들의 핏속에는 말라리아보다 더 지독한 병이 흐르고 있소.」

그는 레바의 턱을 치켜올려, 귀에 매달려 있는 귀고리가 불빛에 잘 보이도록 그녀의 머리를 비스듬히 젖혔다.

「난 오팔을 땅에서 끄집어내는 일을 하는 사람들 중 하나였소.」

챈스는 부드럽게 말을 이었다.

「작고 어두운 구멍 속에서 땀과 피를 흘렸기 때문에 당신의 아름다운 외모와 비견되는 그런 보석이 세상에 나올 수 있었던 거요.」

부드러운 수염으로 그녀의 귀를 문지르며 챈스는 중얼거렸다. 그리고 자신의 몸짓에 전율하는 그녀를 느끼고 미소지었다.

웨이터가 두 개의 접시를 들고 다시 나타났다. 각각의 커다란 접시 위에는 붉은 가재가 몸을 웅크리고 있었고, 그 주변에는 바삭거리는 야채들과 황금처럼 선명한 색을 띤 버터가 담긴 항아리가 놓여 있었다.

군침이 돌게 만드는 향기가 레바의 코를 자극하는 동안, 웨이터가 챈스의 유리잔에 포도주를 조금 따랐다. 그는 포도주를 음미한 뒤 고개를 끄덕이며 레바에게 잔을 건네주었다.

「당신이 고른 거잖소. 그러니 당신이 확인해봐야지.」

챈스가 미소를 지으며 말했다.

레바는 와인의 맛을 본 뒤 웨이터에게 고개를 돌렸다.

「좋아요, 이걸로 하죠.」

잠시 동안 레바와 챈스는 아무런 말없이 가재의 껍질을 부수고, 그 안의 조갯살처럼 하얗고 즙이 많은 살을 꺼내 먹는 일에 열중했다. 점잖게 행동하거나 새침을 떨어봤자 가재를 완벽하게 먹는 것은 불가능하다는 걸, 레바는 몇 번의 경험을 통해 잘 알고 있었다. 가재요리를 먹는 데 있어서 손가락이야말로 가장 유용한 식사도구였다. 실제로 입술까지 핥지는 않았지만, 레바는 손가락들을 여러 차례 신중하게 빨면서 가재에 신경을 쏟았다. 문득 얼굴을 돌린 그녀는 자신을 쳐다보고 있는 챈스와 눈이 마주쳤다.

「다음에 가재요리를 먹을 때에는…… 단 둘이 있어야겠소.」

「내 식탁 예절이 그렇게 나쁜가요?」

반쯤은 농담이 섞인 목소리로 레바가 물었다.

「아니오…….」

아주 부드럽게 그가 말을 이었다.

「단지 내가 당신의 손가락들을 빨아주었으면 하는 생각을 했을 뿐이오.」

레바는 새로운, 그러면서도 동시에 이미 친숙해진 감각과 열기가 자신의 몸을 조여드는 것을 느꼈다.

「챈스 워커…….」

그녀는 숨을 들이마시며 덧붙였다.

「당신은 믿을 수 없을 만치 구제불능이에요.」

챈스는 그녀의 말에 아무런 반박도 하지 않은 채 그저 웃음을 터트렸다.

「가재요리나 마저 먹으시오. 난 구제불능인 여성이 식사를 하는 모습이나 즐기겠소.」

「난 구제불능이 아니에요.」

레바가 중얼거렸다.

「그리고 당신은 아직 내 질문에 대답을 다 하지 않았어요.」

「페루, 베네수엘라, 알래스카, 마다가스카르, 칠레, 오스트레일리아, 브라질, 노스웨스트 테리토리어스, 스리랑카, 버마, 콜로라도, 캘리포니아, 아프리카, 몬태나, 일본, 아프가니스탄, 네바다, 세인트 존 섬, 콜롬비아, 핀란드 그리고 신비의 나라 카쉬미르까지, 몇몇 장소는 한 번 이상 들렀었고…… 뭐, 꼭 이 순서대로 다닌 건 아니오.」

레바는 가늘어진 황갈색 눈을 들어 그를 노려보았다. 챈스는 미소를 지으며 투명한 황금색 포도주를 홀짝였다.

「당신은 내가 태어나서 지금까지 어디서 살았냐고 물어봤잖소. 뭐, 그 중 한두 군데는 빼먹었다는 건 인정하오.」

그는 자신의 포도주 잔을 내려놓으며 조리 있게 말했다. 그리고 어깨를 으쓱하며 말을 이었다.

「뭐, 여기저기 몇 주씩 있었던 곳은 셀 수도 없었으니까.」

「라이트닝 산맥을 떠난 뒤에는 무엇을 했죠?」

「언제 말이오? 라이트닝 산맥을 떠난 지도 워낙 오래된 지라.」

「당신 누님이 당신을 데리고 정글을 빠져나온 뒤에요.」

「잠시 동안 오팔을 찾으러 다녔소. 글로리는 싸움과 술, 그리고 여자말고도 인생에 더 나은 것들이 있다는 사실을 내게 가르치려고 안간힘을 썼지.」

「겨우 열 네 살도 안 되었잖아요.」

「난 열 살 때부터 어른들이 하는 일은 모두 다 했소. 이미 열 세 살 때 보통 성인남자들과 덩치가 비슷했지.」

조용하면서도 거친 목소리로 챈스가 덧붙였다.

「정글에는 어린아이란 존재는 없소. 단지 생존자들만 있을 뿐.」

「지금 나머지 가족들은 어디에 있어요?」

「글로리는 결혼을 했소.」

챈스가 희미한 미소를 지으며 계속해서 말했다.

「한 탐사꾼이 라이트닝 산맥으로 와서 누나를 만났소. 순간, 그는 자신이 일생을 함께 보내고 싶은 여인을 만났다고 선언했지. 처음 누나는 그의 말을 듣고 미쳤다고 비웃었소. 그리고 그녀는 그와 함께 사막을 향해 떠났고, 다시 돌아왔을 때 누나는 이미 그의 여자가 되어 있었소. 순식간에 일어난 일이었지만…….」

그가 손가락으로 딱 하는 소리를 냈다.

「산처럼 영원한 맹세였소. 난 그 두 사람에게 무슨 일이 생긴 건지 도저히 이해할 수가 없었소. 적어도 열흘 전까지는 말이오.」

레바는 재빨리 자신의 가재 접시에서 고개를 들었다. 하지만 챈스의 얼굴은 그녀를 외면하듯 비스듬히 돌려져 있었고, 식탁 위로 드리워진 그림자로 인해 그의 눈은 어둠 속에 가려져 있었다.

「나의 아버지는…….」

여전히 어둠 속에 두 눈을 숨긴 채 그가 말을 이었다.

「아프리카 어딘가에 계실 거요. 내 생각에 아마 푸른색 석류석을 찾아 헤매고 계시겠지.」

「하지만 그런 건 존재하지 않잖아요.」

접시를 옆으로 밀어낸 뒤 손가락을 냅킨으로 닦으며 레바가 말했다. 접시 위에는 한 조각의 살도 남아 있지 않았다.

「당신도 알고 나도 알고 있는 일이오. 하지만 아버지는…… 어쩔 수 없는 일이오. 지도를 가지고 있으니까.」

챈스가 거칠게 웃었다.

「어머님도 함께 계시나요?」

웨이터에게 접시를 치우라고 챈스가 손짓을 했다. 레바는 그의 대답을 기다렸다. 하지만 레바는 그가 대답하지 않을 거라는 사실을 알 수 있었다.

「당신이 이야기하고 싶지 않은 부분들 중 하나인가요?」

레바가 조용히 물었다.

챈스는 아무 말 없이 음식값으로 수표를 지불했다. 그리고 두 사람이 그녀의 차에 도착할 때까지 그가 한 말은 '가게로 곧장 돌아가야 하느냐'는 질문이 전부였다.

레바는 오브제 다르에서 자신을 기다리고 있는 일에 대해 생각해 보았다. 박물관, 수집가, 제레미보다 쉰 살이나 어린 여인의 해묵은 스캔들의 새로운 진행방향이 알고 싶어 혈안이 되어 있는 신문 기자들의 전화들. 그런 생각에 그녀는 입술을 꾹 다물며 고개를 저었다. 레바는 제레미가 죽은 후, 지난 몇 주 동안 미친 듯이 일만 했다. 팀과 지나는 그런 그녀에게 좀 쉬라고 다그쳐왔다. 지금 레바의 머릿속에는 제레미의 책보다는 자신의 대답을 기다리고 있는, 불가사의한 매력을 지니고 있는 한 남자에 대해 더 많은 것을 알고 싶다는 충동으로 가득 차 있었다. 그는 그녀에게 바싹 붙어서 있으면서도 손길조차 주지 않고 있었다.

더군다나 사진에 관한 일은 별로 급한 것도 아니었다. 그리고 이 남자는…….

「바닷가를 좋아해요?」

「그것도 스무고개의 질문 중 하나요?」

미소를 지으며 챈스가 반문했다.

「세계 각지에 펼쳐져 있는 여러 곳의 사막에서 무수한 시간을 보냈소. 그래서인지 물이라는 건 언제나 나를 매혹시키는 존재였지. 특히나 물을 마실 수 없을 때는 말이오.」

「근처에 개인 소유의 해변이 있어요. 물론 완전 사유지는 아니지만요. 남캘리포니아의 어떤 해변도 안전한 동시에 개인적일 수 있는 장소는 없어요. 하지만 그곳이라면 적어도 사람들에게 둘러싸이는 일 없이 조용히 앉아 파도 소리에 귀기울일 수 있을 거예요.」

「근사하게 들리는군.」

그녀를 위해 붉은 색 BMW의 문을 열어주며 챈스가 대답했다.

「그러니까 평범한 2만 명의 한 사람이 되지 않아도 된다는 말이군.」

챈스는 운전석에 앉을 수 있도록 레바를 도와준 뒤, 조수석에 앉았다. 그러고는 그녀가 BMW를 몰아 능숙하게 혼잡한 교통을 뚫고 고속도로에 진입하는 모습을 조용히 지켜보았다.

「훌륭한 솜씨요.」

레바가 기어를 저속으로 바꾸며 곡선 부분에 접어들자, 자동차는 힘있고 편안한 소리를 내며 반응을 보였다.

「이렇게 매끄러운 도로에서 좋은 차를 타고 달린다는 게 얼마나 흥분되는 일인지를 잠시 잊고 있었소. 내가 있던 곳에서는 20년 된 랜드로버(Land Rover, 지프와 비슷한 영국 제 황무지·농공업용 자동차)가 리무진과 똑같은 대접을 받았으니까.」

「운전하고 싶어요?」

「어쩌면 돌아올 때쯤에는. 하지만 지금 당장은 당신을 지켜보는 게 더 즐겁소.」

레바는 재빨리 챈스에게 시선을 던지며 그가 한 말의 의미를 이해하려 했다. 그리고 그에게 미소를 지었다. 챈스가 차의 주인이 누구든 간에 무조건 자신이 운전석에 앉아야 한다고 생각하는 그런 남자가 아니라는 사실이 기뻤다. 레바가 BMW를 산 것은, 이 차가 운전을 즐기는 사람들을 위한 자동차라는 이유 때문이었다. 도로 위에는 이것보다 훨씬 더 번쩍이고 훨씬 더 비싸면서 힘있는 차들도 많이 굴러다니고 있었지만, 순수한 운전의 기쁨을 즐기기에는 그녀의 차만 한 것이 없었다.

잠시 후 경비원의 지시에 따라 철문을 통과한 그녀는, 주차하기 알맞은 장소를 찾아 돌아다녔다. 마침내 그녀는 메르세데스 450 SL 과 번쩍이는 검은색 페라리 사이에 차를 주차시켰다. 레바가 해변가 가까이에 있는 빈자리를 그냥 지나쳐갔지만, 챈스는 아무런 말도 하지 않았다. 그저 미심쩍은 눈으로 그녀를 바라보았을 뿐이었다.

「남캘리포니아에서 운전을 하기 위한 첫 번째 규칙은, 절대 자신의 차보다 엉망이거나 싼 차 옆에는 주차하지 않는다는 거예요.」

레바는 자신의 양옆에 서 있는 값비싼 자동차를 향해 손짓을 해보였다.

「이 두 대의 차를 봐요. 적어도 이런 차를 주차시킨 사람들이라면 나만큼이나 자기 차의 페인트 작업에 신경을 쓸 게 분명하잖아요.」

「도시에서 살아남기 위한 방법이군.」

칭찬을 하듯 챈스가 덧붙였다.

「그런 건 한번도 생각해본 적이 없었소.」

레바는 밖으로 나가 트렁크의 문을 열고, 색이 바랜 베이지색 이불을 끄집어내었다. 챈스가 짙은 눈썹을 치켜올렸다.

「그것 또한 또 다른 생존 규칙이오? 가끔 이렇게 하나보지?」

목소리에 담긴 차가운 기색에 레바는 고개를 돌려 챈스를 바라보았다.

「뭘 한다는 거죠?」

「남자와 이불을 가지고 개인 소유의 해변에 오는 거 말이오.」

잠시 동안 레바는 너무 놀라 아무런 반응도 보일 수가 없었다. 분노로 인해 그녀의 뺨이 붉어졌다. 그녀는 이불을 다시 트렁크에 집어넣고 세게 뚜껑을 닫고는 몸을 돌렸다. 그리고 단호한 동작으로

운전석을 향해 걸음을 옮겼다. 챈스가 놀랄 만한 속도로 움직여 길을 가로막고 BMW 옆에 그녀를 가두었다. 그녀는 가늘게 뜬눈으로 그를 노려보았다. 챈스는 자신을 밀쳐내려는 레바의 노력을 무시한 채, 그녀의 행동을 손쉽게 지배해 그녀를 더욱 화나게 만들었다.

「날 내버려둬요.」

레바가 퉁명스럽게 말했다.

「내 질문에 먼저 대답을 한 뒤에.」

「그 빌어먹을 질문이 뭔데요?」

「팀이 아니라면, 누구요?」

「뭐가 누구예요?」

「당신의 남자가 누구냐고?」

너무 놀라 아무런 말도 하지 못한 채 레바는 챈스를 빤히 쳐다보았다.

「당신과 같은 여자에게 아무 남자도 없다는 건 말이 되지 않소.」

특유의 느릿함이 사라진 딱딱 끊어지는 말투로 챈스가 다그쳤다.

「난 그래요.」

「왜?」

챈스가 퉁명스럽게 물었다.

그 질문이야말로 레바가 꺼려하는 질문 중 하나였다. 하지만 분노가 도움이 되었다. 그리고 너무 화가 나 있었다.

「남자들은 날 원하지 않아요. 단지 나 자신만은요. 그들은 항상 내게서 다른 것을 바라더군요. 내 전남편의 경우는 영원히 변하지 않는 커다란 눈으로 자신을 숭배해줄 처녀, 아니 제자를 원했죠. 그 이 다음에 내가 만난 대부분의 남자들은 침대를 덥혀주고 자신의 자아를 만족시켜줄 수 있는 여자를 원하더군요. 그런 뒤에 내가 열심히 일을 하고 제레미가 내게 많은 것들을 가르쳐준 뒤에는…… 또 다른 것들에 욕심을 냈죠. 남자들은 나의 연줄이나 아니면 내 돈을 원했어요. 단지 나 자신만이 아니라요. 나만을 원하는 사람은 단 한 명도 없었어요.」

그런 사실을 인정하는 건 쉬운 일이 아니었다. 레바의 마음속에 있던 분노와 수치심이 챈스에게 전해졌다. 그의 손이 부드럽고 느릿하게 그녀의 팔 위를 움직이며, 검은 실크 블라우스 아래로 따스한 온기를 보내주었다.

「난 당신의 전남편과 같은 사람이 아니오, 채튼.」

챈스가 중얼거렸다.

「그리고 난 한번도 처녀에게 흥미를 느껴본 적이 없소.」

레바는 그를 보지 않으려고, 그리고 단지 이 상황에서 벗어나고 싶다는 생각으로 멍하니 챈스를 바라보았다.

「날 보시오.」

거친 목소리로 챈스가 명령했다.

「내가 당신이 알았었던 다른 사람들과 같다고 생각하는 거요?」

투명하고 차가운 눈동자가 그에게 초점을 맞추었다.

「아니에요.」

레바는 냉정하게 말을 이었다.

「안 그래요. 당신은 내게 그런 것들을 원하는 사람처럼 보이지는 않아요. 그리고 아주 잠시라도 당신의 침대에 냉기가 흐른 적이 있었는지도 의심스럽구요. 또한 당신은 자신의 자아를 만족시키기 위해 내가 숭배해주길 원하는 것 같지도 않구요. 당신에게 가르쳐줄 만큼 보석에 대한 지식이 내게 있는지의 여부는…… 이미 당신이 알고 있는 것을 빼고는…… 아마 없을 거라고 생각해요. 돈에 관해서라면…….」

챈스는 여전히 긴장이 가득한 얼굴로 레바의 시선을 마주보고 있었다.

「돈에 관해서라면…….」

챈스가 거칠게 그녀의 말을 받았다.

「나도 충분히 가지고 있소. 아니면 내 말을 믿을 수 없는 거요?」

「그건 상관이 없어요.」

레바가 간단히 대답했다.

「데스 계곡에서 당신은 내가 누구인지 알지 못했잖아요. 그리고 그곳에서도 당신은 날 원했어요. 내가 이토록 빨리 그리고 손쉽게 당신을 믿은 것도 그런 이유 때문이에요. 당신은 내가 누구인지 모르는 상태에서 날 도와주었고, 날 잡아주었고 그리고 내게…… 키스를 했죠. 당신은 나를 원했어요. 이전에는 한번도 없었던 일이죠.」

레바는 거칠고 남성적인 얼굴과, 매끄럽고 부드러운 검은 머리카락과, 그녀가 알고 있는 그 어떤 보석과도 닮지 않은 은녹색 눈동자와 단단하게 다물려져 있는 관능적인 입술을 바라보았다. 그의 입술이 자신에게 내려오자, 레바는 자신도 모르게 발끝을 들고 일어섰다. 하지만 그녀는 얼굴을 돌렸다.

「당신의 질문에 대답했어요. 그러니, 이제 날 놔줘요.」

「그럴 수 없소.」

레바가 따스한 숨결을 느낄 수 있도록 챈스는 그녀 가까이 몸을 수그렸다.

「데스 계곡에서 일어났던 일은, 우연히 메마른 강바닥으로 내려가 햇빛에 반짝이는 수백 캐럿짜리 다이아몬드를 발견한 것과 같은 거였소. 당신이 그런 믿을 수 없는 열기를 다른 누군가와 함께 나눈다는 생각이 나를 화나게 만들었소.」

갑자기 챈스가 웃음을 터뜨렸다.

「말을 바꾸고 싶군. 이렇게 당신에 대해 알고 나니까…… 내가 아닌 다른 누군가가 당신을 어루만진다는 생각이 날 미치고 환장하게 만들고 있소. 물론 이성적인 말도, 예의바르거나 기분 좋은 말도 아니오. 단순히 그렇다는 거요.」

레바는 다시 챈스를 바라보았다. 그의 눈 속에는 그녀를 동정하거나 위로하는 듯한 기색은 보이지 않았다. 밝게 빛나고 있는 '호랑이 신'. 그의 자제력 아래서 꿈틀거리는 야만적인 소유욕을 느끼자, 레바는 자신의 마음속 깊숙이 숨어 있던 무엇인가가 요동치며 깨어나고 있음을 깨달았다. 그녀의 목소리에는 부드러우면서도 어떤 확신으로 가득 차 있었다.

「당신이 아닌 다른 누군가가 나를 만지는 건 원하지 않아요.」

천천히 챈스의 몸에서 긴장이 빠져나갔다. 부드러운 셔츠를 팽팽하게 잡아당기며 단단하게 드러나 보이던 그의 근육들이 조금씩 부드러워지고 있었다. 그녀를 붙잡지 않은 채 챈스는 조심스럽게 키스하고, 그녀의 입술이 살짝 벌어지며 부드러운 한숨을 새어나올 때까지 그녀를 음미했다. 혀가 서로 맞닿자 그는 목구멍 깊은 곳에서 신음을 토해냈다. 챈스는 그녀를 가까이 잡아당겨, 마치 그녀가 손가락 사이로 빠져나가는 물인 양 그리고 지금이 아니면 영원히 갈증을 해소할 수 없는 것처럼 그녀를 음미했다.

마침내 그가 입술을 떼었을 때 두 사람은 가쁘게 숨을 몰아쉬었다.

「아직도 당신의 그 해변을 나와 사용할 생각이 있다면…….」

챈스는 거칠고 느린 어조로 덧붙였다.

「예의바르게 행동하겠다고 약속하지.」

「거기에는 별다른 선택의 여지가 없을걸요. 해변이 그 정도로 개인적이지는 않으니까요.」

다시 트렁크에서 이불을 꺼내기 위해 몸을 돌리던 그는 레바의 목소리에 동작을 멈추었다.

「챈스······.」

그는 어깨 너머로 시선을 돌렸다.

「내가 누군가를 이 해변으로 데리고 온 건 이번이 처음이에요.」

「알았소.」

그가 비틀린 미소를 지었다.

「노인들이 녹색 눈동자를 가진 사람은 질투심이 많다는 말을 했을 때, 난 그 말이 거짓이라고 생각했었소. 하지만 지금은 질투만큼 무서운 게 없다는 생각이 드는군.」

챈스는 트렁크를 열고 이불을 꺼내 어깨에 걸친 뒤, 그녀의 손을 잡아 자신의 손가락에 깍지를 꼈다. 다소 거친 손바닥과 그를 감싸고 있는 기민한 분위기가, 그가 살아온 삶이 어땠는지를 말해주고 있었다. 그는 거친 세상에서 일하고 살아남은 사람이었다. 모든 것이, 심지어 그의 피부색까지도 그 사실을 말해주고 있었다. 하지만 그런 그에게도 거칠지 않은 면이 남아 있었다. 레바는 노골적인 행동으로 감정을 상하게 만드는 남성우월주의자들이나 시골의 컨트리클럽의 모래벙커 외에는 황량한 땅이라곤 밟아보지 못한 남자들을 많이 만나 보았다. 하지만 챈스는 그들과는 달랐다. 그의 거친 외모 아래에는 다이아몬드처럼 깨끗하고 빛나는 힘이 숨어져 있었다.

몇 발자국 걸음을 옮기자 레바의 머릿속에 떠오르는 것이 있었다.

「신발이요.」

재빨리 말하고 그녀는 챈스를 뒤에 남겨놓은 채 차가 있는 곳으로 방향을 틀었다.

레바가 굽이 높은 검은 구두를 차 던지는 동안, 챈스는 아무런 말없이 재미있다는 듯 바라만 보았다.

「나도 그 말을 하고 싶었는데, 당신 표정을 보니까 자신이 뭘 하고 있는지 알고 있다는 표정이길래……」

「당신이 내 마음을 심란하게 만들고 있어요.」

신발을 트렁크 안으로 집어던지며 그녀는 가볍게 비난했다.

미소를 지으며 챈스도 구두와 양말을 벗었다. 그런 다음 그가 다시 손을 내밀었다. 그의 손가락에 깍지를 끼면서 레바는 맨발로 그의 손을 붙잡은 채, 주차장에 서 있는 자신의 모습이 너무나 자연스럽게 느껴진다는 데 다소 놀라움을 느꼈다.

넓은 해변 여기저기에 향기 나는 오일을 바르고 유명한 디자이너가 만든 수영복을 입은 여자들이 공들여 화장을 한 채, 남캘리포니아 이른봄의 뜨거운 햇살 아래 몸을 맡기고 있었다. 레바는 챈스의 손을 꼭 잡은 채 그들의 곁을 빠르게 스쳐 지나갔다. 학교에 가기엔 아직 어려 보이는 아이들이 웃음과 비명을 지르며, 밀려드는 파도와 갈매기들을 쫓아 이리저리 뛰어다니고 있었다. 길고 낮은 파도가 나른하게 밀려들며, 철썩이는 파도소리와 번쩍이듯 부서지는 물보라를 만들어보려고 헛된 노력을 계속하고 있었다.

파도가 밀려나간 자리에는 축축한 모래사장이 띠처럼 펼쳐져 있었다. 챈스는 바다와 육지의 경계 부분 위로 걸음을 옮기며, 흩어져 있는 바윗덩어리 사이로 우아하게 해변의 북쪽 끝에 위치한 갑(岬) 아래로 걸어가고 있는 레바를 바라보았다. 갑은 군데군데 침식되어 있었고, 몇 개의 손톱 모양의 돌출부가 해변을 따라 나란히 놓여져 있었다. 그 손가락들 사이에는 아파트의 파티오(스페인식 가옥의 베란다 또는 앞뜰)와 비슷한 넓이의, 사람들의 눈에 잘 보이지 않는 작은 모래사장이 자리잡고 있었다. 레바는 사람들에게서 가장 멀리 떨어진 해변으로 걸어갔다.

「지금은 밀물이지만, 계속 신경을 써야 해요. 하지만 지금이라면 한두 시간 정도의 평화를 얻을 수 있을 거예요.」

두 사람이 앉을 수 있도록 이불을 넓게 펴고 있는 챈스에게 그녀가 말했다.

「그런 이유 때문에 이곳에 오는 거요? 평화를 얻으려고?」

레바는 태양 아래 빛나고 있는 거대한 사파이어 빛의 바다로 시선을 던졌다.

「난 일의 특성상, 사람들을 만나며 너무나 많은 시간을 보내죠.」

그녀는 조용히 입을 열었다.

「하지만 사람들과 소음, 그리고 전화가 힘들게 할 때면 난 혼자 이곳으로 숨어 들어와요.」

「오늘은 예외군.」

놀란 표정으로 레바는 그를 바라보았다.

「당신은 혼자가 아니오.」

레바는 미소를 지었다.

「상관없어요. 내게는 아직 물어봐야 할 질문이 많으니까요. 열 아홉 개의 소중한 질문이요.」

「열 여섯.」

챈스가 정정했다.

「어떻게 하면 그런 계산이 나오죠?」

순진한 척 레바가 되물었다.

챈스는 신음을 토해내며 이불 위에 주저앉은 다음, 양반다리를 하고 그녀를 올려다보았다. 덥수룩한 수염도, 햇볕에 탄 얼굴 아래에 존재하는 본질적인 강인함이나 관능적인 조각과도 같은 입술을 가려주지는 못했다. 레바는 그 아름다운 은녹색 눈동자가 실제로는 이제까지의 힘겹게 살아온 삶 속에서, 맞닥뜨리는 모든 것들을 냉정하게 저울질하고 판단해왔음을 깨달았다. 그 덕분에 그는 살아남았다. 값비싼 옷을 입고 인자한 미소를 짓고 있음에도 불구하고, 챈스는 끊임없는 위험 속에서 지금 막 벗어난 듯한 분위기를 풍기고 있었다. 그런 상반된 것들 — 어색함과 친밀함, 위험과 안전, 흥분과 느긋함 — 사이의 역동적인 균형이 챈스 워커라는 강인한 인간을 만들어내고 있었다.

「여보세요?」

챈스가 그녀의 앞으로 손을 흔들며 물었다.

「갑자기 내 머리에서 뿔이나 후광이라도 생겼나?」

「정말로 누군가 그럴 수 있다면, 그게 바로 당신일 거예요.」

레바가 그의 옆에 앉으며 되물었다.

「당신 아버지는 어떤 분이셨어요?」

「빌어먹을 후광 따위는 없었소.」

「내 말은 그런 의미가 아니잖아요.」

레바가 반박했다.

「그럼 어떤 의미요? 분명하게 이야기해보시오.」

챈스가 장난치듯 되물었다.

「그런 식으로 자꾸 질문을 낭비할 생각은 없어요.」

챈스는 고개를 흔들었다.

「영리한 작은 채튼.」

챈스는 자신의 손가락 관절로 그녀의 뺨을 문질렀다.

「내 아버지는 선인장도 자랄 수 없는 서부 텍사스의 황무지 귀퉁이에서 태어났소. 그는 여섯 살 때부터 보물 사냥을 시작했지. 그리고 열 세 살 때 집에서 도망쳐 나와 단 한번도 돌아가지 않았지. 지금까지도 그는 세상에서 가장 타락하고 저주받은 땅에서 저주받은 보물을 찾아다니며 살아가고 있소.」

「발견한 건 있나요?」

챈스의 웃음소리가 거칠고 서글프게 들려왔다.

「그는 자신이 찾아낸 가장 소중한 보물을 잃어버리고도 그 사실을 깨닫지 못하는 사람이오.」

챈스의 목소리에 깔린 차가운 말투가 레바에게 더 많은 것들을 시사해주고 있었다. 챈스가 그의 아버지에게 느끼는 감정이 무엇이든 간에 사랑이 아닌 건 분명했다. 잠시 숨을 몰아쉰 챈스는 가늘게 뜬 눈으로 멍하니 바다를 바라보았다. 그러고는 마치 따뜻하고 살아 있는 무엇인가를 필요로 하는 것처럼 레바의 손을 힘껏 움켜쥐었다.

「보물 사냥 중간중간 아버지는 금, 다이아몬드, 보석의 가치가 있는 수정이나 혹은 우라늄을 캐러 다니셨소.」

챈스는 어깨를 으쓱하며 덧붙였다.

「뭐든지 돈이 될 만한 것들을 찾아다녔던 거지.」

「또 다른 종류의 보물 사냥이었군요.」

몇몇 수집가들이 다이아몬드보다 더 귀한 가치를 지닌 다양한 종류의 수집품이나 독특한 표본을 찾아 이리저리 헤매 다녔던 기억을 떠올리며 그녀는 부드럽게 말했다.

「흥분으로 인한 아드레날린은 중독성이 강하죠.」

「그 어떤 마약보다 더 끔찍한 거요.」

챈스가 동의했다.

「당신도 소위 대박이라는 걸 터트린 적이 있었나요?」

챈스의 표정이 갑자기 변했다.

「가끔은.」

그 특별했던 기쁨의 순간을 떠올리듯, 밝아진 표정과 흥분이 되살아난 어조로 챈스가 말했다.

「그것과 비교할 수 있는 건 아무것도 없소. 아무것도. 그렇게 엄청나게 한 방 터뜨릴 수만 있다면 그 어떤 위험도 부담스럽지 않고,

그 어떤 노동도 힘들지 않으며, 또한 그 어떤 희생도 두렵지 않은 법이오.」

레바는 변화해 가는 그의 표정을 보며 질투에 가까운 감정을 느꼈다. 챈스가 그랬던 것처럼 땅 속에 묻혀져 있는 금이나 다이아몬드를 발견하고 싶다는 건 아니었다. 그녀가 부러워하는 건, 그의 강렬하고 열정적인 반응이었다. 레바는 땅 속에 묻혀 있는 보석에 대한 그의 갈망만큼, 챈스가 자신을 원했으면 그리고 그만큼 완벽하게 그를 사로잡을 수 있는 힘이 자신에게도 있었으면 하고 바랐다.

「보석에 관해서는 당신의 아버지와 똑같은 방식으로 느끼는 것 같군요. 그런데 왜 그를 미워하는 거죠?」

레바의 귀에도 자신의 목소리가 비난하는 듯이 들렸다.

챈스가 몸을 돌린 순간, 그의 표정을 본 레바는 자리에서 일어나 도망가고 싶은 충동이 들었다.

「내 아버지는 황철광과 금을 식별해낼 수 있을 정도로 광석에 대해 아는 게 많은 사람이었소. 하지만 그는 다이아몬드가 사람의 손에 들어가면 쓰레기보다 못한 것이 될 수 있다는 사실을 알지 못했소. 럭 또한 마찬가지였소. 그들이 발견한 그 무수히 많은 보석들이 그저 노름꾼들과 창녀들, 그리고 보석 상인들의 손에 강탈당했소. 내가 저항할 수 있을 정도로 나이가 들기 전까지, 아버지는 내가 모은 그 작은 돈마저도 빼앗아 노름을 하는 데 썼소. 그는 보물지도를 믿듯 대부분의 카드 게임이 공정하게 이루어진다고 믿었고, 창녀들 또한 물욕이 없이 아름다운 마음을 가졌다고 믿었소. 하지만 난 그렇지 않소.」

거친 목소리로 챈스가 계속 말을 이었다.

「난 우연한 만남과 매복을 구분하는 법을 배웠소. 보물지도는 다 거짓말이고, 대부분의 보석 상인들은 사기꾼이라는 것도. 그리고 내가 직접 사서 직접 다루는 카드를 제외한 다른 카드에는 분명 어떤 표시가 되어 있거나, 사기를 치기 위해 조작되어 있다는 것을 배웠소. 남자들과 잠자리를 하는 창녀들은 쾌락이 아니라 돈 때문에 그런다는 것도 알았소. 또한 난 누구도 믿어서는 안 된다는 걸, 오직 정보만이 황야에서 비명횡사하는 불상사를 방지해줄 수 있다는 걸 알았소. 만약 누군가가 나를 향해 날을 세우고 있다면 그것을 무디게 만들기 위해 노력해야 한다는 것도 알았소. 그리고 그 무엇보다도…….」

은조각처럼 창백한 빛을 머금은 눈동자로 레바를 바라보며 챈스는 말했다.

「난 내 아버지와 같은 남자는 되지 않아야 한다는 걸 배웠소. 난 절대로 결혼하지 않을 거요. 그리고 죄 없는 여자를 끌고, 세상에서 가장 끔찍한 장소를 배회하는 일도 하지 않을 거요. 난 절대로 그런 어리석은 가짜 지도를 사기 위해 내 가족들을 헐벗고 굶주리게 만들지 않을 거요. 또한 난 절대로 일곱 살짜리 아들이 병명도 모르고 치료도 받지 못한 채 정글 속에서 죽어 가고 있는 엄마의 곁을 지키고 있는 동안, 보물을 찾겠다고 그들의 곁을 떠나지 않을 거요.」

한동안 머리 위를 선회하는 갈매기의 날카로운 울음소리를 제외하고 침묵만이 세상 위로 내려앉았다. 레바는 자신의 질문에 대한 챈스의 차가운 절규에 저항하려는 듯, 세차게 고개를 흔들고 있음을 깨달았다. 두 뺨에서 떨어지는 눈물을 느끼기 전까지 자신이 울고 있다는 것도 알지 못했다. 그녀는 시선을 내려 챈스의 손바닥 위에서 반짝이는 눈물 방울을 바라보았다.

「당신을 겁주려고 한 건 아니오.」

두 손으로 그녀의 손을 꼭 잡으며 부드러운 목소리로 챈스가 덧붙였다.

「울지 마시오, 채튼. 난 당신에게 화를 내는 게 아니오.」

「그래서 우는 게 아니에요.」

챈스는 레바의 눈동자를 볼 수 있도록 그녀의 머리를 비스듬히 들어올렸다.

「그럼, 왜?」

레바는 그의 손을 잡아 자신의 두 뺨에 누른 뒤, 손바닥에 키스를 했다.

「당신이 그렇게 상처를 받았다고 생각하니 참을 수가 없었어요.」

챈스는 레바를 자신의 팔 안으로 거칠게 잡아당기고 꼭 끌어안아 서로의 온기를 나누었다.

「이제까지 날 위해 울어준 사람은 아무도 없었소.」

눈물 방울이 반짝이는 눈꺼풀 위에 키스를 하며 챈스는 거친 목소리로 덧붙였다.

「어떤 눈물은 아주 달콤한 맛이 나는군.」

레바는 챈스에게 팔을 둘러 거세게 끌어안으며, 다시 한 번 딱딱한 그의 육체와 부드러운 손길의 모순을 느꼈다. 뺨 아래로 조금씩 느려지는 그의 심장소리가 들려왔다. 그가 숨을 쉴 때마다 부드러운 셔츠 아래에 있는 가슴 근육이 위아래로 움직이는 것을 느낄 수 있었다. 조금씩 그의 따스함이 햇살처럼 스며들면서 레바는 자신과 완벽하게 들어맞는 그의 품안에서 편안함을 가질 수가 있었다.

「당신에 대해 말해주시오.」

챈스가 조용히 말했다.

「나를 위해 울어주는 여인이 어떤 사람인지 알고 싶소.」

「내 삶은 당신에 비해서는 무척 시시하게 들릴 거예요.」

레바는 그의 손이 자신의 머리카락을 쓰다듬으며 핀을 빼어내는 것을 느꼈다.

「당신에 관해서는 그 어떤 것도 시시한 것이 없소.」

머리카락을 한 줌 움켜쥐어 금먼지처럼 흘러내리는 감촉을 느끼며 챈스가 말했다. 그런 다음 그녀의 머리를 가볍게 뒤로 젖힌 뒤, 천천히 그리고 진하게 키스했다.

「말해보시오.」

한참 뒤, 그녀를 자신의 품안으로 끌어당기며 챈스가 중얼거렸다.

「내게는 한번도 아버지가 없었어요. 사실…….」

잠시 주저하던 레바는 어깨를 으쓱해 보였다. 자신이 무슨 말을 하든 챈스와 같은 경험을 가진 사람이라면 별로 충격을 받지 않을 거라는 생각이 다시금 들었다.

「아마도 사생아였던 것 같아요.」

「사랑으로 태어난 아기였군.」

그녀의 몸 위로 흐르고 있는 긴장을 풀어주려 노력하며 챈스가 가벼운 말투로 정정해주었다.

레바는 짧게 웃음을 터뜨렸다.

「아마도 사랑이었겠죠. 엄마는 단 한번도 내게 그의 이름을 말해주지 않았어요. 가끔 나는 엄마가 그의 이름을 알기나 하는지 궁금해했죠.」

「그러지 마시오, 채튼. 스스로를 상처주지 말아요.」

레바는 그의 셔츠에 대고 뺨을 문질렀다.

「엄마는 날 완벽하게 키웠어요. 다른 여자애들은 옷에 먼지를 묻힐 수도 있었지만, 난 아니었어요. 다른 애들은 화를 낼 수도 있었지만, 난 아니었죠. 또 다른 여자애들은 크리스마스 댄스 파티에 가서 미슬토우 나무 아래에서 키스를 하고 데이트도 즐기고 남자친구를 만들고 심지어 자동차 뒷좌석에서 무모한 짓을 저지를 수도 있었지만, 난 그럴 수 없었어요. 엄마는 절대로 이웃사람들에게 이야깃거릴

주어서는 안 된다는 강박관념에 사로잡혀 있었죠. 그리고 그들과 친하게 지내는 것조차 원치 않았어요. 그렇게 딸을 키우는 것만이 엄마의 소원이자 이상이었어요.」

「하지만 당신은 결혼을 했잖소.」

「그이도 엄마가 골라줬어요. 난 그때 열 여덟이었고 너무나 순진해서 그 결말이 어떻게 될지 몰랐죠. 남편은 내 프랑스어 교수였어요. 내게는 아버지뻘이 될 정도로 나이가 많았죠. 난 내가 원하는 게 그런 거라고 생각했어요. 아버지요. 그는 항상 자신을 우러러볼 어린 여자아이를 원했죠. 하지만 어린 여자아이에게는 성숙이라는 끔찍한 과정이 존재했어요.」

「특히나 영리한 어린 여자애라면.」

그녀의 머리카락을 어루만지며 챈스가 중얼거렸다.

「당신이 성숙했다는 사실이 기쁘군, 레바.」

「나도 그래요. 물론 엄마는 기뻐하지 않았죠. 엄마는 내가 이혼을 한 뒤로 나랑은 한마디도 하지 않았어요. 지난 7년 동안요.」

챈스는 레바의 눈을 볼 수 있도록 몸을 움직였다.

「왜?」

「난 더 이상 완벽하지 않으니까요.」

담담한 말투로 레바는 말했다.

「엄마는 단 한번도 날 사랑하지 않았어요. 정말 그랬죠. 그녀는 내가 되었으면 하는 그 어떤 존재를 사랑했던 거예요. 그리고 내가 그런 사람이 되지 못했다는 걸 안 순간, 그녀는 더 이상 나를 사랑할 수가 없었죠. 그건 남편도 마찬가지였죠. 그가 사랑한 건 내가 아니었어요. 제레미 싱클레어를 만나기까지 그 누구도 나를 사랑해주지 않았어요.」

아주 짧은 순간, 챈스의 몸이 긴장으로 굳어졌다.

「그에 대해 말해주시오.」

시선을 돌리며 담담한 목소리로 챈스가 질문했다.

어디서부터 시작해야 할지 몰라 레바는 잠시 주저했다.

「그분을 만난 건 정말로 우연이었어요. 어느 날 휘발유를 넣으러 갔다가 바로 옆에 서 있던 차에서 흘러나오는 완벽한 프랑스 말을 들었죠. 나는 머리를 돌려 자기 나이의 4분의 1정도 밖에 되지 않는, 황당한 표정을 짓고 있는 미국인 정비공에게 프랑스 말로 차의 기계적인 문제들을 설명하는 하얀 백발의 노인을 바라보았죠. 그게 제레미였어요.」

챈스가 깜짝 놀란 듯한 새된 소리를 냈다.

「제레미가…….」

그가 조심스럽게 물었다.

「몇 살이었소?」

「내가 그를 만났을 때요? 이른 세 살이요.」

순간, 챈스를 만난 후 처음으로 레바는 그의 당혹스러운 표정을 볼 수 있었다.

「제레미와 내가 연인이 아니었다는 말을 믿지 않았었군요. 그랬어요?」

「당신은 절대로 그렇게 말하지 않았소. 당신들 두 사람의 관계는 그 철부지 도령이 생각하는 그런 게 아니라고 했지. 그는 당신을 창녀라고 생각했었잖소. 하지만 당신은 아니었지. 그게 당신이 제레미의 연인이 아니라는 소리는 아니었잖소. 그걸 내가 어떻게 알았겠소. 게다가…….」

굶주린 녹색 눈동자로 그녀의 입술을 바라보며 챈스가 덧붙였다.

「숨쉴 정도의 기력이 있는 남자라면, 누구든 당신과 사랑을 나누길 원할 거요.」

「제레미와는 그런 사이가 아니었어요.」

단호한 어조로 레바가 대답했다.

「당신을 믿소.」

갑자기 몸을 움직여 레바를 자신의 옆쪽으로 바짝 잡아당기며 그가 말했다.

「하지만 나라면 내가 얼마나 늙었든 간에 당신을 원할 거요.」

챈스의 손이 위로 움직여 그녀를 자신의 몸에 꼭 붙이며, 지금 자신이 얼마나 그녀를 원하고 있는지를 말해주었다. 하지만 제레미와 자신 사이의 관계에 대해 그에게 설명하고픈 생각에 레바는 애써 그에게서 벗어나 자리를 잡고 앉았다.

「나와 싸우려 하지 마시오.」

그녀의 머리 위에 입술을 얹은 채 챈스가 말했다.

「단지 당신이 사랑했던 남자에 대해 이야기하는 동안 당신을 안고 싶어서 그랬을 뿐이오.」

천천히 레바의 몸에서 긴장이 빠져나갔다.

「난 제레미의 통역자이면서 비서이자 운전사로 일했죠. 그리고 그와 함께 살았어요.」

레바가 조용히 말했다.

「그분의 요리사와 가정부 그리고 집사처럼 말이죠.」

레바는 챈스의 가슴에 팔을 얹고 그의 얼굴을 살펴보았다. 그곳에는 어떤 의혹이나 불신의 기색은 보이지 않았다. 단지 그녀에 대한 굶주림과 흥미로 짙어진 녹색을 띠고 있는 눈동자뿐이었다.

「제레미는 훌륭한 무역상이었지만 돈은 그리 많지 않았어요. 대부분의 돈을 다 자신의 수집품에 투자했거든요. 부인은 아주 오래 전에 죽었고 아들도 마찬가지였죠. 제레미에게 남아 있는 유일한 '가족'이라곤 토드 싱클레어라는, 머리가 텅 빈 고깃덩어리뿐이었어요.」

숨을 고르기 위해 레바는 잠시 입을 다물었다. 챈스가 미소를 짓자 두꺼운 수염 사이로 하얗게 빛나는 이가 눈에 들어왔다. 숱이 많은 머리카락 아래로 그의 손이 그녀의 머리가죽을 어루만지자, 척추를 타고 오싹한 열기가 내려왔다.

「계속 하시오.」

챈스가 중얼거렸다

「더 말할 것이 별로 없어요. 전 제레미의 수집품에 매료되고 말았죠. 그리고 계속해서 질문을 던지기 시작했죠. 수천 가지의 질문들을요. 그는 그 모든 질문들에 자세히 대답을 해주었어요. 그렇게 5년이 지나자, 난 내 사업을 시작할 수 있을 정도로 많은 것들을 배울 수가 있었죠. 그러자 제레미는 내가 자신의 친딸인 것처럼 자랑스럽게 사람들의 앞에서 나를 지지해주었어요. 그리고 세상에서 가장 희귀한 것들을 모으는 사람들에게 나를 소개시켜주었어요. 난 가끔씩, 어쩌면 내 성공에 대해 그가 나보다 더 즐거워하고 있다는 생각을 하곤 했어요.」

레바는 눈을 감고, 제레미가 아프다는 사실을 알았을 때 자신이 느꼈던 불신과 낙담을 극복하려고 노력했다.

「6주 전에 그가 갑자기 쓰러졌어요. 그리고 난 그의 병실을 지켰죠. 나 스스로가 너무나 무기력하게만 느껴졌죠. 그분은 내게 너무나 많은 것들을 해주었어요. 나를 가르쳐주고 사랑해주었고, 그리고 다른 사람들이 되기를 원했던 모습이 아니라 그냥 있는 그대로의 나 자신을 사랑할 수 있도록 도와주었는데…… 정말 그렇게 많은 것들을 주었는데…… 내가 할 수 있는 일이라곤 그저 그의 손을 잡고 그가 죽어 가는 모습을 지켜보는 것뿐이었어요. 가끔씩…….」

목이 메어 갈라지는 목소리를 추스르며 레바는 말을 이었다.

「가끔씩 그런 생각을 하면 비명을 지르고만 싶어져요.」

「조금씩 나아질 거요.」

첸스는 그녀의 머리를 쓰다듬으며 말했다.

「그럴까요?」

어두운 눈동자로 첸스를 바라보며 그녀가 말을 이었다.

「결국 내가 그를 잊게 되는 걸까요?」

「사랑했던 누군가가 죽어 가는 모습을 지켜볼 수밖에 없었던 기억은 절대로 잊혀지지 않을 거요.」

조용한 어투로 첸스가 덧붙였다.

「하지만 그것을 삼키며 살아가는 법을 배울 수 있을 거요. 그리고 다시는 죽음이 당신의 삶을 지배하지 못하게 하는 법도 배우게 될 거요. 하지만…… 절대 잊어버리지는 않을 거요.」

「꽤 잘 어울리는 한 쌍이군요, 우리. 당신의 어린 시절이 남긴 건 단지 나쁜 기억과 보석 탐사에 대한 갈망뿐이고, 난…….」

씁쓸하게 웃으며 나지막한 목소리로 레바가 계속 말했다.

「내게 남은 건 나쁜 기억들과 아무런 가치도 없는 투어말린 광산의 반쪽자리 소유권뿐이니. 우리가 만난 것도 우연이라 할 수도 없네요.」

번개처럼 첸스의 온몸이 긴장감으로 휩싸이며 모든 근육들이 딱딱하게 변해 갔다.

「방금 그 말이 무슨 의미요?」

「아무것도 아니에요.」

그를 바라보며 놀라운 기색이 분명한 어조로 레바가 말했다.

「하나님에게도 유머감각이 있는 게 분명하다고요. 단지 그런 의미예요.」

레바는 첸스의 시선에 담긴 강렬한 냉기와 자신의 팔을 아플 정도로 세게 움켜쥐고 있는 그의 손가락들을 이해할 수가 없었다. 천천히 그의 손에서 힘이 빠져나갔다. 그녀는 자신의 팔을 문질렀다.

「무슨 일이에요?」

침착하고 완고한 그의 표정 아래에서 느껴지는 고통과 분노 그리고 다른 여러 가지 감정들에 대해 의아해하며 그녀가 물었다.

「아무것도 아니오. 그저 여기 이렇게 아름다운 여인과 함께 누워 있으면서도, 쓸데없는 질문을 던져 당신에게 슬픈 추억을 되새기게 만드는 내가 진짜 멍청이라는 생각이 들었던 것뿐이오. 내 팔 안에서 편안함과 즐거움을 느끼게 해주어야 하는데 말이오. 자, 당신을 안을 수 있게 해주시오, 채튼.」

부드러우면서도 격렬한 어조로 그가 속삭였다.

「당신에게 키스를 할 때면 세상에 불가능한 일이 없다는 생각이 드오.」

챈스의 요구는 거절할 수 없는 매력을 지니고 있었다. 순간 레바는 보잘것없는 광산의 소유권의 반을 가지고 있다고 말했을 때 당황해하던 그의 반응을 대수롭지 않게 넘어갔다. 그녀는 그의 손가락들이 자신의 피부를 움켜쥐는 바람에 생겼던 모든 통증을 다 잊었다. 그리고 아무런 생각이나 조건 없이 그에게 자신을 주었다. 그의 심장이 뛰는 소리와 처음 듣는 부드러운 언어로 중얼거리는 나직한 목소리에 빠져들어 모든 것들을 잊은 채 그의 품에 안겼다. 그의 손이 그녀의 실크 블라우스 위를 움직이며, 그의 입술 아래 부드럽게 녹아들 때까지 그녀를 어루만졌다.

챈스는 재빨리 몸을 엎드리며 한 차례의 긴 애무와 함께 온몸으로 그녀를 감싸안았다. 본능적으로 레바의 손이 그의 팔에서 어깨로 움직이고 등의 단단한 근육들과 매끄러운 살을 어루만지며, 문명의 구속 아래 숨겨져 있는 육욕을 만족시키려 했다. 챈스는 그녀를 끌어안은 채, 그런 거친 본능이 얼마나 달콤할 수 있는지 가르쳐주었다.

그의 혀가 뜨거우면서도 거칠게 그녀의 입술을 소유한 채, 말없는 신음과 함께 자신과 똑같은 난폭한 굶주림에 몸을 비틀 때까지 그녀를 괴롭혔다.

천천히 챈스가 머리를 들고, 레바가 작고 힘없이 숨을 몰아쉬는 동안 잘근잘근 깨무는 듯한 키스를 되풀이했다. 그녀의 부드러운 입술을 볼 수 있을 만큼 고개를 든 그는, 그녀의 가슴에서 새어나오는 기나긴 한숨을 느꼈다. 그가 목덜미의 맥박이 뛰는 곳에 입을 맞추자, 그녀는 몸을 휘며 머리를 뒤로 젖혔다.

천천히 되풀이되는 낯선 음악을 흥얼거리는 듯한 그의 말들은 또 다른 흥분제의 역할을 하고 있었다. 그의 입술이 벌어진 블라우스의 목덜미 위로 부드럽게 움직여 갔다. 혀끝이 봉긋이 올라온 가슴 위를 움직이고, 커다란 손바닥이 그녀의 젖꼭지 위를 문질렀다. 레바는 작은 소리를 내며 흐릿해진 황갈색 눈으로 그를 바라보았다.

「당신이 내게 손을 대면…… 난 나 자신을 알 수가 없어요, 챈스.」

「내가 어리석었소.」

그가 속삭였다.

「정말로 엄청난 바보요.」

곧바로 그의 입술이 다시 덮이자, 뜨거운 열기와 굶주림이 모조리 그녀에게 전달되었다.

한참 뒤에야 레바는 스스로를 바보라 탓하던 그의 말을 떠올릴 수가 있었다. 그녀는 씁쓸히 웃음을 터뜨렸다. 그날 그 바닷가에 엄청난 바보는 단 한 명뿐이었다.

그리고 그는 아니었다.

4

　오브제 다르의 작은 사무실에 있는 자신의 책상 앞에 앉은 레바는, 검토해야 할 송장과 검증서들 대신 '호랑이 신'만을 멍하니 바라보고 있었다. 반짝이는 갈색과 황금색의 독특한 무늬를 가진 매끄러운 조각상 위에, 햇살이 최면을 걸 듯 잔물결을 일으키며 무한한 아름다움을 창조해내고 있었다. 조각은 남성의 힘과 우아함의 본질을 제대로 표현하고 있었다. 그리고 공단 같은 광택과 지나친 느낌이 들 정도로 세련된 주조기술과 같이 석상을 이루는 모든 것들의 맨 밑바닥에는, 사랑과 욕구라는 본질적인 감정을 포함한 야성미가 존재하고 있었다.

　레바는 눈을 감았다. 아직도 '호랑이 신'의 강인한 모습이 눈앞에 생생하게 떠올랐다. 그녀의 마음속에서 동상은 점점 모습을 변해 가고 있었다. 은녹색 눈동자와 한밤처럼 까만 머리카락과 수염. 그녀의 손길 아래 변해 가는 탄력 있는 근육들. 제어할 수 없는 낯선 갈망으로 고통스럽게 만들던 부드러운 손. 눈을 감은 채 레바는 또다시 자신을 감싸던 챈스의 몸을 느끼고 있었다. 다시 세상은 멀리서 울어대는 갈매기와 그녀 그리고 그만이 존재하는 곳이 되어 갔다.

레바는 이제껏 누군가를 원한다는 게 무엇인지 모르고 살아왔다. 그런 식으로…… 부드러움과 강렬함이 함께 존재하는 열기와 모든 것을 소멸시킬 것 같은 즐거운 욕구. 그리고 그의 아래서 전율하며 다른 감정들은 모두 잊게 만들고, 결국은 시간과 공간까지 사라지게 만드는……. 레바는 그의 열정과 감촉을 제외하고는 완전히 잊어버리고 말았다. 자신이 어디에 있는지 그리고 누구인지까지…….

마침내 그가 키스를 끝내고 옆으로 몸을 굴려 그녀에게서 완전히 손을 떼자, 레바는 미처 정신을 차리지 못한 채 당혹감에 빠져들었다. 순간, 그녀는 자신이 있는 곳을 기억해내고 울어야 할지 웃어야 할지 종잡을 수가 없었다. 지금까지 두 사람은 마치 십대의 연인들처럼 벌건 대낮의 해변가에서 서로를 애무하고 있었다. 그녀의 생각을 읽은 듯, 그의 손이 부드럽게 그녀를 잡아당겼다. 맞닿은 피부에서 전해지는 희미한 떨림이 그의 자제력도 그리 쉽게 돌아오지 않고 있음을 전해주었다. 그런 깨달음에 레바의 마음이 조금은 편해졌다. 챈스가 레바를 위해 열어준 새로운 세상에 넋이 나간 건 비단 그녀뿐만이 아니었다.

레바는 오브제 다르로 돌아가고 싶지 않았다. 또한 챈스도 그녀를 보내고 싶어하지 않았다. 게다가 밤에도 서로의 얼굴을 볼 시간이 존재하지 않았다. 레바는 제레미 수집품의 일부를 보기 위해 찾아온 고객과의 약속이 있었다. 그 약속 하나 때문에 고객이 이집트에서 날아오고 있음을 알기 때문에 레바는 약속을 취소할 수도 없었다. 물론 그녀는 그렇게 하고 싶었지만, 그가 새벽 2시에 떠난 뒤에는 챈스가 있는 호텔을 방문하기에는 너무나 늦은 시간이었다. 하지만 그녀는 그렇게 하고 싶었다.

9시에 문을 연 뒤, 가게 안에는 수집가들과 경호원들 그리고 신경을 곤두세운 보험회사 직원들로 북적거렸다. 하루 종일 챈스에게 방문할 정도의 개인적인 시간은 아예 염두조차 내지 못했다.

4시가 넘어가자, 레바는 오브제 다르는 제레미의 수집품이 불러일으킨 흥분을 잠재우기에는 너무 좁다는 결론을 내렸다. 더군다나 끝없이 밀려드는 수집가들을 상대하고, 그들 개개인의 끝없이 되풀이되는 똑같은 질문들에 대답을 해줄 기력이나 시간이 전혀 없었다.

4시에 약속을 한 고객을 배웅하고 난 뒤, 레바는 몇 주 안에 샌디에이고의 델 코로나도 호텔에서 제레미의 수집품을 전시하는 일을 머릿속으로 그려보았다. 언제 하루 날을 잡아서 수집품들을 전시하고 만찬을 즐긴 뒤, 야간 경매와 자정의 무도회까지…… 제레미라면 분명 찬성하리라. 그는 몇 개 안 되는 희귀한 물건을 소유하기 위해 수집가들이 벌이는 원시적인 경쟁과 샴페인이 곁들여진 세련미가 뒤섞인 파티를 무척이나 좋아했었다.

부드럽게 미소를 지으며 레바는 '호랑이 신'을 손가락 끝으로 어루만졌다. 눈을 감은 채로 그녀는 조각상의 힘있는 윤곽을 선명하게 떠올릴 수 있었다. 돌에 새겨진 '호랑이 신'은 헤라클레스처럼 이상화된 영웅이나 놀라운 외모를 지닌 미남이 아니었다. 단지 단단한 어깨, 가느다란 엉덩이, 근육질의 팔과 힘있는 다리, 그리고 모든 곡선에서 남성적인 느긋함과 자신감이 드러나는 남자일 뿐이었다. 잘생겼다기보다는 힘이 느껴지고 완벽하다기보다는 매력적인 분위기의.

'호랑이 신'이 말을 할 수 있다면, 나지막한 음성에 약간 끄는 듯한 느린 말투로 말을 할지 궁금해졌다.

「내가 좀 볼 수 있겠소?」

그때 나지막하고 느린 목소리가 들렸다. 그 소리에 놀란 레바의 눈이 번쩍 떠졌다. 챈스 워커가 그녀 앞에 서서 석상을 향해 손을 내밀고 있었다. 아무런 말없이 그녀는 '호랑이 신'을 건네주었다. 그는 천천히 석상을 돌려보며 질 좋은 호안석과 동상 그 자체의 예술적인 가치에 감탄을 보냈다. 갈색 손가락이 공단 같은 돌의 표면 위를 움직이며 돌과 석상의 선을 따라 섬세하게 어루만졌다.

「굉장하군.」

석상을 다시 레바에게 돌려주며 그가 조용히 덧붙였다.

「이렇게 질 좋은 돌은 보지 못했소. 깨어진 곳도 변화시킨 것도 없고, 단 한군데의 흠도 없군. 누군지 몰라도 그걸 만든 사람은 광석의 가치를 제대로 아는 사람이오.」

「제레미의 수집품 중 하나예요.」

책상 위에 있는 벽감(壁龕, 조상 등을 두기 위한 벽이 움푹 들어간 곳) 위에 석상을 올려놓으며 레바가 말했다. 그녀는 마지막으로 한 번 더 호안석을 어루만진 뒤, 챈스에게 몸을 돌렸다.

「그가 단순히 돌이라는 사실이 기쁘군.」

「무슨 말이에요?」

「만일 그 조각이 살아 있었다면, 그를 사막으로 불러내 한바탕 하기에는 다소 힘겨운 상대였을 거요.」

챈스는 호안석 동상을 바라보며 가볍게 미소를 지었다.

「분명 엉켜들어 싸우기에는 다소 야비한 인물일 거요. 물론 정정당당하긴 하지. 숨어서 기다리는 일 따위는 하지 않을 테니까. 아니, 그럴 필요가 없을 거요. 분명 강한 사람일 거고, 스스로가 그 사실에 대해 잘 알고 있을 테니까. 그는 견고한 황금 화살로 자신 속에 숨어 있는 악마까지도 몰아낼 수 있을 거요.」

챈스는 레바를 돌아보며 물었다.

「이것도 판매할 거요?」

그녀는 머리를 흔들었다.

「유언장에 의하면, 난 제레미의 수집품 중 두 점을 가질 수 있어요. '호랑이 신'은 내 거예요.」

「'호랑이 신'이라, 어울리는 이름이군. 당신이 지은 거로군. 안 그렇소?」

챈스가 부드럽게 말했다.

「그래요.」

조심스럽게 챈스는 손가락 끝으로 그녀의 눈썹에서 턱까지 쓰다듬었다.

「내가 빌어먹을 돌덩이를 질투하게 될지는 몰랐소.」

약간은 거친 어조로 챈스가 말했다.

「그러지 말아요.」

그의 눈 속의 은색과 녹색의 밀도가 변해 가는 모습을 바라보며 레바는 부드럽게 말했다.

「데스 계곡을 갔다온 다음, 나는 석상을 갖기로 결정을 내리고 이름을 붙였어요.」

그녀의 말을 알아들은 것처럼 챈스의 표정이 바뀌는 것을 보았다. 그의 눈이 감기면서 레바의 턱을 움켜쥔 손가락에 힘이 들어갔다. 다시 그가 눈을 뜨고 그녀를 바라보았을 때, 레바는 숨쉬는 것을 잊고 말았다. 그의 눈은 모든 것을 태울 듯이 강렬하게 그녀를 바라보고 있었다.

「채튼.」

몸을 숙여 그녀에게 키스를 하며 챈스가 말했다.

「이야기 좀 합시다. 당신에게 말해야…….」

그때 무언가를 말하면서 팀이 사무실 안으로 걸어 들어왔다.

「보스, 머서 노인네가 하는 말이…… 이런, 미안해요. 문이 열려 있어서요.」

팀이 다시 나가기 위해 몸을 돌렸다.

신랄한 말을 중얼거린 뒤, 챈스는 냉소적인 미소를 지으며 옆으로 물러섰다. 레바는 그의 중얼거림에 소리 없는 동의를 보내며 팀을 향해 몸을 돌렸다.

「괜찮아.」

하지만 그녀의 말투는 그 입바른 소리가 거짓이라고 분명히 전하고 있었다. 자신의 귀에도 그렇게 느껴지자, 레바는 손을 휘저으며 말했다.

「솔직히는 아니지만 괜찮아.」

팀이 미소를 지었다.

「음, 그래요. 무슨 의미인지 알겠어요.」

그는 자신의 손을 들어올렸다. 손바닥 안에는 아주 작고 귀여운 분홍색 눈물 병이 자리잡고 있었다.

「머서는 우리가 매긴 가격이 너무 높다고 불평하는데요.」

챈스는 수정 병을 바라본 뒤 레바에게 시선을 돌렸다.

「계속해봐.」

레바가 말했다.

챈스는 팀의 손바닥 위에 놓여진 병을 집어들었다. 그리고 가만히 서서 작은 병의 마개를 검사한 뒤, 자리를 옮겨 레바의 책상 위로 비치는 밝은 빛 속에 병을 올려놓아 수정 병을 비출 수 있도록 했다. 섬세한 망사 모양의 선들이 빛을 흩뿌리고 굴절시켜 표면에 드러나는 광석의 문양들을 강렬한 분홍색으로 타오르게 만들고 있었다.

「팔라 산(産) 투어말린이군.」

병을 천천히 돌려 각각의 문양들이 빛을 반사하게 만들며 챈스가 덧붙였다.

「아름다운 물건이오. 단 한 조각의 광물석이고, 작지만 적당한 크기로 잘려졌고, 그 자체의 완벽함은 전혀 손상을 입지 않았소. 색 또한 최상의 것이오. 세상 그 어떤 루빌라이트(홍전기석, 紅電氣石)도 샌디에이고 주 북쪽 지역에서 발견되는, 이런 팔라 전기석에 비견되는 건 없을 거요. 진짜 독특한 색이군.」

챈스는 레바의 책상 위에 올려져 있는 두꺼운 확대경을 들어 손바닥 위에 놓여 있는, 빛나는 결정에 대한 비공식적인 감정을 계속해 나갔다.

「이 병의 제작연도를 정확히 밝혀낼 만큼 중국의 조각술에 대한 조예는 깊지 않소. 하지만 19세기 말이나 그 어디쯤일 것 같군. 중국의 황태후는 팔라 산 투어말린에 대해 대단한 집착을 가지고 있었지. 팔라 지역 광산에서 생산되는 건 전부 그녀에게로 갔으니까. 또한 그녀는 분홍색 투어말린의 세계적인 독점권을 행사하고 있었소. 그 덕분에 1908년 그녀가 죽은 뒤, 팔라 투어말린 시장은 완전히 붕괴되고 말았소.」

챈스는 몸을 숙여 병의 조각을 조사했다.

「훌륭하군.」

그는 계속해서 병에 대한 찬사를 퍼부었다.

「독창적인 마개 모양에 섬세한 기술로 만들어낸, 대칭적이면서도 우아하고 진부하지 않은 문양의 조각……. 이 눈물 병의 소유자가 누구였던 간에 제대로 관리를 했군. 내가 보아왔던 눈물 병들은 대부분 손을 타서 문양이 흐릿해졌거나 이가 빠졌거나 아니면 어떤 방식으로든 수리한 흔적이 남아 있었소. 이건 내가 보아온 것 중에서 가장 선명하고 완벽한 물건이오.」

아무런 말없이 레바는 전날 작성한 분홍색 투어말린 눈물 병의 감정서를 내밀었다. 챈스는 서류를 재빨리 살펴보았다.

「적정한 가격이군.」

그는 나른한 미소를 지으면서 팀에게 병을 돌려주었다.

「만일 당신의 고객이 그걸 원하지 않는다면, 내가 황태후처럼 분홍색에 미쳐 있는 오스트레일리아의 수집가 한 명을 연결시켜주겠소. 레드 데이가 당신의 물건을 본다면, 자신에게도 기회가 주어졌다고 무척 고마워할 거요.」

팀이 씩 미소를 지었다.

「당신이 내 시간을 벌어줬어요. 머서는 굉장한 부자예요. 그리고 자신의 일에 다른 사람이 끼여드는 것을 무척이나 싫어하거든요.」

팀은 강조하듯 문을 닫으며 사무실을 떠났다.

「내 놀라운 광산에서는……」

레바는 농담을 던진다는 분명한 어조로 입을 열었다.

「이런 광물은 절대로 나오지 않아요. 같은 지역, 같은 토질인데도 말이에요. 질 좋은 분홍색 투어말린은 어린아이의 주먹만큼도 생산되지 않을 거예요. 지금까지의 파렐 가(家)의 여자들이 차이나 퀸에서 얻어낸 거라곤 중노동과 남편을 위험에 몰아넣는 잔인함, 그리고 세대를 거쳐 유전되는 투어말린에 대한 열병뿐이었어요.」

챈스의 표정에 약간의 변화가 생겼다. 얼굴 표정이 날카로워지자 남성적인 윤곽과 단단한 턱이 더욱 강조되었다.

「당신도 그런 투어말린 열병에 시달린 적이 있소?」

온몸의 긴장을 털어내듯 가벼운 어조로 그가 질문을 던졌다.

「그럼요. 물론 직접 들고나선 적은 없어요. 아주 어렸을 때 어머니가 광산을 열려고 애를 쓰셨던 적이 있었죠. 그때 단 한번 그곳에 가 보았어요. 어머니는 광산 입구에 버팀목을 세울 수 있을 만큼 많은 돈을 모으셨어요. 하지만 결국 돈은 바닥이 났고, 수중에 남은 거라곤 질이 나쁜 투어말린 부스러기 몇 개뿐이었어요. 파산한 거죠.」

「당신은 어떻소? 당신도 차이나 퀸에 버팀목을 세우려고 노력한 적이 있었소?」

「그런 생각을 한 적은 있었어요.」

레바는 솔직히 인정하며 말을 이었다.

「내 꿈은…… 산더미처럼 쌓인 채 반짝이는 투어말린과 절대로 녹지 않는 얼음처럼 아름다운 분홍색과 녹색으로 빛을 발하는 수정 더미를 발견하는 거였어요.」

그녀는 조용히 스스로를 비웃었다.

「하지만 현실은 그리 극적이지 않잖아요. 이혼소송 후 변호사비를 지불하고 내 처녀 적 이름을 되찾은 뒤, 난 차이나 퀸을 열기 위한 견적을 뽑아줄 사람을 고용했죠. 거의 10만 달러가 넘는 돈이 필요하다고 그러더군요. 그것도 다이너마이트를 사용하지 않고 일을 하는 경우였어요. 만일 폭발에도 끄떡 없을 정도로 광산을 튼튼하게 보강하려면 그 돈의 두세 배는 더 든다고 하더군요.」

그녀는 어깨를 으쓱했다.

「하지만 단 1,000달러를 빌려줄 수 있는 은행을 찾는 것도 내게는 불가능한 일이었어요. 그런데 그 백 배라니…… 어림도 없었죠. 그렇다고 은행을 비난하는 건 아니에요. 어떤 미친 사람이 초롱초롱 빛나는 눈을 가진 젊은 여인에게 돈을 빌려주려 하겠어요. 가진 것이라곤 겨우 수백 달러 정도의 팔라 산 투어말린을 생산할 수 있는 광산의 소유권을, 그것도 딱 절반만 소유한 여자에게 말이에요.」

「그렇다면 퀸을 파시오.」

그의 어조에 들어 있는 강렬함을 감지한 레바는 고개를 들어 챈스를 마주보았다.

「그건 꿈을 파는 것과 마찬가지예요. 얼마나 많은 돈을 벌던 간에 내가 잃어버리게 되는 것만큼의 가치는 없어요.」

레바는 비틀어진 미소를 지으며 덧붙였다.

「어리석은 말이라는 건 알아요. 하지만 내가 차이나 퀸에게 느끼는 감정이 그런 걸요, 뭐.」

「그럼, 어린 시절 이후로는 한번도 광산에 가본 적이 없다는 말이오?」

「그래요.」

왜 그 쓸모 없는 광산이 자신에게 소중한 건지 챈스에게 설명하기 위해 레바는 주저하며 조심스럽게 단어를 선택했다.

「내 유년 시절의 것들 중 남아 있는 유일한 것이 바로 광산이에요. 난 가족이 없어요. 물론 완전히 혈혈단신은 아니죠. 난 아버지의 이름조차 몰라요. 게다가 어머니와 난 이미 다른 길을 가고 있죠. 그리고 조부모님의 얼굴을 본 적도 없어요. 그분들은 내가 태어나기도 전에 엄마를 내치셨어요. 엄마의 쌍둥이 자매가 오스트레일리아에 살고 있다고 하더군요. 아웃백의 어딘가에요. 하지만 한번도 만난 적은 없어요. 엄마와 이모는 서로에게 편지를 쓴 적도 없고요. 심지어 크리스마스 때 카드 한 장 보내는 일도 없는걸요. 내 나이 또래의 사촌 여자애가 있다는 말은 들었어요. 이모의 딸인데 이름이…… 실비 어라고 했을 거예요. 그게 내 가족에 대해서 내가 아는 전부예요.」

레바의 미소가 사라져 갔다. 그녀는 자신의 손을 내려다보았다.

「그런 가족과 버려진 광산의 절반이 바로 내가 물려받은 유일한 유산이에요. 물론 차이나 퀸에서 단 한 조각의 분홍 투어말린도 발견하지 못할 수도 있어요. 하지만 그것의 반은 내 소유죠. 딱 까놓고, 100에이커의 땅과 몇 킬로미터의 구역에 존재하는 광물에 대한 권리 말이에요.」

그녀는 마주잡은 두 손에서 시선을 돌렸다.

「차이나 퀸은 아름다운 곳이에요. 여름에는 뜨겁고 겨울에는 녹색의 융단이 펼쳐져 있는, 황량하고 야성적인 땅이죠. 언젠가 그곳에 집을 지을 거예요. 그때까지는 그저 그곳에 땅이 있다는 걸 아는 것만으로도 충분해요. 그냥 기다리는 거죠. 고향에 돌아갈 날을.」

레바는 시선을 돌려 가늘게 뜬눈으로 자신을 살펴보고 있는 챈스를 바라보았다. 그는 분노와 슬픔과 좌절이 뒤섞인 표정을 짓고 있었다.

「그럼, 절대로 팔지 않을 거군.」

「그래요.」

그런 다음 레바는 재빨리 덧붙였다.

「들리는 것처럼 그렇게 미친 짓은 아니에요, 챈스. 광산에는 세금이 거의 없죠. 그리고 원할 때면 언제나 그곳에 캠프를 칠 수도 있어요.」

「그렇게 해본 적이 있소?」

「그곳에서 야영을 한 적이 있냐고요? 아니요.」

레바가 덧붙였다.

「이혼을 한 뒤, 딱 한번 광산을 향해 차를 몰고 간 적이 있었죠. 광산으로 가는 길이 너무나 끔찍하더라구요. 순간, 혼자서 그런 일을 시도한다는 게 너무나 겁이 나서 돌아왔어요. 하지만 괜찮을 거라는 생각은 들어요.」

잠시 동안 레바는 그때의 일을 회상했다.

「그래요, 괜찮을 거라고 확신해요. 그렇게 할 생각이에요, 곧.」

「혼자서는 안 돼. 너무 위험하오.」

챈스가 거칠게 말했다.

「당신이 어떻게 알죠?」

챈스는 잠시 주저하며 입을 열었다.

「아마도 광산으로 들어가고 싶은 유혹이 생길 거요. 게다가 그런 외딴 장소는 혼자 있는 여성에게는 언제나 위험한 법이오. 하지만 황야를 잘 아는 남자와 함께…….」

얼굴색이 변하는가 싶더니, 챈스가 미소를 지었다.

「캠핑을 가고 싶소?」

레바의 눈동자가 갑작스러운 흥분으로 반짝였다. 만약 챈스가 함께 가준다면, 매번 무슨 소리가 날 때마다 겁을 집어먹거나 조그만 그림자 하나하나에 펄쩍 뛰어오르며 무서워하지 않아도 될 것 같았다. 벌건 대낮에 눈을 감고 자리에 누워 햇빛을 쐬는 일을 두려워할 필요도 없을 테고. 게다가 바위투성이의 땅 위에 흐르는 침묵과 공허함을 그와 함께 나눈다는 건, 생각만으로도 흥분되는 일이었다. 레바는 크리스마스날 아침의 어린아이와 같은 표정으로 자신의 '호랑이 신'을 향해 미소를 지어 보였다.

「그래요.」

레바는 숨을 몰아쉬며 덧붙였다.

「캠핑에 데려가줘요.」

「그렇게 미소만 짓는다면, 지구상의 어느 곳이라도 데려다주겠소, 채튼.」

그의 입술은 태양처럼 따뜻하고 부드러웠다. 레바는 그의 이름을 한숨처럼 부르면서, 자신의 미소를 따라 움직이는 혀를 느끼며 그의 팔과 목덜미에 양손을 올려놓았다. 그녀는 손가락 사이에 느껴지는 매끄럽고 헝클어진 머리카락을 어루만지며 남성적인 향기와 맛을 만끽했다. 자신의 혀가 수줍음을 머금고 따스하게 그를 맞이하자, 챈스의 몸이 갑작스럽게 긴장했다.

그때 전화벨이 울렸지만, 두 사람은 그것을 무시했다.

다시 인터콤의 벨이 울렸다.

「젠장.」

레바가 불끈 화를 냈다. 그리고 갑자기 입을 다물었다. 레바는 끝없이 이어지는 키스 이상의 것을 원하고 있었다. 단지 챈스가 자신을 바라보고, 어루만지고, 끌어안을 때마다 자신의 몸 안에 타오르는 굶주림과 열정을 충족시키는 것만이 아니라 그 이상의 더 복잡하고 영구적인 것을 원했다.

그녀의 손이 인터콤의 스위치를 눌렀다.

「뭐지?」

「5시에 약속하신 분이 벌써 15분 동안이나 기다리고 있어요.」

팀이 말했다.

「멕케이 부인?」

재빨리 머리를 굴리며 레바가 물었다.

「네, 그래요.」

「일분만 기다리시라고 해.」

그녀는 인터콤 스위치를 끄고 챈스를 바라보았다.

「내가 수집품 중에 두 점을 선택했다는 사실을 알아내고는 맥케이 부인이 타이티에서 날아왔어요. 나이가 여든 살이 넘으셨는데. 제레미의 가장 친한 친구 분 중 한 분이세요.」

「그녀는 얼마나 오래 머물 거요?」

「몇 시간 정도요? 하지만 그녀가 내 마지막 약속은 아니에요.」

챈스는 레바가 알아듣지 못하는 언어로 뭐라고 욕설을 퍼부었다. 화가 났을 때의 말투는 그리 음악적으로 들리지 않았다.

「내일 정오에 오겠소. 그러니 캠핑 갈 준비를 해놓으시오.」

그녀는 머릿속으로 다시 계획을 짜기 시작했다.

「어떻게 해야 할지 모르겠어요. 하지만 금으로 만든 종을 들고 여기서 기다리기로 하죠.」

「그냥 벨만⋯⋯.」

중얼거리는 그의 목소리가 더욱 나직해졌다.

순간, 레바는 함께 캠핑을 가겠다는 자신의 말을 그가 너무나 쉽게 오해했음을 깨달았다.

「난 캠핑을 갈 거예요. 그렇다고 그걸 약속한 건 아니⋯⋯.」

레바의 목소리가 점점 더 작아졌다.

「뭘? 나와 사랑을 나누는 거 말이오?」

챈스는 당혹스러움으로 그늘진 레바의 표정을 발견했다. 일순 그의 표정이 변했다.

「당신은 보이는 것만큼이나 순진한 사람이군. 안 그렇소?」

챈스가 부드럽게 말했다.

「도대체 당신이 결혼한 사람은 어떤 인간이었소? 차가운 얼음 덩어리?」

레바의 몸이 뻣뻣해졌다. 결혼생활을 기억해내는 것이 그녀에게는 썩 즐거운 일이 아니었다.

「이것만 이해해주시오. 난 순진하지 않소. 그리고 당신을 원하고 있소. 당신이 나와 똑같은 방식으로 날 원하게 만들기 위해서라면 뭐든지 할 거요. 하지만 강요하지는 않겠소, 채튼.」

챈스가 부드럽지만 가차없는 어조로 말했다. 그런 다음 손가락 끝으로 그녀의 입술을 어루만지며 덧붙였다.

「하이킹용 부츠와 두터운 옷가지가 필요할 거요. 가지고 있소?」

「아니요.」

「그럼, 그것도 내가 알아서 하겠소.」

부드러운 절제가 담긴 키스로 그녀를 안심시키며 그가 약속했다.

안도감과 함께 열기와 굶주림의 전율이 또다시 그의 손길을 떠올리게 만들었다. 챈스는 거칠고 부드러우며 남성다운 사람이었다. 매

번 애무할 때마다 그는 레바에게 자신을 괴롭히는 욕구를 숨김없이
보여주었고, 그녀의 안에 숨어 있는 강하고 거친 무엇인가를 일깨워
주었다. 그리고 그를 향해 거친 욕망을 솔직히 드러내게 만들고 있
었다.

또다시 벨이 울렸다. 계속해서.

「팀은 언제나 이렇게 빌어먹을 정도로 정확한 거요?」

마침내 그녀에게서 입술을 떼며 챈스가 헐떡이는 목소리로 물었다.
미처 그녀가 대답을 하기도 전에 그는 몸을 돌려, 고양이와 같은 걸
음걸이로 재빨리 방을 빠져나갔다.

「정오요.」

뒤를 돌아보지 않은 채 그가 덧붙였다.

「준비가 되었건 안 되었건 간에 말이오.」

정오에 레바는 자신의 책상에 앉아, 자신의 추억에 대해 다른 사
람들은 별로 관심이 없다는 사실을 믿지 못하는 한 남자의 끝없이
이어지는 경험담을 듣고 있었다. 그녀는 연신 시계를 내려다보며 손
님이 그녀의 행동을 눈치채주기만을 빌었다. 하지만 차라리 바위가
일어나 춤을 추기를 바라는 편이 더 빠를 것 같았다.

정확히 정오에 챈스가 사무실 안으로 걸어 들어왔다.

「준비됐소?」

챈스는 레바의 책상 앞에 앉아 있는 남자를 무시한 채 질문을 던
졌다.

레바는 챈스의 낡은 셔츠와 바지, 무릎까지 올라오는 여행용 신발
을 훑어보았다. 그리고 이미 차양이 제 기능을 잃고 축 늘어져 있는,
쭈그러진 카우보이 모자를 멍하니 쳐다보았다. 당장 자리에서 일어나
그와 함께 사무실을 걸어나가고만 싶었다.

「아직 아니에요.」

레바는, 50번째 생일파티에서 있었던 일에 대한 장황한 설명을 계속하고 싶은 생각에 인내심을 가지고 침입자가 나가기를 기다리고 있는 남자를 향해 고갯짓을 해 보였다.

「지금 몇 시입니까?」

챈스가 남자에게 물었다.

레바의 고객은 애리조나 산 터키석이 죽 박혀 있는 두꺼운 은색 시계를 내려다보았다.

「12시하고 약 17초 지났소.」

「정확하군.」

챈스는 책상 뒤로 돌아가 의자에서 레바를 들어올린 뒤, 놀란 표정을 짓고 있는 고객에게 말했다.

「어제 레바양에게 오늘 정오에 데리러 올 거라고 말했었죠. 그리고 난 약속은 반드시 지키는 사람입니다.」

챈스는 웃고 있는 레바를 두 팔에 안은 채 사무실 밖으로 걸어나왔다. 놀란 표정으로 바라보고 있던 팀이 엄지손가락을 들어 보이며 앞문을 열어주었다.

「즐거운 여행되세요.」

마치 스페인 호텔의 도어맨처럼 고개를 숙여 인사를 하며 팀이 소리를 쳤다.

「저 넋이 나간 노인네는 내가 잘 돌볼게요. 그러니 서둘러 돌아오지 말라구요.」

팀이 레바에게 속삭이듯 말했다.

레바는 오브제 다르에서 빠져나오면 챈스가 자신을 바닥에 내려놓을 거라 생각했다. 하지만 챈스는 인도에 도착해서도 절대 걸음을 멈추지 않았다. 잠시 동안 두 사람을 바라보던 사람들은, 미소를 지으면서 카메라와 촬영 스텝들을 찾아 주변을 둘러보았다. 로데오 거리에서 일어나는 모든 기묘한 일들은, 곧 누군가가 야외촬영 중이라는 의미를 내포하고 있었다.

「이제 날 내려놓아도 돼요.」

여전히 웃음기가 남아 있는 목소리로 레바가 말했다. 하지만 챈스는 계속 걸음을 옮겼다.

충동적으로 그녀는 그의 모자를 벗기고 머리카락을 헝클어뜨렸다.

「J.T. 리빙톤-스미드씨의 표정 봤어요? 굉장했어요. 오, 맙소사! 난 지난 수년 동안 이런 일이 일어나는 것을 상상해보았죠. 그는 언제나 자신에게 할당된 것보다 두 배 이상의 시간을 잡아먹었거든요. 매번 그의 말을 들으면서, 어쩌면 악마가 사용하는 끔찍한 고문 방법 중에 따분함도 포함될지 모른다는 생각까지 했다니까요.」

「그렇다면 다음에 내게 베네수엘라에 사는 악마에 대해 이야기해 달라고 해주시오.」

「그가 거기에 사나요?」

「브라질의 광산에서 다이아몬드를 캐고 있지 않을 때는.」

잠시 동안 레바는 챈스의 외모를 살펴보며, 그의 단호하고 남성적인 윤곽을 즐겼다.

「나를 안고 이 길을 가는 데 한 가지 문제가 있는 것 같군요.」

「몸무게가 걱정되는 거요?」

미소를 지으며 그가 물었다.

「아니에요.」

손가락 끝으로 그의 입술을 가볍게 쓰다듬으며 레바가 덧붙였다.

「이렇게 안겨 있으려니까, 나를 구출해서 데려가는 일에 대해 차마 고맙다는 인사를 할 수가 없군요.」

그의 품안에서 갑자기 자신의 자세가 바뀌자, 깜짝 놀란 레바는 아무런 말도 하지 못한 채 그의 목을 꼭 붙잡고 숨을 헐떡였다. 그의 입술이 거칠게 그녀를 소유하면서, 여유 있어 보이는 미소와는 달리 그가 얼마나 강한 자제력을 발휘하고 있는지 분명히 전했다. 처음의 놀라움이 가시자, 레바는 데스 계곡의 어둠과 침묵 속에서 그가 일깨워준 뒤 잠시도 잠들지 않던 굶주림을 드러내며 그의 키스에 응했다.

「우리가 교통을 마비시키고 있소.」

레바의 귓불을 교묘히 깨물면서 몸을 떠는 그녀의 반응을 즐기며 그가 중얼거렸다.

「사람들은 단지 감독이 '컷' 하고 외친 뒤 재촬영에 들어가기를 기다리고 있는 거예요.」

조금씩 숨을 몰아쉬며 그녀가 말했다.

「저들을 실망시키고 싶지 않은데…….」

다시 그녀의 입술을 점령하고 천천히 혀를 움직이면서 챈스가 말했다. 잠시 후 그는 고개를 들고 그녀의 붉어진 얼굴을 바라보며 미소를 지었다.

「영화배우가 되는 게 이렇게 재미있는 일인 줄 몰랐소.」

머리를 흔들며 레바는 즐거움과 심각함이 뒤섞인 표정으로 그를 바라보았다.

「내가 지금 당신하고 뭘 하고 있는 거죠? 당신은 절대로…… 절대로…….」

「점잖지 못하다고?」

방탕해 보이는 미소를 지으며 챈스가 대신 말했다.

레바는 다시 머리를 흔든 뒤 부드럽게 웃음을 터뜨렸다.

「걱정하지 말아요.」

근처에 있는 주차장 안으로 들어가며 챈스가 다짐했다.

「우리가 야영을 시작할 때쯤에는 그런 게 별로 눈에 띄지 않을 테니까.」

챈스는 도요타 랜드 크루저 옆에 그녀를 내려놓았다. 먼지가 가득 낀 청색 자동차 뒤에는 윈치(무거운 물건을 위아래로 옮기는 데 쓰는 기계)가 붙어 있었다. 자동차 뒷좌석 뒤에는 여분의 가스와 물통들이 쌓여 있었고, 앞좌석 뒤에는 야영도구들이 놓여 있었는데, 단단하고 신축성 있는 그물이 그 물건들을 덮은 채 단단히 고정되어 있었다.

「내 차를 타고 가는 게 나을 것 같다는 생각은 들지 않나요?」

검소하기 그지없는 도요타의 내부와 도저히 용서할 수 없는 잡동사니들을 의심스러운 눈으로 살펴보며 레바가 제안했다.

「그게 더 편안할 것 같은데요.」

「고속도로에서는 그럴 거요.」

그녀를 위해 문을 열어주며 챈스가 대답했다.

「하지만 광산으로 향하는 길에 접어들면, 당신의 차는 재앙덩어리로 변할 거요. 바위와 바퀴자국들, 유실된 도로와 끔찍한 경사를 상상해보시오.」

「어떻게 그렇게 자신하는 거죠?」

자신의 차에 대한 즉각적인 거부에 분개하며 레바가 물었다.

눈 깜짝할 사이, 챈스는 얼어붙듯이 동작을 멈추었다가 유연한 동작으로 레바를 차안으로 밀어 넣었다.

「논리요. 오랫동안 버려져 있던 광산이니 도로 또한 엉망진창일 거요. 뭐, 원한다면 BMW를 몰고 내 뒤를 따라와도 좋소. 당신의 매끄러운 자동차에 문제가 생긴다 해도 내가 끄집어내 줄 수 있을 테니까.」

「전혀 고맙지 않군요.」

차체를 찢고 통과하는 돌덩이로 인해 BMW가 손상을 입게 될 것을 상상하자, 레바는 온몸을 부르르 떨면서 대답했다.

「당신의 말을 따르도록 하죠. 당신은 거친 황야에 관한 한 전문가니까요.」

챈스는 그녀의 턱을 손에 쥐고는 잠시 동안 가만히 그녀를 바라보았다. 그런 다음 이내 말했다.

「이것만은 기억하시오. 만일 내가 당신에게 무언가를 말한다면, 절대로 반박하지 마시오. 그냥 시키는 대로 움직이시오. 언제나 이렇게 설명할 수 있는 시간이 있는 게 아니니까.」

자신의 말에 대한 그녀의 반응을 측정하듯, 그의·눈동자가 강렬하고 투명한 녹색으로 빛나고 있었다. 챈스는 전혀 조바심을 내지 않으며 기다렸다. 그 또한 그녀가 명령을 받는 일에 익숙하지 않다는 걸 잘 알고 있었다.

「당신은 내가 알지 못하는 무언가를 알고 있는 것 같군요.」

마침내 레바가 입을 열었다.

챈스의 눈이 거의 감겨질 만큼 가늘게 떠졌다.

그의 손가락이 그녀의 턱을 고통스러우리 만큼 세게 잡았다가 다시 힘을 풀었다.

「무슨 말이오?」

담담한 어조로 그가 물었다.

「내게 말하지 않은 게 있다구요. 당신은 광산이나 아니면 다른 어떤 무언가가 굉장히 위험할 거라는 확신을 가지고 있잖아요.」

오랫동안 챈스는 조용히 침묵을 지키다가 이내 말했다.

「버려진 광산들은 언제나 위험한 법이오.」

레바는 아무런 말없이 그의 다음 대답을 기다렸다. 그는 그녀 쪽의 문을 닫고 도요타의 주변을 돌아 운전석 위로 기어 올라왔다.

「난 절대로 아무런 계획 없이 어떤 일에 뛰어들지 않소.」

잠시 후 챈스가 말을 이었다.

「전에 한번 차이나 퀸에 갔던 적이 있었소. 도로는 빌어먹을 만치 끔찍했소. 하지만 그건 예상했던 일이었소. 내가 예상치 못했던 건, 그런 미개척지를 통과해서 움직이고 있던 여러 무리의 사람들이었소. 잠시 그 지방의 술집에서 시간을 보내며 그 이유를 알아낼 수 있었소. 많은 양의 마리화나가 그곳의 황야에서 재배되거나 아니면 운반이 된다는 거요. 별로 기꺼운 일은 아니었지만, 사람들은 그런 일을 하고 있었던 거요. 그리고…….」

챈스는 계속 말했다.

「멕시코에서 넘어온 불법 이민자들도 있었소. 그 사람들은 일이 있을 때에는 들판이나 아보카도 과수원에서 머물며 일을 했소. 하지만 일이 없을 때에는 황야로 나가서 야영을 한다고 했소. 그렇게 하면 돈도 별로 들지 않고 또한 다른 사람의 눈에 띌 염려도 없기 때문이라고 하더군. 그 사람들은 대부분의 시간을, 술을 마시거나 칼을 휘두르며 싸우는 일에 보내고 있었소. 그곳의 농장주들은 그런 이유로 자신의 농장에 갈 때마저도 총을 소지하고 다닌다고 하더군.」

챈스는 한참 동안 레바를 바라보았다.

「당신은 이런 사실에 대해 아무것도 모르고 있었을 거요, 안 그렇소?」

아무런 말없이 그녀는 고개를 끄덕였다.

「세상의 대부분 지역이 다 그렇소.」

그가 말을 이었다.

「만일 도시에서는 그런 일들이 일어나지 않는다고 생각하고 있다면, 그건 단지 대부분의 사람들이 그런 일에 신경을 쓰지 않고 살기 때문이오. 이제 도시 밖으로 떠날 준비가 되었소, 레바? 아직도 원한다면 말이오.」

「위험할까요? 내 말은, 정말로 위험스러운 일이냐구요.」

챈스가 가볍게 미소를 지었다.

「아니오. 그저 예상치 못한 흥분을 줄만큼. 정말로 위험하다고 생각했다면 그런 상황 속으로 당신을 데리고 가지는 않을 거요. 물론 로데오 거리를 걷는 것처럼 안전하고 문명화되어져 있지는 않소.」

「아…… 그쪽 마약 중개인들과 이쪽 사람들의 만남을 주선해볼까요? 누가 이길 거 같아요, 워커씨?」

그가 웃음을 터뜨렸다.

「도시사람들은 영리하고 시골사람들은 순박하다는 말을 하고 싶은 거요?」

「어떤 면에서는요.」

약간의 진지한 표정으로 레바는 미소를 지었다.

「당신의 판단을 믿어요, 챈스. 만일 당신이 안전하다고 생각한다면 난 가겠어요.」

「백퍼센트 안전한 곳은 없소. 심지어 문을 잠궈놓고 집 안에만 머문다고 해도 말이오.」

「그럼, 내가 가는 걸 원하지 않는다는 말인가요?」

「아니오. 단지 저 정신병원과도 같은 고속도로에서 충돌사고가 날 수 있다는 걸 알면서도 사람들은 늘 그곳을 이용하고 있는 것과 마찬가지라는 거지.」

레바는 얼굴을 찌푸렸다.

「물론 그래요. 그리고 당신은 그런 위험들을 일어나지 않게 미리 조심할 거예요. 그리고 계속 앞으로 전진하겠죠. 하지만 당신 말대로라면 그리 신경 쓰지 않아도 될 것 같군요. 나쁜 일이 생길 확률은 그렇게 높지 않잖아요.」

「그건 황야에서도 마찬가지요. 물론 그런 확률을 계산할 수 있는 능력도 필요할 거요.」

「그럼 가자는 말이군요?」

「그렇소.」

「그리고요?」

「러시 아워의 고속도로에서 운전을 하느니, 나라면 차라리 미개척지에서 야영하는 것을 택할 거요.」

챈스가 냉소적으로 말했다.

「그렇다면 야영하러 떠나죠.」

폴 브룩의 우아한 컨트리클럽 건물들과 시간을 거슬러 올라간 듯한 복고풍의 건물들을 지나치자 2차선 고속도로가 나왔다. 낮은 잡목들로 뒤덮인 가파른 화강암 언덕을 따라 골프 코스와 말들의 방목장이 늘어서 있었고, 4월의 바람을 타고 야생의 잡초들이 씨를 흩뿌리고 있었다. 이제 몇 주만 지나면 뜨거운 남캘리포니아의 태양 아래 대지는 다시 황갈색의 사막으로 변할 것이다. 그때쯤이면 화강암 언덕 기슭은 다시 열기와 고요만이 감돌게 되고 단지 잡목들만이 살아남아, 타는 듯한 오후의 햇살 아래 금세라도 사라질 듯 작은 속삭임만을 되풀이하게 될 것이다.

하지만 지금은 너무나 향긋하고 따스한 녹색의 잡목과 잡초가 우거져 팔라 지역만의 독특한 봄을 연출하고 있고, 도로의 양옆으로는 아보카도 나무가 즐비하게 늘어서 있었다. 잡초를 제외하고는 아무것도 자랄 것 같지 않은 바위투성이의 가파른 언덕 위를 과수원의 돌담이 비집고 들어가 자리를 잡고 있었다. 아보카도 나무는 돌투성이의 황무지를 더 좋아했고, 추수철이 되면 짙은 녹색 열매의 무게를 이기지 못해 가지들이 땅 위로 축 늘어졌다.

챈스의 눈은, 작은 움직임이나 그림자의 변화마저도 놓치지 않고 끊임없이 지형을 살피고 있었다. 동시에 그는 계속해서 주변의 풍경에 대해 레바에게 설명해주었다. 매들이 바람을 타고 날거나 아니면 울타리의 말뚝 위에 균형을 잡고 앉아 있다는 것을, 그리고 평원을 쏜살같이 달리는 다람쥐는 움직임으로 먹이를 파악하는 맹금류에게서 자신을 숨기기 위해 갑자기 얼어붙은 듯 몸을 움직이지 않기도 한다는 이야기를, 콘도르는 하늘 높이 올라 바람을 타고 날면서 먹이를 처리하기 위한 적절한 때와 장소를 기다리고 있고, 길옆의 낮은 잡목 숲 속에서는 두 마리의 새끼를 데리고 있는 어미 사슴이 조용히 사태를 살펴보고 있다고 그가 말했다.

여행에 대한 레바의 즐거움과 기대는 고속도로에서 벗어나 광산으로 향하는 더러운 길로 접어드는 순간, 심각하게 줄어들었다. 언덕은 전보다 훨씬 더 가파르고 높았으며, 조금씩 거대한 산맥과 뒤섞여 들어가고 있었다. 길이라고 했지만, 그것도 단지 염소들이 지나다닌 흔적 같은 것이 돌과 잡목이 우거진 계곡 안으로 구불구불하게 이어져 있는 것에 불과했고, 그 길마저도 급경사와 급회전의 연속이었다. 더군다나 곳곳에 유실된 도로와 바윗덩어리들, 그리고 구멍들과 산사태의 흔적이 여지없이 드러나 있었다. 가끔씩 땅바닥 위에 깊게 파여 있는 바퀴자국만 아니었다면, 분명 레바는 자동차가 다니는 길이 아니라고 불평을 털어놓았을 것이다.

비록 바퀴자국이라는 증거가 있기는 했지만, 레바는 여전히 믿을 수가 없었다. 하지만 챈스는 마치 그녀가 혼잡한 고속도로를 달리는 것과 마찬가지로 자신감 있게, 길이 아닌 무시무시한 곳을 따라 편안하게 차를 몰고 있었다. 잠시 후, 레바는 챈스가 자신을 믿었던 것과 마찬가지로 그를 믿고, 움켜쥐었던 손을 펴고 긴장을 풀었다. 레바는 거친 도로 위를 달리는 도요타의 핸들을 단단히 쥐고 있는 그의 구릿빛 팔과 그 아래에서 움직이는 힘있는 근육과 신속한 반사

신경, 그리고 집중해 있는 얼굴 표정을 감상하고 있는 자신을 발견했다.

「저쪽 굴곡을 따라 끔찍한 길이 나타날 거요.」

길에서 눈을 떼지 않은 채 챈스가 덧붙였다.

「걸어가고 싶소?」

「당신은요?」

수염 아래로 그의 입술이 곡선을 그었다.

「어떤 엄청난 바보 하나는 운전을 해야 할 거요.」

「만일 당신이 엄청난 바보라면, 난 줄무늬 뱀이겠군요.」

레바가 냉소적으로 덧붙였다.

「고맙지만, 타고 가겠어요. 당신이 사준 신발을 서둘러 망가뜨릴 필요는 없잖아요.」

레바는 챈스가 사준 부츠를 내려다보았다. 그의 설득에 못 이겨, 레바는 점심을 먹기 위해 잠시 멈추어 섰을 때 캠핑용 옷가지로 전부 갈아입었다. 솔직히 그녀는 투박하고 볼품 없는 탁한 갈색의 부츠가 너무 끔찍해 보인다고 생각했다. 하지만 보기와 달리 유연하고 땅바닥을 제대로 딛고 서기에는 안성맞춤이었다. 그가 가져온 청바지 또한 비록 유명한 디자이너의 제품은 아니었지만, 몸에 딱 맞는 옷이었다. 블라우스도 몸의 곡선을 따라 달라붙는 것이 마치 그녀만의 맞춤옷 같았다. 부드러운 면섬유로 된 블라우스는 청바지와 똑같은 어두운 청색으로, 왼쪽 가슴에서 허리까지 셀 수 없을 만치 많은 단추와 그와 쌍을 이루는 고리들이 매달려 있었고, 굉장히 비싼 옷가게의 상표가 목덜미 뒷부분에 단단히 붙어 있었다.

그가 준비한 캠핑용 옷을 입고 식탁으로 다가왔을 때, 챈스가 보낸 찬탄의 시선에 레바는 여성으로서 자신의 매력을 느낄 수 있었다. 옷이 화려하기는 하지만 아무래도 캠핑용으로는 적당하지 않은 거 아니냐고 레바는 질문을 던졌다. 하지만 그는 미소를 지으면서 블라우스는 먼지가 묻어도 보이지 않을 만치 어두운 색이고, 덤으로 손세탁이 가능한 제품이라고 지적했다. 게다가 원한다면 언제든지 그가 사준 스포츠 재킷으로 블라우스를 가리면 된다고 대수롭지 않게 대답했다.

갑자기 도요타가 덜컹거리며 옆으로 흔들리자, 레바는 부츠에서 시선을 떼는 것과 동시에 경악감에 쌓여 망상에서 깨어났다. 지금 자동차가 달리는 곳을 - 챈스가 지금 통과하려는 곳을 - 본 순간, 그녀는 터져 나오는 비명을 삼키기 위해 이를 악물었다. 눈앞에는 길이 존재하지 않았다. 단지 가파른 산비탈과 그 아래로 이어진 거무스름한 골짜기를 향해 굴러가는, 떨어지는 바위와 흙더미뿐이었다.

자동차 동체가 덜컹거리며 심한 소음이 일어나더니 바퀴가 공회전을 하고 바닥 위의 돌덩이를 뒤로 차 던지며, 도요타는 산사태의 흔적을 따라 기어 내려갔다. 차는 마치 모험을 하듯 땅의 표면 위를 따라 이동하고 있었다. 산기슭이 너무나 가팔라서 레바는 차가 뒤집히는 것은 시간문제라고 확신했다.

매번 도요타 앞으로 나가기 위한 시도에서 실패할 때마다 손톱이 손바닥 속으로 더 깊숙이 파고들었다. 그리고 차 뒤쪽이 흔들리며 다시 균형을 잡아 급강하를 시작할 때마다 이를 악물고 비명을 삼켰더니, 나중에는 긴장으로 목덜미가 아파 오기 시작했다.

어느 순간 레바는, 도요타의 움직임이 비록 자신에게는 예측할 수 없고 섬뜩하게 느껴지지만 챈스에게는 그렇지 않다는 것을 깨달았다. 그는 널브러져 있는 바위 위로 미끄러지는 바퀴가 정확히 어떻게 움직이고 있는지, 또한 얼마만큼의 경사와 각도를 유지하면 차가 거북이처럼 뒤집히지 않고 움직이는지 알고 있었다. 그는 차에 대한 지배력을 계속 유지한 채, 가끔은 구슬리고 가끔은 명령을 하듯 매끄럽게 도요타를 몰아 아래로 내려갔다. 그런 그의 움직임을 보고 있자니, 홀랜드에서 보았던 다이아몬드 세공사가 떠올랐다. 세공하는 내내 그의 모든 움직임이 신속 정확했고, 일말의 주저함이나 갑작스러운 동작 없이 다이아몬드를 깎아내면서 굉장한 집중력과 뛰어난 기술을 선보였었다.

비록 그 사실을 깨달았다고는 해도, 험지(險地)를 벗어나자 너무나도 기쁘고 안심이 드는 것은 어쩔 수가 없었다. 레바는 한숨을 내쉬며 자신을 바라보는 챈스의 시선을 느꼈다.

「다음에는 차에서 내릴 거요?」

「앞으로 몇 번이나 더 남았는데요?」

「한두 차례.」

레바는 얼굴을 찡그렸다.

「그래도 그만한 가치는 있었어요.」

「무슨 가치?」

「죽을 만큼 겁이 나기는 했지만, 당신에 대한 새로운 평가를 내릴 수 있었어요. 정말로 끝내주게 솜씨 좋은 운전기사였어요, 워커씨.」

「당신도 끝내주게 좋은 승객이었소. 솔직히 당신이 비명을 지를 거라 생각했었소.」

「그러고 싶었죠. 하지만 당신의 정신을 흩트려놓을까봐 못했을 뿐이에요.」

「아름다운 만큼 영리하기도 하군.」

만족스럽다는 듯 챈스가 말했다. 그런 다음 그녀의 손을 들고 손바닥 위에 새겨진 손톱자국에 키스를 했다.

「준비했던 장갑을 끼라고 미리 말했어야 했는데.」

「장갑이요? 춥지 않은데요?」

「가죽은 그래도 손톱보다는 강하잖소.」

도로를 향해 시선을 돌리며 그가 말했다.

「바위에도 그렇고. 차이나 퀸에 도착하면 장갑이 필요하게 될 거요. 나처럼 손이 흉해지는 걸 원치 않으면 말이오.」

「당신의 손은 추하지 않아요.」

자신을 어루만지던 부드러운 손을 되새기며 레바는 반박했다.

「손도 당신을 닮았어요. 강하고 섬세하고 단단하고. 하지만 흉하지는 않아요, 절대로요.」

갑자기 도요타가 멈추었다. 챈스는 안전벨트를 풀지 않은 채 몸을 숙여, 그녀가 숨을 쉴 수 없을 때까지 격렬하게 키스했다. 레바가 정신을 차리기 전에 그는 재빨리 몸을 일으켜 난폭한 도로에 시선을 집중시켰다. 그녀는 호흡을 가다듬으며 앞으로 '한두 차례' 더 있을 거친 길에 대한 마음의 준비를 했다.

주변의 지질에 대한 얘기를 꺼내면서 챈스가 그녀의 정신을 분산시켰다. 그는 과거에 진행되었던 대륙의 여러 판들의 육중한 움직임과 여러 획기적인 사건들에 의해 지각이 휘어지고 마그마가 분출되고, 지표면 아래에서 딱딱하게 굳어 지금과 같은 화강암 덩어리가 만들어졌다고 했다. 그리고 지진과 산맥의 융기로 인해 녹아든 바윗덩어리가 지구 표면으로 뛰쳐나와, 마치 잠에서 깨어난 거대한 공룡처럼 지금의 지대를 형성했다고 설명해주었다.

그런 지각작용은 여전히 계속되고 있지만, 지표면의 움직임이 너무나 극소해 단지 인간이 만든 섬세한 기계에 의해서만 관찰이 된다, 수백 년 간의 지각운동이 대지에 힘을 불어넣고, 지표의 깊숙한 곳에서 자고 있는 빛나는 드래곤의 잠재의식을 일깨우고 있다, 매번 드래곤이 뒤척일 때마다 그 무의식적인 힘이 엄청난 결과를 초래한다고 설명을 보충해주었다.

챈스는 바람과 비 그리고 태양에 의해 떨어지고, 또다시 화학반응을 일으켜 아교처럼 단단하게 굳어버린, 부식된 화강암 길 위로 도요타를 몰았다. 희미한 오렌지색을 띤 바위는 쉽게 부스러져, 그 위를 지나가는 것이 진흙처럼 미끄러웠다.

「아무래도 화강암을 싫어하게 될 것 같아요.」

챈스가 조심스럽게 미끄러지며 굽어진 내리막길을 따라 도요타를 몰자 레바는 말했다.

「페그마타이트는 어떻소?」

「그건 뭔데요?」

그녀를 향해 곁눈질을 하며 챈스는 미소를 지었다.

「일종의 화강암이오. 탐사꾼들에게는 암맥이나 광맥을 발견하는 것만으로도 큰 가치가 있지. 그들에게는 일종의 혈관 같은 거요. 페그마타이트는…….」

챈스가 덧붙였다.

「그게 없으면 투어말린도 없다는 말이 되지.」

「이제 페그마타이트가 좋아지기 시작했어요.」

「그럴 거라고 생각했소.」

「어디에 있죠?」

「뭐가 말이오?」

「페그마타이트 말이에요.」

「아마도 내 생각에는, 지금 우리가 페그마타이트 덩어리 위를 달리는 중일 거요.」

레바는 차창 아래로, 가파른 기슭을 따라 펼쳐져 있는 흙덩어리들을 바라보았다.

「내게는 단지 흙더미처럼 보이는걸요.」

「그 흙더미 아래에 있소.」

「하지만 어디요?」

챈스가 웃음을 터뜨렸다.

「만일 그걸 알고 있다면, 지금 당장 내 소유라는 의미로 말뚝을 박고 있을 거요. 내가 아는 건 샌디에이고 주의 팔라 지방은……」

그는 주변을 둘러싸고 있는 땅을 향해 손을 휘저었다.

「……페그마타이트 투성이 땅이라는 거요. 그리고 무너져 내린 암맥이나 암층의 어딘가에서 진짜 독특한 색을 지닌 루빌라이트 결정─홍전기석 말이오─이 만들어지고 있는 거요. 지구상의 어디에도 팔라 산 분홍색 투어말린과 같은 건 없소.」

「거기에 대해 참 많은 것을 알고 있군요.」

중국 산(産) 눈물 병에 대한 그의 정확한 평가를 생각하며 레바가 말했다.

「역사적으로도 그렇고 지질학적인 거나 값어치까지요. 모든 걸 알고 있어요.」

순간, 챈스의 표정이 땅바닥처럼 험악해졌다. 하지만 곧 그는 쾌활하게 입을 열었다.

「팔라의 투어말린은 세계적으로 유명하잖소. 보석 탐사자라면 그런 가치 있는 것에 대해서는 늘 많은 관심을 쏟는 법이오.」

레바가 미처 다른 말을 꺼내기도 전에, 도요타가 산등성이를 돌기 시작했다. 두 사람의 눈앞에 누군가가 억지로 닦아 밀어놓은 듯한 거친 U턴 지점과 광산 앞에서 도로까지 이어지는 황량한 공터가 놓여져 있었다. 커다란 바위가 여기저기 박혀 있는 가파른 산기슭의 아랫부분에 금방이라도 내려앉을 듯한 조그만 구멍처럼 차이나 퀸의 입구가 보였다. 하지만 레바의 시선을 끌고 말문을 막아버린 건 광산이 아니었다. 낡아빠진 픽업 트럭 한 대가 U턴 지점에 서 있었던 것이다.

누군가가 이미 차이나 퀸 안에 들어가 있었다.

5

챈스는 도요타를 부드럽게 돌려 지금까지 두 사람이 왔던 길과 마주보게 세우고, 시동을 끄지 않은 채 엔진 브레이크를 걸었다. 그리고 뒤로 한 손을 뻗어, 거친 지역에서 차가 덜컹거릴 때를 대비해 화물 위에 덮어놓았던 그물을 풀었다. 그런 다음 그 안에서 커다랗고 단단한 도구상자를 열고 검은색 윤기가 흐르는 엽총을 꺼내들었다. 총신은 법적인 기준만큼 길어 보였지만, 사냥용으로 보기에는 너무나 짧았다. 챈스는 도요타를 몰 때와 마찬가지의 자신만만한 손놀림으로 쉽게 무기를 다루고 있었다. 그는 엽총의 안전장치를 풀고 약실에 탄약을 밀어 넣었다. 차안에 울려 퍼지는 특유의 금속성 소리에는 냉기가 가득 흘렀다.

「이걸 사용하는 법을 알고 있소?」

엽총을 그녀에게 건네주며 침착한 어조로 챈스가 물었다.

레바는 머리를 흔들면서 총을 밀어냈다.

「몰라요.」

「이런, 도시에서는 영리하지만 시골에서는 순진하군.」

그는 재빨리 백미러를 통해 차이나 퀸의 입구를 살펴보았다. 광산 주위에 사람의 흔적은 전혀 보이지 않았다.

「15분 안에 내가 돌아오지 않는다면, 아니 광산에서 나오는 사람이 당신 마음에 들지 않는다면, 가능한 빨리 차를 몰아 고속도로를 향해 달려가시오. 광산에서 동쪽으로 뻗어 있는 간선도로에 진입해 약 2킬로미터 정도 달리다보면 작은 목장이 나올 거요. 거기서라면 팀에게 전화할 수 있을 거요.」

「그냥 보안관을 부르면 안 될까요?」

「차이나 퀸을 소유한 건 보안관이 아니잖소.」

레바가 미처 반박하기도 전에 챈스가 엽총을 한 손에 쥐고 차에서 내렸다. 픽업 트럭은 도요타의 뒷범퍼에서 몇 발자국 떨어진 곳에 주차되어 있었다. 트럭에서 단 몇 미터 떨어진 곳에 위치한 광산 입구는 어서 오라는 듯이 입을 크게 벌리고 있었다. 챈스는 열려 있는 트럭 창문 안으로 손을 뻗어 점화장치에 꽂혀 있는 열쇠를 뽑아 주머니에 집어넣었다. 만일 레바가 차를 몰고 도망을 친다 해도, 챈스를 제외하고 그녀의 뒤를 쫓아올 수 있는 사람이 아무도 없는 셈이었다.

레바는 계속 시계를 보고 또 보았다. 심장박동과는 달리 시계바늘은 천천히 움직이고 있었다.

레바는 다시 백미러를 쳐다보았다. 챈스의 모습이 차이나 퀸의 검은 입 속으로 사라졌는지 보이지 않았다. 발 아래에서는 도요타가 의미 없는 떨림을 내보내고 있었다. 그녀는 안전벨트를 풀고 운전석으로 자리를 옮겼다. 다시 시계를 보았다. 1분 37초가 지났다. 짜증과 항의가 뒤섞인 작은 소리를 내며, 그녀는 2분을 향해 천천히 기어가고 있는 초바늘을 바라보았다. 아무래도 바늘이 뒤로 돌아가는 것 같은 기분이었다. 이런 식이라면, 15분이 다 지나가기도 전에 이가 빠지고 머리가 하얗게 세어버릴 것 같았다.

레바는 동굴 속에서 벌어지는 일에 관심을 갖지 않으려고 무진 애를 썼다. 동굴 안에서 일어날 수 있는 일에 대해 집착하다 보면, 그런 잡념들 때문에 일이 잘못된 방향으로 진행될 수도 있다. 그것은 평균대에서 몸을 움직이는 것과 마찬가지였다. 나쁜 일이 일어날 거라고 상상을 하다 보면 꼭 그런 일이 일어나는 법이었다. 그렇기에 평균대 위에 올라갔을 때에는 늘 몸에 균형을 잡는 것과 앞으로 할 움직임만을 생각해야 했다. 그 이상의 것을 생각한다는 건 재앙을 불러일으키는 것밖에 되지 않았다.

계속 길게 심호흡을 하자, 맥박이 조금씩 느려지면서 점점 이성적인 사고가 가능해졌다. 레바는 즉시 자신의 몸 상태를 점검해 보았다. 생각보다 마음은 진정되었고, 몸은 침착하고 신속한 반응을 보이고 있었다. 평균대나 안마와 같은 시합을 준비하고 있는 것도, 이단 평행봉을 눈앞에 둔 것도 아니었지만, 오랜 훈련으로 몸에 밴 규율이 제 몫을 하고 있었다.

5분.

레바는 백미러로 광산의 입구를 바라보았다. 아무것도 생각하지 말라고 스스로를 다그쳤다. 초침의 째각거리는 소리가 그녀의 신경을 갉아먹고 있었다. 그런데도 시간은 움직이지 않는 작은 조각으로 잘려져 있는 것처럼 아무런 변화도 보이지 않았다.

8분.

여전히 차이나 퀸의 입구에서는 아무것도 움직이지 않았다. 가파른 산비탈을 가로질러 표면에 뒤덮여 있는 화강암 돌덩이들과 대조적으로 동굴은 굉장히 시커멓게 보였다. 갑자기 어린아이들이 돌차기 놀이(바닥에 그려진 그림 위에 돌을 던지고 깡충깡충 뛰면서 돌을 찾아오는 게임)를 하며 노는 것처럼, 화강암 위로 올라가 이리저리 뛰어다니는 것도 재미있을 거라는 생각이 불현듯 떠올랐다.

챈스는 어디 있는 거지? 혹시라도 무슨 일이 생겼으면 어떡하지?

레바는 머릿속에 떠오르는 생각을 지워버렸다. 그리고 또다시 심호흡을 한 뒤 시계를 들여다보았다.

10분 하고 53초.

11분.

막 시계에서 고개를 든 순간, 레바는 비포장도로에서 사용되는, 차체보다도 큰 타이어를 단 4륜구동 밴이 산등성이를 너머 자신을 향해 곧장 달려오고 있는 걸 보았다. 밴은 미끄러지듯 달려와 도요타 앞 범퍼에서 몇 미터 떨어진 곳에 멈추어 서서, 하나밖에 없는 가파른 길을 막아버렸다. 챈스가 소리를 듣고 뭔가 상황이 바뀌었음을 이해해주었으면 하는 마음에 레바는 재빨리 도요타의 경적을 마구 눌러댔다. 그리고 점화장치에서 열쇠를 잡아 뺀 뒤, 밴에서 내려와 멈추라고 소리를 지르는 두 명의 남자를 무시한 채 바위더미 위로 달리기 시작했다.

첫 번째 바위는 거의 1미터 50센티미터 정도 높이에 있었다. 레바는 한 차례의 깨끗한 동작으로 그 위에 올라가 균형을 잡은 다음, 잠깐 동작을 멈추고 서서 훈련된 눈으로 거리와 각도를 쟀다. 그리고 다른 돌 위로 뛰어올라 고양이처럼 민첩하고 분명하게 방향을 바꾸었다. 남자들이 그녀를 쫓아 돌무더기 아래 도착했을 때, 레바는 이미 가벼운 몸놀림으로 30미터 높이의 언덕 위로 도망친 뒤였다.

돌더미 아래로 입구를 향해 시선을 던진 후 얼마 지나지 않아, 레바는 기묘한 천둥소리처럼 총소리가 울려 퍼지고 또 다른 탄환이 장전되는 차가운 소리와 함께 챈스의 목소리를 들었다.

「경고한다.」

냉정하고 확신에 찬 어조로 그가 말했다.

「바위 뒤에 있는 두 사람…… 이리로 나와, 지금 당장.」

레바는 거대한 바위 틈 사이로 몸을 집어넣은 뒤 엎드린 자세를 유지하며, 아래쪽에 서 있는 남자들로부터 몸을 숨겼다. 두 개의 좁은 바위 틈 사이로 광산 입구의 풍경을 분명하게 훔쳐볼 수 있었다. 그녀는 챈스와 자신의 뒤를 쫓고 있던 두 명의 남자의 모습을 보게 될 거라 생각하고 있었다. 하지만 눈 아래 드러난 풍경 속에는 챈스와 다섯 명의 남자가 서 있었다. 챈스에게 가까이 붙어 서 있는 세 명의 남자는 손가락을 깍지낀 채 목 뒤로 두 손을 올리고 있었고, 그중 한 남자는 찢어진 입술 사이로 피를 흘리고 있었다. 또 다른 사람은 자갈더미에 짧게 자른 머리를 부딪힌 것처럼 보였고, 세 번째 남자는 다리를 절고 있었다.

레바의 뒤를 쫓던 두 남자는 약 3~4미터 정도 되는 거리를 천천히 움직이며 서로에게서 조금씩 멀어져, 챈스의 시선이 다섯 방향으로 나누어지게 만들었다. 동굴에서 나온 남자들 또한 서로에게 눈짓을 던지더니, 아무런 말없이 조심스럽게 위치를 바꾸면서 거리를 벌리기 시작했다. 다리를 절던 남자가 갑자기 몸을 돌려 팔 다리를 휘두르며 챈스를 넘어뜨리기 위해 달려들었다. 동시에 동굴에서 나온 다른 두 남자도 챈스를 향해 뛰어들었다.

챈스는 놀라운 힘으로 첫 번째 남자를 발로 차 던진 뒤, 재빨리 달려드는 두 사람에게서 벗어났다. 그가 무기를 들어 두 번째 공격자를 내리치는 순간, 총신이 햇빛에 빛을 내뿜었다. 남자는 절뚝거리며 앞으로 고꾸라지는 것과 동시에 싸울 의지를 잃고 말았다. 챈스는 재빨리 몸을 돌려 고난도의 발차기로 세 번째 남자를 먼지더미

속으로 날려버리자, 넘어진 남자는 무의식 상태로 땅 위로 나뒹굴었다. 본능적으로 챈스는 남아 있는 두 남자에게 몸을 돌렸다. 엽총 또한 만반의 준비를 갖춘 채 흔들림 없이 그의 손에 들려 있었다.

챈스의 움직임은 그 무시무시한 기술만큼이나 놀라웠다. 두 남자는 레바를 쫓던 자리에 그냥 얼어붙었다. 챈스는 재빨리 시선을 던져 비어 있는 도요타를 바라본 뒤, 야생동물처럼 우아하면서 위협적인 걸음걸이로 두 명의 남자를 향해 움직였다. 그의 목소리는 냉기로 가득 차 있었다.

「그녀는 어디 있지?」

두 명의 남자를 번갈아 쳐다보며 챈스가 물었다.

「누…… 누구요?」

두 사람 중 한 명이 되물었다.

챈스는 즉시 아무것도 들지 않은 손을 날려 그를 넘어뜨렸다. 남자가 뒤로 나자빠지자, 챈스는 엽총의 차가운 총부리를 그의 목 위에 밀어붙였다.

「내 여자가 어디에 있냐고.」

말과 동시에 손가락으로 방아쇠를 어루만지며 챈스는 조용히 질문했다.

「하나님 맙소사.」

남자가 질식할 듯한 목소리로 고함을 질렀다.

「내가 마지막으로 보았을 때 그 여자는 멕시코를 향해 가는 중이었다고요. 빌어먹을 산양처럼 잽싸게 달려갔어요.」

챈스는 뒤로 한 발자국 물러선 뒤, 다시 두 사람을 향해 엽총을 겨누었다.

「레바!」

그들에게서 시선을 떼지 않은 채 챈스는 고함을 질렀다.

「내 말이 들리시오?」

「네.」

숨어 있던 바위 틈 사이로 레바가 대답했다.

「다친 곳은 없소?」

「없어요.」

챈스처럼 냉정해지려고 노력하며 레바는 다시 대답했다. 그녀의 목소리는 마치 다른 사람의 것처럼 거칠고 긴장으로 억눌려 있었다.

「괜찮아요. 저 사람들은 내 근처에도 오지 못했어요.」

챈스의 몸을 무섭게 감싸고 있던 긴장이 천천히 빠져나갔다.

「내가 내려오라고 말하기 전까지 그곳에서 가만히 기다리시오.」

챈스가 엽총으로 쳐서 쓰러뜨렸던 남자가 신음 소리와 함께 자리에서 일어나려 했다.

챈스는 그를 바라보았다.

「가만히 있어.」

남자는 옆으로 뒹굴며 몸을 감싸안았다. 엽총의 총신에 얻어맞은 횡격막 부근이 여전히 욱신거리고 있는 것 같았다.

「다리를 뻗고 엎드려.」

아직까지 서 있는 마지막 남자를 향해 챈스는 퉁명스럽게 명령했다. 그리고 밴에서 내린 두 남자에게로 재빨리 다가가, 그들이 무기를 가지고 있는지 살펴보았다. 녹슨 주머니칼, 한 뭉치의 지폐, 동전 몇 개뿐이었다. 그는 모든 물건들을 다시 주머니에 집어넣었다.

챈스는 몇 미터 떨어진 곳에 세워져 있는 픽업 트럭을 향해 걸어가면서도, 사지를 쭉 뻗고 땅 위에 누워 있는 다섯 남자들에게서 눈을 떼지 않은 채, 운전석의 문을 열고 안으로 들어가 무기를 찾아보았다. 앞좌석의 아래쪽에 총신을 짧게 자른 소총이, 운전석 옆 서랍 안에는 권총이 들어 있었다. 밴 안에도 엽총이 숨겨져 있었고, 점화

장치에는 열쇠가 꽂혀 있었다. 챈스는 여분의 무기들을 모아 도요타
에 던져놓고 레바를 쫓던 두 남자에게 다가갔다.

「일어나.」

두 사람은 서둘러 몸을 일으켰다.

「저 쓰레기들을 트럭 뒤에 실어.」

챈스는 엄지손가락으로 쓰러져 있는 세 남자를 가리키며 명령했다.
그들이 일을 마치자, 챈스는 지프의 열쇠를 한 남자에게 던졌다.

「지프로 가서 타.」

남자는 지프로 가서 자리에 앉았다.

챈스는 남아 있는 남자에게 밴의 열쇠를 던졌다.

「언제라도 운이 좋다고 생각하면 돌아오게나.」

느긋한 말투로 챈스가 말했다.

남자는 챈스의 눈을 똑바로 바라보려 노력했지만, 포기하고 서둘
러 밴으로 기어 올라갔다.

챈스는 밴이 곡선을 그리며 후진을 해 광산을 벗어나 산기슭을 따
라 달리는 모습을 바라보았다. 지프 또한 도요타의 주위를 돌아 밴
을 따라 달려갔다. 더 이상 자동차의 엔진소리가 들리지 않자, 그는
엽총의 안전장치를 풀고 바위더미 아랫부분으로 걸음을 옮기며 레바
를 불렀다.

「이제 내려와도 좋소.」

레바는 숨어 있던 바위 틈에 등을 기대고 일어나려 했다.

「할 수 없어요.」

목소리가 심하게 떨려 무슨 말을 하는지 스스로도 이해할 수가 없
었다.

「뭐라고?」

챈스는 욕설을 퍼부으면서 커다란 고양이처럼 날렵한 동작으로 돌

무더기 위로 뛰어 올라왔다.

「어디에 있소?」

「여기요.」

거친 화강암 덩어리 틈에서 일어나 보려고 안간힘을 쓰며 레바가 고함을 질렀다.

그녀를 둘러싸고 있는 울퉁불퉁한 화강암 바위 위로 올라서기 전까지 챈스는 레바를 찾을 수가 없었다. 그는 그녀 옆으로 뛰어 내려왔다. 얼굴은 찌푸려져 있었고 험악한 인상을 쓰고 있었다.

「그 개자식들을 다 죽여버렸어야 했는데.」

무릎에 힘이 빠져 일어나지 못하는 레바를 일으켜 세우며 챈스는 거칠게 중얼거렸다.

「당신이 다치지 않았다고 해서…….」

「다치지는 않았어요.」

끊어지는 듯한 웃음소리와 함께 레바가 덧붙였다.

「단지 겁이 났을 뿐이에요.」

챈스는 레바를 꼭 끌어안고 그녀를 지탱해주었다. 그런 다음 그녀의 머리카락에 입술을 묻은 채 위로의 말들을 중얼거렸다.

「미안해요. 나 자신이 너무나 어리석게 느껴지네요.」

잠시 후, 갈라지는 목소리로 레바가 말했다.

「당신은 내게 경고를 해주었고, 열쇠를 빼어들고는 주위에서 가장 안전한 곳으로 도망을 쳤소.」

챈스는 손가락으로 그녀의 머리카락 속을 문지르며 따뜻한 온기를 일으켰다.

「그건 절대로 어리석은 행동이 아니오.」

「하지만 지금 나는 일어설 수 없을 정도로 떨고 있잖아요.」

「아드레날린이 너무 많이 생성되면 늘 그런 법이오.」

자신을 향해 그녀의 턱을 치켜올린 뒤, 챈스는 부드럽게 미소를 지어 보였다.

「더군다나 위기가 지나가기 전까지는 무너지지 않았잖소. 그러면 된 거요, 채튼.」

「당신은 무서우리만큼 침착해 보였어요.」

깊게 심호흡을 내쉬려 노력하며 레바가 말했다.

「이런 종류의 일에 대해 당신보다 조금 더 많은 경험이 있었던 것뿐이오.」

레바는 세 명의 남자를 순식간에 쓰러뜨렸던 그의 재빠른 동작과 무서웠던 기술을 기억해냈다. 그런 뒤에도 챈스는 침착하게 장전된 엽총을 들고 서서 다른 두 남자가 움직이기를 기다리고 있었다. 깊은 한숨과 함께 그녀는 아직까지 떨리는 몸을 추스르려는 헛된 노력을 포기하고 챈스에게 몸을 기댔다.

그의 팔이 강하게 지탱해주듯 그녀를 감싸안았다. 떨림이 사라지는 걸 느낀 뒤에도 챈스는 그녀를 놓아주지 않았다. 그저 눈을 감고 벌꿀처럼 향긋한 냄새가 나는 머리카락에 얼굴을 파묻은 채 가만히 서 있었다.

「이제 괜찮아요.」

자신의 힘이 돌아왔다는 사실을 알리기 위해 챈스의 팔을 흔들며 마침내 레바가 입을 열었다.

「확실한 거요?」

그녀의 귀에 대고 그가 속삭였다.

레바는 다시 한 번 부르르 몸을 떨었다. 하지만 두려움 때문은 아니었다. 그의 수염이 부드러운 빗처럼 민감한 피부 위를 스쳐 지나고 있었다.

「네.」

「여전히 떨고 있잖소.」

챈스는 커다란 황갈색 눈동자를 내려다보았다.

「다시 도시로 돌아갔으면 좋겠소?」

「저 남자들이 다시 돌아올까요?」

「그럴 가능성도 있소. 하지만 그럴 것 같지는 않군. 아무래도 나라는 문젯거리와 맞닥뜨려야 할 만큼 차이나 퀸이 가치가 있지는 않을 테니까.」

「저 사람들이 투어말린을 캐고 있었나요?」

「아니오. 광산이 은닉처로 사용되고 있었소.」

레바는 눈을 깜박였다.

「마약이요?」

「그렇소. 아카풀코 골드(멕시코 산의 질 좋은 마리화나의 은어)였소. 그 중에서도 최상품이더군.」

챈스가 냉소적으로 말했다.

「퀸 안에요?」

언성을 높이며 레바가 물었다.

「그렇다면 저 사람들 분명히 다시 돌아올 거예요.」

「그럴지는 의심스럽군. 누군가가 그들의 보물에다가 가솔린을 퍼부어 완전히 쓰레기로 만들어놓고 사라졌다더군.」

「누가요?」

그는 잠시 주저했다.

「거기에 대해서는 아무런 말도 하지 않았소.」

또 다른 질문을 던지기 전에, 챈스가 그녀의 입술에 키스를 했다. 그녀의 입술에서 진귀한 포도주와도 같은 맛이 났다.

「돌아가고 싶소?」

거친 목소리로 그가 물었다.

「퀸을 보고 싶어요.」

반쯤은 진실에 가깝다고 생각하며 레바는 대답했다. 나머지 반은 그녀를 붙들고 있는 힘세고 멋있는 남자 때문이었다. 그녀는 그의 곁을 떠나고 싶지가 않았다.

챈스는 고개를 들어 하늘을 보았다. 짙은 황금색 빛이 주위에 내려앉아 있었다.

「오늘은 안 되겠군. 남아 있는 아드레날린이 다 빠져나가고 나면 다리가 딱딱한 나무토막처럼 마비되는 것을 느낄 거요. 그 전에 야영 준비를 마쳐야겠소.」

마지막으로 재빨리 키스를 한 뒤, 그는 레바를 놓아주었다. 그리고 엽총을 집어들고 약실에서 탄약을 빼낸 뒤, 안전장치를 다시 한 번 확인했다.

「자.」

그녀를 향해 엽총을 건네며 챈스가 말하자, 레바는 저항하듯 신음 소리를 냈다.

「다시 도시로 돌아가고 싶은 듯한 얼굴이오.」

그가 조용히 말했다.

레바는 깊게 숨을 들이마시고 마지못한 기색을 역력히 드러내며 엽총을 받아들었다. 그녀의 손에 쉽사리 들어오는 것과는 달리 총은 보기보다 상당히 무거웠다.

「총신은 항상 땅바닥으로 향하게 하시오.」

그렇게 말한 뒤, 챈스는 가까이에 있는 돌 위로 가볍게 뛰어올랐다. 그리고 바로크 진주들 사이에 박힌 황갈색 다이아몬드처럼, 부식된 화강암 돌덩이로 둘러싸인 원안에 서 있는 여인을 내려다보며 미소를 지었다.

「채튼.」

챈스가 부드럽게 덧붙였다.

「당신이 얼마나 아름다운지 내가 이야기했었나?」

그를 올려다보며 미소짓던 레바는 갑자기 숨이 막혀오는 것을 느꼈다. 레바는 자신이 아름답지 않다는 걸 잘 알고 있었다. 하지만 그런 말을 들으니 너무나 행복했다.

「내게 엽총을 건네주시오.」

은색이라기보다는 녹색에 가까워진 눈동자로 그녀를 내려다보며 챈스가 말했다. 미소를 짓자 그의 거친 윤곽선이 부드럽게 변했다.

레바는 발끝으로 서서, 총신이 두 사람을 겨누지 않도록 조심하며 총을 건네주었다.

「마치 프로처럼 행동하는군.」

칭찬을 해주면서 챈스는 바위 틈에 총을 세워놓았다.

「내 손목을 붙잡으시오.」

시범을 보여주듯, 그는 자신의 손으로 그녀의 손목을 감싸쥐었다.

「내가 들어올리는 것과 동시에 바위 위를 걷듯이 올라오는 거요. 준비됐소?」

「네.」

챈스가 자신의 몸을 가뿐하게 들어올리자 레바는 깜짝 놀랐다. 그는 레바의 머리 위로 차이나 퀸의 입구로 내려가는, 부식되고 돌 부스러기가 흘러내리고 있는 바위들을 살펴보았다.

「도대체 어떻게 그렇게 빨리 여기까지 도망칠 수 있었던 거요?」

발 아랫부분의 디딤돌이 지탱해줄 수 있는 무게를 가늠해보면서 그가 물었다.

「한 번에 한 발자국씩요.」

그녀가 비꼬듯이 대답했다.

「여러 발자국이겠지. 어쩌면 깨닫지 못했을 수도 있겠지만, 저것들은 상당히 커다란 바위들이오.」

「알고 있어요. 하지만 대부분이 집에 있는 평균대보다도 높지 않아요.」

레바가 단호히 대답했다.

「평균대?」

「체조할 때 쓰는 거 말이에요.」

그녀의 설명에 챈스는 검은 눈썹을 살짝 들어올렸다.

「당신의 몸매가 좋은 것도 놀라운 일이 아니군.」

챈스는 레바의 팔과 등을 손으로 쓰다듬어, 그녀의 숨이 멎을 만큼 관능적인 감각을 이끌어내고 부드럽게 웃음을 터뜨렸다.

「언젠가 당신이 평균대 위에 올라가는 모습을 보고 싶군. 사실…… 보고 싶은 건 그것 외에도 여러 가지가 있지만.」

「당신의 그 목록을 묻고 싶은 생각이 들지 않는군요.」

레바는 가볍게 미소를 지어 보이며 대꾸했다.

「충격 받을까봐 두려운 거요?」

반쯤 농담하듯 하지만 약간은 진지한 어조로 그가 물었다. 레바가 대답하기 전에 그는 엽총을 집어든 채 가볍게 다른 바위 위로 건너 뛰었다. 그리고 몸을 돌려 그녀가 따라오기를 기다렸다.

조금씩 다리가 떨려오긴 했지만, 짧은 거리를 뛰는 데는 별 무리가 없었다. 그녀가 착지를 하자마자 챈스가 비어 있는 팔로 그녀를 붙잡아주었다.

「괜찮소?」

레바의 불안함을 감지한 듯 챈스가 물었다.

「차라리 날개가 달려 있으면 좋겠어요.」

「그럼, 한 쌍의 날개가 당장 싹틀 거요. 여기서 기다려요.」

챈스가 별로 힘들이지 않고 바위에서 뛰어내리자 레바는 조금은 질투가 났다. 그는 가장 쉬운 길을 찾아 그녀가 움직이는 데 전혀 불편함이 없도록, 그러면서도 가능한 그녀의 손을 놓지 않으려 노력하며 길을 안내했다. 계속 움직이며 바위를 뛰어넘는 동안 레바는 다리에 조금씩 힘이 돌아오는 것을 느꼈다.

「이게 마지막이오.」

챈스는 가볍게 땅 위에 착지한 다음 몸을 돌려 레바에게로 팔을 뻗었다. 그런 다음 바위 위에서 그녀를 들어올려 천천히 자신의 가슴으로 끌어당겼다. 레바는 미소를 짓고 있는 그의 입술이 점점 가까이 다가오고 넓고 힘있는 어깨가 하늘을 가리자, 자신의 세계가 온통 그의 따스함으로 가득 차는 것 같은 기분이 들었다. 그녀의 손이 조금씩 미끄러져 숱이 많은 검은 머리카락 속에 손가락을 묻었다.

「더 이상 겁먹은 것 같지는 않군.」

레바의 뺨과 눈과 이마에 키스를 하며 챈스가 말했다. 가벼운 접촉에 그의 머리카락을 어루만지던 그녀의 손가락에 힘이 들어갔다.

「그래요.」

레바가 속삭이듯 덧붙였다.

「당신이 날 안고 있을 때는 그래요.」

거칠고 날카롭게 가르랑대는 것 같은 나직한 웃음소리와 함께 챈스는 조용히 만족스러운 미소를 지었다.

「그렇다면 계속 당신을 안고 있어야겠군. 그럼 되겠소?」

순간적으로 레바는 그를 끌어안은 팔에 힘을 주며 조금은 수줍은 듯 그를 올려다보며 미소지었다. 아직까지 남아 있는 두려움의 영향인지, 그의 작은 접촉 하나하나에 반응을 보이는 자신이 너무나 불안하고 나약하게 느껴졌다. 레바의 가슴은 다시 열 여섯의 영어 수업시간으로 돌아가, 짝사랑하던 남자애가 걸어와 그녀의 책을 집어주며 미소를 지었을 때처럼 거세게 뛰고 있었다.

「자꾸만 그런 식으로 날 쳐다본다면…….」

거친 목소리로 챈스가 덧붙였다.

「느슨하게 풀어진 당신의 신경을 이용해서 당신과 사랑을 나눌지도 모르오.」

레바는 은녹색 눈동자에서 시선을 돌렸다.

「난…… 챈스…… 난 그런 약속은…….」

그는 이마에 키스를 한 뒤 그녀를 놓아주었다.

「알고 있소. 당신은 광산을 둘러보기 위해 탐사꾼을 데려온 거요. 당신의 매끄러운 몸을 따스하게 만들어줄 연인을 구한 게 아니라.」

챈스가 비틀린 미소를 지어 보였다.

「걱정 마시오. 바위 위로 당신을 쫓아다니는 일은 없을 테니까. 비록 당신이 내게 잡히는 일을 무척이나 즐긴다고 해도 말이오. 우리 둘 다 그렇겠지만.」

은녹색 눈동자 속에 타오르는 관능적인 약속에 넋이 나간 채, 레바는 그를 뚫어지게 바라보았다. 그녀는 그 약속을 확인하고 싶었지만 아직은 너무나 두려웠다. 챈스는 사람들의 삶을 그냥 스쳐 지나갈 뿐이지, 한 곳에 오래 머무를 사람이 아니었다. 그는 홀로 세계의 오지를 탐사하는 사람이었다. 만일 그녀가 그에게 자신의 모든 것을 던진다면, 결국 그는 그녀의 심장을 부숴놓고 떠나버릴 게 틀림없었다. 머리로는 그 사실을 잘 알고 있었지만, 스스로의 감정이 무섭게 느껴질 정도로 생생한 굶주림이 자꾸만 그를 향해 손을 뻗으라고 재촉하고 있었다. 그녀는 나약한 존재였고…… 그는 돌에 새겨진 호랑이 신처럼 강했다.

아무런 말없이 레바는, 챈스가 도요타에서 짐을 내리고 능률적인 동작으로 캠프를 만드는 모습을 바라보았다. 짧은 시간에 챈스가 해놓은 일을 보고 있노라니, 감탄사가 저절로 나왔다. 몇 분이 채 지나

지 않아 캠프가 거의 완성이 되어가고 있었다. 근처에는 장작들이
쌓여 있고, 활활 타오르는 모닥불을 둘러싼 동그란 바위 위에는 석
쇠가 평형을 이루며 놓여 있었다. 도요타에서 꺼낸 생필품들은 불
근처에 쌓여 있었고, 돌돌 말린 침낭 두 개가 한쪽 구석에 자리잡고
있었다.

「비가 올 것 같지는 않소.」

소리도 없이 그녀의 뒤에 나타난 챈스로 인해 레바는 숨을 들이
마셨다.

「하지만 원한다면 텐트를 세워주겠소.」

「당신도 텐트를 쓸 건가요?」

챈스는 가볍게 미소를 지으며 머리를 흔들었다.

「날씨가 나쁘지 않다면 오히려 골칫거리가 될 뿐이오.」

「그럼 나도 싫어요.」

구름 한 점 없는 하늘을 올려다보며 레바가 대답했다.

울퉁불퉁한 언덕 위로 해가 저물었다. 하지만 대지 위로 떠다니는
구름은, 멀리 바다 너머로 소리 없이 해가 떨어진 뒤에도 포기하지
않고 색과 빛을 뒤섞어 황혼을 만들어내며 어둠과의 싸움을 계속하
고 있었다.

엽총을 손에 쥔 채 챈스가 다시 레바 옆으로 다가왔다. 그는 약실
이 비어 있는지 다시 한 번 확인한 뒤 그녀에게 총을 건네주었다.
레바는 잠시 주저하다가 총을 받아들었다. 그의 조용한 지시 아래
레바는 안전장치를 풀고 총알을 넣을 수 있도록 약실을 열었다가 닫
으며 탄약이 없다는 것을 확인한 뒤, 방아쇠를 세게 당겨보았다.

「그렇게 어깨에 올려놓고 총을 쏘지는 마시오.」

엉덩이 옆으로 엽총을 지탱하는 법을 보여주며 챈스는 말했다.

「이렇게 총신이 짧은 경우는 정확도가 그리 높지 않소. 물론 이

총은 방어를 위한 거요. 부득이하게 이걸 사용해야 할 때가 온다면, 가능한 목표물에 가까이 다가가도록 하시오. 그리고는 엉덩이에 총을 붙이고 방아쇠를 당기는 거요. 그렇지. 잘 하는군.」

레바가 엽총을 더욱 능숙하게 사용할 때까지 챈스는 계속해서 같은 동작을 반복시켰다. 그리고 나서 다시 총알을 집어넣고 안전장치를 잠근 다음 음식물이 들어 있는 상자에 기대어 세워놓았다.

「만일 엽총을 들고 있는데, 탄약이 있는지 없는지 확실히 알 수가 없다면 무조건 한번 쏴보시오. 급할 때 방아쇠를 당겨 아무 일도 일어나지 않는 것보다는 탄약을 낭비하는 편이 낫소. 가끔은 두 번째 기회가 오지 않는 경우도 있으니까.」

챈스는 몸을 돌려 저녁을 준비하기 위해 물건들을 꺼내었다. 그리고 돗자리 위에 접시들을 늘어놓고 단단한 컵과 포크, 날카로운 칼날이 번쩍이는 나이프를 내려놓았다.

「내가 뭐 할 일이 없을까요?」

그가 침낭을 깔아놓을 만한 장소를 찾고 있는 것을 보면서 레바는 마침내 물었다.

「나를 보고 웃어주시오.」

그는 잔가지와 돌멩이들을 치우고 땅을 고른 뒤, 그녀를 위해 준비한 두툼한 침낭을 깔면서 대답했다.

「그런 거 말구요.」

미소를 지으며 레바가 반박했다.

「나만을 보며 미소를 지어주시오.」

재빨리 은녹색 눈동자에 섬광이 스쳐 지나가며 챈스의 웃음기 없는 얼굴이 그녀를 뚫어지게 올려다보았다. 순간 레바는 자신의 단순한 미소가 그에게는 다른 의미를 지니고 있음을 깨달았다. 그녀는 눈에 보이지 않는 끈에 의해 끌려가듯 그에게로 다가가 무릎을 꿇고 그의 뺨을 어루만졌다.

「우리는 너무나 달라요.」

레바가 속삭였다.

「그래서 내가…… 두려워하는 것 같아요.」

레바는 마침내 자신의 두려움을 인정했다는 사실을 깨달으며 한숨을 내쉬었다.

「자정까지는 로스앤젤레스로 돌아갈 수 있소.」

감정이 전혀 실리지 않은 목소리로 챈스가 말했다.

「그런 의미가 아니에요.」

챈스는 하던 일을 멈추고 몸을 일으켰다. 그의 시선이 레바의 매끄러운 머리카락과 피부 그리고 팔라 투어말린과 같은 분홍빛을 띤 입술 위를 굶주린 듯 배회했다.

「그럼 무슨 의미요?」

「우리말이에요. 당신은 오늘 오후에 있었던 모든 일들을 아주 일상적인 일인 것처럼 처리하더군요. 마치 고속도로에서 일어난 사소한 접촉사고를 처리하듯. 물론 약간 위험하기는 했지만, 특별히 흥분되는 일은 아니었다는 식이었어요.」

챈스는 그녀의 말이 이어지기를 기다렸다. 하지만 레바는 더 이상 아무런 말도 하지 않았다.

「물론 그런 것들이 당신을 두렵게 만드는 전부는 아닐 거요. 그렇지 않소?」

챈스가 조용히 입을 열었다.

레바는 그의 눈을 바라보았다.

「당신은 엽총 따위가 전혀 필요하지 않았어요. 그게 없어도 당신은 쉽게 그들을 죽일 수 있었을 거예요.」

「그렇소.」

챈스는 한순간의 부드러운 동작으로 자리에서 일어나 캠프를 다시 정리하기 시작했다. 레바는 불가로 다가앉으며, 건너편에서 우아하면서도 위협적으로 움직이는 그의 모습을 감탄하듯 바라보았다. 챈스 워커와 다른 남자들을 비교하자면, 정글의 호랑이와 로스앤젤레스 동물원의 호랑이처럼 그 경험과 반사능력의 정도에서 확연한 차이가 났다.

레바는 불을 응시하면서, 머릿속에 뒤엉켜 있는 생각들을 정리하려고 노력했다. 주위가 갑자기 조용해지더니, 바스락거리는 불꽃 소리와 잡목 위로 불어오는 바람의 속삭임을 제외하고는 침묵이 사방에 내려앉았다. 순간, 레바는 태양이 완전히 사라져버렸다는 것과 함께 자신이 혼자라는 사실을 깨달았다.

「챈스?」

순식간에 밀려든 어둠 속 어디에서도 그녀의 부름에 대답하는, 깊고 느린 말투가 들려오지 않았다.

레바는 자리에서 일어나 재빨리 주위를 살펴보았다. 아무것도 보이지 않았다. 그녀는 차이나 퀸의 입구를 향해 걸음을 옮겼다. 구멍은 칠흑처럼 검었다.

「챈스?」

레바는 소리를 질렀다.

아무런 대답도, 심지어 메아리 소리조차 들리지 않았다. 레바는 불가로 돌아와 침묵 속에 타오르고 있는 불꽃을 바라보며, 장작을 이리저리 움직였다. 불꽃이 훨훨 날고 춤을 추며 그녀를 반겼다. 모닥불의 불꽃이 엽총의 총신 위로 밝은 빛을 뿌렸다. 그녀는 오랫동안 무기를 빤히 바라보았다.

모닥불을 감싼 침묵은, 마치 끝없이 이어지는 검은 파도처럼 밀려와 그녀를 겁에 질리게 만들고 있었다. 레바는 모닥불과 엽총 사이에 웅크리고 앉아, 머릿속으로 안정장치를 풀고 탄알을 채우는 등 엽총을 장전하는 일련의 과정을 되새겼다. 어둠 속에 혼자 남아 있게 되자, 엽총이 적이 아니라 친구처럼 다정하게만 느껴졌다.

그녀는 다시 챈스를 찾기 위해 소리를 지르지 않았다. 텅 빈 하늘 위로 울려 퍼지는 자신의 목소리가 침묵보다 더 무섭게 느껴질까 두려웠기 때문이었다.

불안한 동작으로 그녀는 자리에서 일어났다. 겁에 질려 시무룩하게 앉아 있는 건 그녀의 성격과는 맞지 않았다. 그런 성격 덕분에 이혼을 한 뒤에도 레바는 많은 일을 해낼 수 있었다.

아이스박스로 걸어간 레바는 챈스가 불가에 남겨놓은 플래시로 내용물을 조사해보았다. 아이스박스 속에는 두 사람이 먹기에 충분한 양의 식량이 저장되어 있었다. 그녀는 잘려 있는 양고기와 토마토 그리고 버섯과 양상추를 꺼냈다. 비록 야영한 경험은 없었지만, 집에서 바비큐는 몇 번 해본 적이 있었다. 모닥불이나 바비큐용 석쇠나 별 반 다르지 않으리라 생각했다.

다른 종이상자 안에서 밀가루, 소금, 설탕, 말린 음식들과 함께 쌀과 감자를 찾아냈다. 비누와 수건들 그리고 다른 여러 가지 용기들은 세 번째 상자 안에 들어 있었다. 그녀는 잠시 주저하다가, 자신의 실력과 이런 불규칙적인 화력으로는 섬세한 쌀 요리를 할 수는 없을 거라는 결론을 내렸다. 하지만 삶은 감자는 그리 어렵지 않았다. 레바는 남은 힘을 총동원해, 챈스가 아이스박스 옆에 놓아둔 20리터짜리 무거운 물통에서, 세 번째 상자를 샅샅이 뒤진 끝에 찾아낸 작은 팬에 물을 따랐다.

「그가 했던 것처럼 산뜻하게 할 수 없는 건 당연하잖아.」

튀어나온 물에 젖은 부츠와 바지를 바라보며 레바는 중얼거렸다.

「난 그처럼 힘이 세지 않은걸, 뭐.」

여전히 레바는 조용히 웃으며 혼잣말로 중얼거렸다.

「굉장히 조심스러운 표현인걸.」

레바는 대야의 찬물에 손을 씻은 뒤 저녁 준비를 시작했다. 금세 감자를 집어넣은 물이 끓기 시작했고, 양상추를 물에 씻어 건져놓고 토마토와 버섯은 잘게 썰어 준비해놓았다. 물론 샐러드 그릇처럼 호사스러운 물건은 존재하지 않았다. 하지만 팬과 그릇들 틈에서 까베르네 소비뇽(보르도 지방과 쒸드 웨스트 지방에서 재배되는 흑포도주) 병을 발견하자, 레바는 환성을 질렀다. 타래송곳(코르크를 딸 때 사용하는 나사 모양의 송곳)을 찾을 수는 없었지만, 그렇다고 포도주를 포기할 수는 없었다.

세 번째 상자 속에 머리를 파묻고 있는데, 갑자기 누군가가 자신의 뒤에 서 있다는 느낌이 들었다. 아무런 생각 없이 레바는 재빨리 옆으로 몸을 돌려 엽총으로 손을 뻗었다. 다음 순간 그녀는 등뒤에 서 있는 챈스를 볼 수 있었다.

「지금 뭘 하고 있었던 거예요?」

레바는 자신이 움켜쥐고 있는 엽총을 내려다보며 중얼거렸다.

「마땅히 해야 하는 일을 한 것뿐이오.」

챈스가 조용히 덧붙였다.

「당신에게 겁을 줄 생각은 없었소. 다음에는 조금 더 소리를 내겠소.」

「'조금 더'라고 했어요? 빌어먹을, 당신은 아무런 소리도 내지 않았다고요.」

레바는 날카롭게 언성을 높였다. 그런 다음 엽총을 내려놓고 다시 상자로 걸어가, 떨리는 손으로 그 안을 뒤지기 시작했다.

「광산에 갔었어요?」

「그냥 주변을 둘러보았을 뿐이오.」

「그리고요?」

「광산 반대쪽 계곡 깊숙한 곳에 온천이 숨겨져 있더군. 주변에는 너구리와 살쾡이 그리고 토끼들이 왔다 간 흔적들도 있고. 사슴들이 먹이를 찾아 그 주변을 떠돌고 있었고, 코요테 무리는 산 능선을 따라 이동 중이었소. 그리고 보름달이 뜨고 있소.」

레바는 머리 위에 두 손을 얹고 웃기 시작했다. 챈스는 그녀를 바라보며 질문을 던지듯 검은 눈썹을 들어 보였다.

「난 어둠 속에 혼자 앉아 죽을 만치 겁에 질려서 온갖 종류의 끔찍한 상상을 하고 있었는데, 당신은 갑자기 나타나 마치 디즈니 만화영화에서나 나올 법한 이야기를 하는군요.」

변덕스럽게 뛰고 있는 심장박동을 무시한 채 레바는 스스로를 비웃었다.

「당신에게 잠시 둘러보고 오겠다고 말을 했소.」

「난 듣지 못했어요.」

「이제야 알겠소. 그럼, 뭘 그렇게 열심히 생각하고 있었던 거요?」

레바는 머리를 돌려 그를 바라보았다. 황갈색 눈동자가 불빛에 번쩍이고 있었다.

「그냥 여러 가지 것들을요.」

그녀가 속삭였다.

챈스는 잠시 기다렸지만, 그녀는 더 이상 그것에 대해서는 말하지 않았다.

「당신이 삶은 감자와 양고기를 좋아했으면 좋겠어요. 샐러드 드레싱을 찾을 수가 없더군요. 아, 타래송곳도요.」

그는 주머니에서 접혀져 있는 주머니칼을 꺼내 타래송곳을 펼치고, 도구들이 들어 있는 상자에서 까베르네 쇼비뇽을 꺼내들었다. 몇 번

비틀자 딱딱한 코르크가 쉽사리 뽑아져 나오면서 부드럽게 펑 하는 소리가 났다.

「머그컵에다 포도주를 마신다고 싫어하지 않았으면 좋겠군.」

「다른 무엇보다도 포도주를 마실 수 있다는 사실 자체가 즐거운 걸요. 맛 좋은 까베르네가 메뉴에 들어 있으리라곤 상상하지도 않았어요.」

「그렇게까지 야만적이지는 않소.」

챈스의 목소리에 들어 있는 무언가를 감지한 레바는 고개를 치켜들었다.

「그런 의미가 아니었어요.」

「그렇소?」

챈스는 뚜껑을 딴 포도주 병을 돗자리 위에 세워놓았다. 그런 다음 그녀의 커다란 눈을 내려다보았다.

알 수 없는 슬픔이 그의 입가에 내려앉아 있었다. 하지만 그런 감정이 그의 윤곽선이나 얼굴의 그늘을 부드럽게 만들지 못했다.

「당신을 이곳에 데려온 것 자체가 실수였소. 여기에서의 내 모습을 보지 않았다면, 날 그런 야만인으로 생각하고 두려워하지 않았을 텐데 말이오. 저 빌어먹을 마약 중독자들 때문에 당신에게 어떤 사람인지를 그리고 내가 당신에게 어울리는 사람이 아니라는 걸 인식시키고 말았소.」

챈스는 갑자기 성마른 웃음을 터트리며 약간은 화가 난 듯이 욕설을 중얼거렸다. 레바는 그의 말에 반박하고 고함을 지르고 싶었다.

「신경 쓰지 마시오.」

챈스는 그녀를 향해 손을 뻗었다가, 미처 매끄럽고 따스한 피부에 닿기도 전에 옆으로 떨구었다.

「저녁식사 후에 도시로 데려다주겠소.」

「당신은 하루 저녁만에 라이트닝 산맥에 적응할 수 있었나요?」

레바는 복받쳐오는 감정들을 억누르기 위해 안간힘을 쓰느라 목이 아파 왔다.

「아니오.」

챈스가 부드러운 목소리로 대답했다.

「그렇다면 왜 내게 그런 걸 기대하는 거죠?」

「그런 적은 없소.」

「하지만 당신은 지금 날 돌려보내려 하고 있잖아요.」

챈스는 모닥불 너머로 짙은 어둠에 싸여 있는 언덕을 바라보았다. 달이 떠올라 조금씩 산등성이 위를 은빛으로 물들이고 있었다.

「다른 사람들이 나를 그런 식으로…… 마치 야생동물을 바라보듯 해도 난 별로 개의치 않았소. 하지만 당신이 날 두려워하자…….」

헤아릴 수 없이 깊은 분노와 그보다 더 깊은 사랑이 담겨 있는 눈동자가 그녀를 바라보고 있었다.

「오, 하나님. 당신에게 해를 주느니, 차라리 내 손을 잘라버릴 거요.」

멍하니, 레바는 앞으로 걸어가 그의 품에 안겼다.

「난 겁에 질려 있었어요. 하지만 당신 때문은 아니에요. 당신이 말한 그런 의미가 아니었다구요. 그래요. 당신은 거칠고 민첩했어요. 그것도 심장이 멈출 만큼 무시무시했죠. 하지만 당신은 야생동물이 아니에요. 오늘 오후에 당신은 그 사람들을 모두 죽여버릴 수도 있었어요. 하지만 그렇게 하지 않았어요. 당신은 그들을 죽이지 않아도 될 만큼 강했던 거죠. 그리고 당신은 내게 너무나 상냥했어요. 그런데도 내가 당신을 두려워한다구요?」

의심스럽다는 듯한 미소와 함께 레바가 물었다.

「챈스, 난 단 한번도 당신이 안아줄 때처럼 기분이 좋았던 적이 없었어요.」

「나 또한 당신을 안고 있을 때만큼 좋았던 적은 없었소.」

레바를 높이 들어올리며 그가 속삭였다.

챈스는 그녀의 입술 위로, 목덜미에서 눈 위로 입술을 움직이며 계속해서 그녀의 이름을 중얼거렸다.

「당신은 내게 기적 같은 존재요, 채튼. 당신은 내가 다시금 살아 있다고 느끼게 만들었소.」

레바는 삶이 두 사람에게 남긴 생생한 상처를 치유하고, 서로에게서 위안을 얻을 수 있기를 바라며 그의 단단한 목에 얼굴을 묻었다. 그녀는 온힘을 다해 그를 끌어안고, 자신을 안고 있는 팔의 감촉에 기쁨을 느꼈다. 잠시 시간이 흐른 뒤에야, 두 사람은 입을 열 수 있었다. 레바의 긴 한숨소리를 들은 챈스는 그녀를 조심스럽게 땅에 내려놓고는 싫은 기색을 드러내며 그녀를 품안에서 내보내주었다. 두 사람에게는 더 이상의 말이 필요 없었다.

「곧 피곤함이 밀려올 거요.」

레바는 반박하려 했지만, 그의 말이 사실임을 깨닫고 입을 다물었다. 평안함과 동시에 한번도 느껴본 적이 없는 노곤함이 몸을 타고 밀려들고 있었다. 마치 모래시계 속의 모래처럼 온몸에서 힘이 빠져나가고 있었다.

「아드레날린의 영향으로 당신은 저 높은 돌덩이 사이를 가뿐하게 뛰어다닐 수 있었소.」

미소를 지으며 챈스가 말했다.

「그러니 이제는 그 대가를 지불해야 되는 거요.」

「그것도 나중이면 좋겠어요.」

힘겹게 하품을 하며 레바는 대답했다.

「여기서 가장 기본이 되는 게 바로 그거요. 생존 말이오. 양고기는 어떻게 해주는 게 좋소? 완전히 익혀서?」

레바는 눈을 깜빡이고 자신도 모르게 미소를 지었다.

「약간만요. 미안하지만, 아주 약간만 익혀요. 어쩌면 난 보기보다 문명화되지 못했는지도 몰라요. 단지 경험이 없는 것뿐이겠죠.」

챈스는 레바를 향해 곁눈질을 했다. 순간적으로 그의 수염 아래로 미소가 스치고 지나갔다.

「정곡을 찌르는군.」

레바는 양반다리를 하고 앉아, 챈스가 저녁 준비를 마치는 것을 지켜보았다. 그는 쓸데없는 동작은 전혀 없이 깨끗하고 효율적으로 모든 일을 처리하고 있었다. 그녀는 감자 냄비를 들 듯 무거운 물통을 번쩍 들어올리는 챈스를 바라보며, 남성적이고 우아한 그의 움직임에 넋을 잃고 있었다.

「샐러드 드레싱을 찾을 수가 없었어요.」

「머그잔에 포도주를 따라준다면, 그게 어디 있는지 알려주겠소.」

그의 말대로 포도주를 따르자, 까베르네 쇼비뇽의 향긋한 냄새가 허공을 타고 맴돌았다. 그녀는 순간, 냄새처럼 맛 또한 좋은지 확인하고 싶은 충동을 느꼈다.

「그럼 맛을 좀 보시오.」

양고기에서 눈을 떼지 않은 채 챈스가 말했다.

「머리 뒤에도 눈이 달렸나요?」

놀라움과 함께 당혹스러움을 느끼며 그녀가 물었다.

「이리 와서 확인해보시오.」

레바는 걸음을 옮겨, 챈스에게 포도주가 들어 있는 머그를 건네준 뒤 그의 옆에 쭈그리고 앉았다. 그가 포도주를 홀짝이는 동안, 그녀는 그의 모자를 벗기어 식기 상자 옆에 던져놓고 그의 머리를 손가락으로 쓰다듬었다.

「눈을 발견했소?」

조용히 미소를 지으며 챈스는 그녀를 바라보았다.

「없군요. 하지만 어딘가 숨겨져 있는 게 분명해요.」

그는 다시 포도주를 마신 뒤 미소를 지었다.

「까베르네를 좋아하오?」

「물론이죠. 당신보다 더 좋아할지도 모르죠.」

챈스는 포도주를 한 모금 마신 뒤 잔을 내려놓고 그녀를 향해 손을 뻗었다. 그런 다음 상냥하게 그녀의 목을 붙잡고 자신의 입술을 그곳에 문질렀다.

「맛을 보시오.」

거칠고 나직한 목소리로 그가 말했다.

잠시 주저했지만 이내 마음을 굳혔다는 듯, 레바는 혀끝으로 그의 입술선을 따라 움직였다. 그의 입술이 벌어지면서 그녀에게 더 많은 것을 가지라고 유혹했다. 입안으로 번져 가는 와인의 맛과 함께 따스하고 부드러운 입술의 감촉에 매혹된 레바는 더욱 깊숙이 그의 안으로 들어갔다. 그녀의 손이 그의 얼굴 위로 올라와 까칠한 뺨을 어루만졌다. 그리고 키스가 더욱 진해지는 것과 동시에 그녀의 손도 머리카락 속으로 더 깊숙이 움직였다. 레바는 그의 몸이 움직이면서, 커져 가는 욕망으로 그의 몸이 긴장하는 것을 느꼈다. 하지만 그녀의 목덜미를 쓰다듬는 손가락들은 너무나 부드럽고 조심스러웠다. 굶주림과 강철같은 자제심이 조화를 이룬 모습이, 그의 입술에서 훔친 한 방울의 포도주보다 더 자극적이었다.

기름튀기는 소리와 더불어 모닥불의 연기는 양고기가 구워지고 있다고 경고하고 있었다. 천천히 레바는 입술을 뗐다. 잠시 그녀의 목덜미를 잡고 있던 손에 힘이 들어갔지만 곧 그는 그녀를 놓아주었다.

「자……..」

그가 조용히 입을 열었다.

「이걸로 하겠소, 아니면 웨이터에게 다른 걸 가져오라고 할까?」

「이걸로 하죠.」

그녀가 속삭였다.

「최고급 까베르네인걸요.」

손가락 끝으로 그의 입술을 어루만지며 레바가 덧붙였다.

「감칠맛이 있으면서도 차분하고 복잡 미묘한 그리고 섬세한 끝 맛이 어우러진 게, 완전히 숙성한 포도주치고는 드문 경우인데요.」

그녀의 이름을 부드럽게 속삭이며 챈스는 산등성이를 비추이는 달빛처럼 가볍게 그녀에게 키스했다. 양고기 기름이 화염 속으로 떨어지며 눈에 띄게 불꽃이 일어났다. 조용히 욕을 하며 챈스는 레바의 입술에서 시선을 뗐다. 그러고는 재빨리 고기를 향해 머리를 돌렸다.

「아이스박스 속의 플라스틱 병을 찾아요.」

레바는 아이스박스를 향해 걸어가 눌러 짜는 모양의 노란색 플라스틱 병을 집어들었다.

「이거요?」

「그거 하나뿐이오. 샐러드 드레싱 병.」

머리를 들지 않은 채 챈스가 대답했다.

「포장에는 겨자라고 쓰여 있는걸요.」

「베네수엘라의 다이아몬드도 그렇소.」

석쇠에서 고기를 꺼내며 챈스가 말했다.

「뚜껑을 열 때까지 안에 뭐가 들어 있는지 말할 수 없는 거요.」

레바는 뚜껑을 열고 냄새를 맡았다. 그러고는 뚜껑 안에 묻은 내용물을 살짝 맛보았다.

「정말 샐러드 드레싱이네요. 음…… 레몬과 딜(미나리과의 식물, 잎과 열매는 향료로 쓰임)이군요.」

그녀는 다시 뚜껑을 닫고, 챈스의 얼굴 위로 너울거리는 모닥불의 빛과 그림자를 살펴보았다.

「그런데 베네수엘라의 다이아몬드라뇨? 무슨 의미죠?」

「그곳은 다이아몬드를 캐는 과정에 있어서 아프리카나 오스트레일리아와는 조금 다른 게 있소. 베네수엘라에서는 다이아몬드를 찾다가 녹색 코팅이 된 것처럼 겉에 뭔가 덮여 있는 광석을 발견하는 경우가 가끔 있소. 그런 것들의 대부분은 겉과 똑같이 안의 것도 또한 저질이요. 하지만 그런 것 중 몇몇 개는……」

챈스는 잠시 손을 멈춘 채 불꽃을 응시한 다음 말을 이었다.

「겉의 코팅을 제거하고 속을 들여다보면, 투명하고 밝은 녹색 불빛을 내뿜는 다이아몬드 원석이 들어 있지. 마치 인생의 꿈을 모두 모아 단 하나의 결정으로 압축해놓은 것처럼 말이오.」

따뜻하게 데우기 위해 불가에 놓아두었던 금속 접시 위에 챈스가 고기를 얹었다.

「그런 보석을 발견하고 수집하기 위해 사람들이 무슨 짓이든 할 수 있다는 것도 그리 놀라운 일은 아니오. 심지어 살인까지도 말이오. 특히 남아메리카는 그렇소. 노천 금광(광석이나 석탄을 지표면에서 직접 채굴하는 광산)이나 봄바스 ─ 다이아몬드 광산이오 ─ 에서는 인간이란 떼를 지어 몰려다니는 구더기와 같은 존재일 뿐이오. 사람의 목숨이라는 게 한 모금의 물보다 값어치가 없지. 매일 비가 내리는 지역인데도 말이오.」

6

 챈스는 양고기와 삶은 감자가 담긴 접시를 레바에게 건네주었다.
「샐러드 접시를 함께 사용해도 상관없겠소?」
 레바는 먹는 것보다는 그의 이야기에 더 많은 관심이 쏠려 있었기 때문에 아무렇게나 머리를 흔들었다. 챈스가 과거의 일에 대해 언급하는 게 흔치 않은 일이라는 걸 그녀는 본능적으로 감지하고 있었다. 그는 그녀의 옆에 앉아 음식을 먹기 시작했다. 기다림에 지친 레바가 막 질문을 던지려는 찰나, 챈스는 다시 조용히 입을 열었다.
「봄바스에서는 먹고 거주할 정도의 금은 손쉽게 발견할 수가 있었소. 하지만 그 이상은 아니었지. 아버지와 럭은 그래도 상관없었지만, 글로리는 달랐소. 누나는 빈민층들이 사는, 이름도 없는 더러운 야영지보다는 더 나은 삶을 원했소. 그 당시 난 너무 어려서 어머니가 어떻게 생각하셨는지는 잘 모르겠소. 그녀는 돌아가실 때까지 아버지를 따라 다니셨지. 분명 그것이 여러 가지 문제에 대한 유일한 해결책이라고 당신께서는 생각하셨던 것 같소.」

잠시 침묵 속에 챈스는 포도주를 홀짝였다.

「난 남아메리카를 그리 좋아하지 않소. 그때도 그랬고, 지금도 그렇소. 럭이 죽은 후로 베네수엘라는 단 한 차례도 방문하지 않았소. 하지만 오스트레일리아의 아웃백은 달랐지. 그곳은 거칠고 용서가 없는 곳인 반면 깨끗하면서 아름답고 순수한 야생의 땅이오. 그런 땅을 접하게 되면, 스스로를 판단하는 법을 배우게 되지. 어떤 사람은 금새 깨닫게 되고, 또 다른 사람들은 그들이 생각했던 것보다 더 많은 것들을 발견하게 되는 경우도 있소.」

레바는 조용히 식사를 하며 챈스의 얼굴 위로 비쳐드는 밤과 모닥불의 그림자를 바라보았다. 그녀는 자신의 옆에 앉아 있는 남자가 겪은 장소들과 시간들에 대해 알고 싶었고, 그의 상처를 치료하고 도와주고 싶은 생각이 간절했다.

「미국의 분지나 목장 지대는 아웃백과 비슷한 면이 많소. 사람보다는 땅이 더 넓고, 규칙보다는 더 많은 가능성이 존재하는 곳이오. 물론 검은 오팔 같은 건 없지만 말이오. 당신을 라이트닝 산맥으로 데리고 가고 싶군. 아마도 20년 전보다는 많이 편해졌을 거요. 시드니에서 기차로 26시간 걸리는 곳이지. 보이는 건 단지 드문드문 서있는 집들과 캥거루 떼와 에뮤(emu, 타조와 비슷한, 발가락이 세 개인 에뮤과의 새) 무리 그리고 광활한 붉은 사막뿐이오. 라이트닝 산맥으로 향하는 마지막 90킬로미터 정도의 도로 위에는 교통편이 전혀 없었소. 나머지 길은 우편 트럭을 얻어 타거나 아니면 목적지로 향하는 친절한 목장주를 찾아야만 했지.」

옛 일을 기억하듯 챈스는 잠시 입을 다물었다가 이내 계속 했다.

「처음으로 정글을 벗어나 여행을 시작했을 때, 아마도 글로리에게 나란 존재가 굉장히 무거운 짐이었을 거요. 하지만 누나는 그 모든 걸 해냈지. 진짜 훌륭한 여자요. 누나는 닥치는 대로 일을 했소. 그러면서도 단 한번도 불평하는 걸 들어본 적이 없었소.」

침묵에 싸인 채, 그는 어둠 속에 빛을 발하고 있는 모닥불을 응시했다. 잠시 후 그는 끊임없이 밀려드는 어둠 속에 자리를 잡고 있는 차이나 퀸의 입구를 바라보았다.

「다행히도, 퀸 안으로 힘들여 물을 운반할 필요는 없을 거요. 나 또한 몸을 웅크린 채, 내 몸보다도 좁은 굴 안으로 위태위태하게 윈치를 끌고 들어갈 필요도 없을 거고. 라이트닝 산맥에서는 땅 속을 기어다니는 두더지처럼 어두운 곳에 숨겨진 보석 냄새를 따라 기고 또 기어다니며 하루를 보내곤 했소. 물론 늘 무기를 들고 있었고, 잠을 자면서도 깨어 있었지. 그러지 않으면 곧 죽은목숨이었소.」

「정글만큼이나 지독하게 들리는군요.」

「아니오. 정글에서는 파트너라는 개념 자체가 아직은 등을 돌리지 않은 적이라는 의미밖에 없었소. 두 명의 파트너가 정글로 들어가 한 움큼의 보석을 발견하게 되면 반드시 단 한 사람만이 돌아올 수가 있었소. 돌아온 사람은 자신의 파트너가 물에 빠져 죽었다던가, 뱀에게 물렸다던가, 아니면 식인종이나 피라냐 떼에게 먹혔다는 등의 말을 했소.」

챈스는 어깨를 으쓱해 보였다.

「뭐, 그런 건 언제라도 일어날 수 있는 일이었으니까. 하지만 재미있는 건, 그런 일들이 꼭 보물을 발견한 뒤에야 일어난다는 거요. 그렇지만 아웃백의 탐사꾼들은 단지 쥐새끼들만을 죽일 뿐이오. 파트너가 아니라.」

「쥐새끼들이라뇨?」

「정직한 탐사꾼들이 잠들어 있는 사이에 다른 사람의 소유지로 몰래 숨어 들어오는 사람들 말이오. 보통은 그런 쥐새끼를 잡게 되면, 그를 묶어놨다가 다음 열차로 시드니로 보내는 게 관례요. 하지만 오팔과 관련된 일이라면, 정직한 탐사자들마저도 순식간에 그런 쥐새끼로 변하게 되는 경우가 흔히 있었소.」

레바의 포크가 접시에 부딪혀 딸깍거렸다. 챈스는 머그잔 너머로 그녀를 바라본 뒤, 잔과 접시를 모두 옆으로 치웠다.

「탐사자들은 매일매일 목숨을 걸고, 기둥도 없는 좁은 터널 속으로 들어갔소. 지표면 어디에도 '여기를 파라, 오팔이 이 아래에 있다' 라는 표시가 존재하지 않으니까. 어디라고 특별히 다른 곳은 없었소. 다른 사람보다 더 운이 좋거나 나쁘거나, 아니면 자신의 터널이 함몰되어 버리거나 아니거나. 하지만 어쩔 수가 없었소. 그렇다 보니 사람들은, 함몰사고는 자정에서 새벽 한 시 사이에만 일어난다는 미신에 따라 그 시간에는 늘 동굴 밖에서 머물렀소.」

챈스가 잠시 숨을 쉬며 말을 이었다.

「나머지 시간 동안은 어깨 넓이의 반밖에 되지 않는 장소를 기어다니며 땅을 팠지. 먼지를 먹고 들이마시며, 언젠가는 모래 갈리는 듯한 소리가 나기를 바라면서 말이오. 그런 소리를 들었다는 건 노비를 발견했다는 걸 의미했소. '노비'란 오팔이 들어 있을지도 모르는 작은 암석을 의미하는 은어요. 그럼, 노비를 손가락이나 작은칼로 긁어 흙더미를 제거하지. 아무리 흥분으로 인해 손이 떨린다고 해도 천천히 조심스럽게 일을 진행해야만 했소. 흙을 모두 제거하고 나면 그 주위의 돌덩어리들을 집게나 펜치로 잘라내지. 만일 불빛 아래 색을 띠며 빛을 발하는 게 있다면 그건 진짜 노비요. 하지만 깨끗한 탁자 위에 올려놓고 살펴볼 때까지는 무엇을 발견했는지 아무도 알 수 없는 법이오. 아무것도 아닌 경우가 대부분이지. 일생에 단 한번 정도는 주먹만큼이나 커다란 검은 덩어리를 찾아낼 수가 있소.」

가늘어진 은색 눈동자가 그녀를 스쳐지나 허공 속의 무엇인가를 응시하고 있었다.

「그때 바로 쥐새끼들이 밀려 들어오지. 그리고 꼭 누군가가 죽어 나가게 되고.」

레바는 자신과 너무나 다른 삶을 이해하려고 노력하며 챈스를 바라보았다.

「굉장히 낯설게 들리는군요. 그런 위험과 죽음이…….」

마침내 레바가 입을 열었다.

「그렇소?」

챈스가 조용히 물었다.

「무슨 의미예요?」

「위험을 감수하는 거 말이오. 용기인지 어리석음인지, 6차선 도로에서 서로 고함을 치고 수많은 충돌사고와 연료가 부족하게 되거나 아니면 차제가 폭발하거나. 또한 백킬로미터로 달리는 초보 운전자나, 행운을 믿고 운전하는 사람들이 당신의 주변에도 있을 거요. 지금 당장 도로로 나간다면, 내가 다이아몬드 광산에서 보았던 그 무수한 폭력에 필적하는 일들을 도로 위에서도 볼 수 있을 거요.」

챈스는 가뿐한 몸놀림으로 자리를 털고 일어섰다.

「저녁을 마저 먹어요. 난 이 지역을 다시 한 번 살펴볼 테니까. 야영지로 다시 돌아오기 전에 고함을 치겠소.」

레바가 뭐라고 말을 꺼내기도 전에, 그는 어둠 속으로 녹아 들어갔다. 그녀는 챈스가 움직이는 소리를 들어보려고 귀를 기울였지만 들리는 건 오직 자신의 심장박동 소리뿐이었다. 그는 숨소리보다도 고요하게 사라져버렸다. 그녀는 남은 음식을 입에 집어넣었지만 아무런 맛도 느낄 수가 없었다. 머릿속에는 그가 했던 말이 계속 맴돌고 있었다. 접시를 내려놓고 포도주를 홀짝이자, 달콤했던 그의 입술이 떠올랐다.

양고기를 구운 뒤 불가에 놓아두었던 팬에 물을 붓자 뿌옇게 수증기가 올라왔다. 레바는 재빨리 찌꺼기를 닦아내고 사용했던 모든 식기들을 씻어 정리했다. 일을 마친 뒤, 그녀는 머그잔에 포도주를 조금 더 따라 들고 불가에 가서 앉았다.

천천히, 레바는 캠프에 혼자 앉아 있어도 전혀 불편하지 않다는 사실을 깨달았다. 챈스가 어둠 속 어딘가에서 조용히 움직이며, 근처에 아무도 없다는 사실을 확인하고 있음을 잘 알고 있었다. 그런 사실이 그녀를 안심시키고 있었다. 만일 어떤 위험이 도사리고 있다면, 챈스가 그것을 찾아내 제거해주리라. 여기에 앉아 있어도 문을 꼭꼭 걸어 잠근 집에 들어와 있는 것만큼 안전했다. 아니, 더 안전할지도 모를 일이었다.

그녀는 편안하게 팔다리를 뻗으며 오랫동안 느끼지 못했던 평온함을 만끽했다. 갑자기 한밤의 어둠 속에 숨어 있는 그림자처럼, 검은 산을 향해 움직이는 별들과 달빛과 침묵의 일부분이 되어 숨을 쉰다는 게 어떤 느낌일지 궁금해졌다.

「레바?」

부드럽고 낮은 목소리가 근처에서 들려왔다. 그녀는 소리가 들린 쪽으로 고개를 돌리며 미소를 지었다. 챈스가 어둠 속에서 황금색으로 반짝이고 있는 불가로 걸어오고 있었다.

「피곤하지 않다면 잠시 산책을 하지 않겠소?」

「방금 전까지 그게 어떤 느낌일까 궁금해하고 있었어요.」

「조용하고, 어둡고, 평화롭소.」

그는 침낭을 넓게 펼쳐 어깨를 감쌌다.

「그리고 춥지. 바람이 불고 있으니 재킷을 가져오시오.」

레바는 챈스가 자신을 위해 준비해온 스포츠 재킷을 걸쳤다.

「준비됐어요.」

「아직은 아니오.」

챈스는 그녀의 어깨 위에 두 손을 얹고, 그녀의 얼굴을 불가에서 돌렸다.

「잠시 동안 불을 쳐다보지 마시오. 그리고 눈이 달빛에 적응되도록 기다려요.」

「그래서 당신은 불빛을 똑바로 바라보지 않았던 거군요.」

「그렇소. 순간적으로 장님을 만들 수도 있으니까.」

「하지만 아름답잖아요.」

「그건 어둠도 마찬가지요.」

레바는 눈을 감고 자신의 어깨 위에 놓여 있는 챈스의 따스한 손과 자신에게 꼭 붙어 있는 그의 존재와 머리카락을 흔들며 지나가는 그의 숨결을 기분 좋게 음미했다. 긴장을 풀고 그에게 등을 기대고 서서, 자신의 감각이 어둠에 적응되기를 기다렸다.

「눈앞의 산등성이 위에 있는 돌덩이를 볼 수 있소?」

오랜 침묵 뒤에 챈스가 물었다.

눈을 뜬 레바는 눈앞에 보이는 많은 것들에 놀라움을 표했다.

「네.」

「눈앞에 시계가 있다고 상상해보시오. 3시 방향에 뭐가 보이오?」

「키 작은 잡목 덤불이요.」

「왜 그게 바위가 아니라고 생각하는 거요?」

「너무 밝아요. 색이나 느낌도 아닌 것 같고요. 바위는 저것보다는 조금 짙게 느껴져요.」

칭찬하는 듯한 챈스의 손이 그녀의 어깨를 꼭 움켜쥐었다.

「전등이 없어도 괜찮겠군.」

챈스는 허리 벨트 위의 고리에 매달려 있는 전등에서 손을 떼고 엽총을 집어들었다. 그는 마치 손전등을 집어들 듯 편안하게 총을 다루었다. 두 가지 다 한밤중의 거친 황야 속에서 반드시 필요한 물건이었다. 그가 레바에게 손을 뻗자, 그녀는 주저하지 않고 그 손을 잡았다.

챈스는 그녀를 끌고 수풀을 돌아, 광산 입구의 분지로 향했다. 안타깝게도 레바는 챈스만큼 조용히 움직일 수가 없었다. 챈스를 따라 걷던 레바는 그의 걸음걸이에 담긴 규칙적인 리듬을 감지했다. 그는 발 아래가 탄탄한지 조심스럽게 살피는 동시에 온몸의 힘을 분산시키듯 자신 있게 걸음을 내딛고 있었다. 레바는 평균대 위에서 걸음을 옮길 때처럼 가능한 그의 움직임과 비슷하게 걸어보려고 노력했다. 곧 그녀는 전보다 소리를 덜 내면서 더 빠르게 움직일 수 있다는 것을 깨달았다.

챈스 또한 그녀의 변화를 재빨리 감지했다. 그는 그녀의 손바닥을 자신의 입술에 대고 속삭였다.

「당신은 도심 한가운데를 걷는 것처럼 빠르게 걷는군.」

레바는 커다란 바로크 진주처럼 빛나는 달빛과 어둠을 벗고 모습을 드러낸 바위 사이를 돌아 챈스를 따라 작은 언덕 위로 올라갔다. 언덕 주위에는 잡목들이 거의 보이지 않았다. 대지 위에는 돌들이 거의 없었고, 봄의 풀내음이 물씬 풍기는 부드러운 흙으로 깔려 있었다.

「왼쪽을 보시오.」

몸을 돌린 레바는 놀라움으로 인해 그 자리에 못 박힌 듯 서 있었다. 멀리 눈에는 보이지 않는 바다까지, 산등성이 너머로 또 다른 산등성이가 들쭉날쭉 끝없이 이어져 있었다. 그 능선들의 선명한 윤곽이 검은 하늘 위에서 빛나는 무수히 많은 별들과 웅장한 대조를 이루며 눈에 확 들어왔다. 숲 위로 솟아오른 울창한 나무들이 밝은 달빛에 레이스처럼 보였고, 희미하게 반짝이는 안개가 많은 계곡에서 아지랑이처럼 피어오르고 있었다. 달빛에 비추이는 그림자들, 검정색 이라기엔 약간 밝게 보이는 풀잎과 흑요석처럼 빛나는 잡목 숲, 그 리고 뿌연 회색빛을 띠는 화강암 바위들과 은색으로 빛나는 달이 압 도적인 장관을 만들어내고 있었다.

「밤이 이렇게 많은 색을 가지고 있다는 걸, 예전에는 몰랐어요.」

「이 세상에서 진짜로 검은 건, 광산과 광부의 마음뿐이라고 글로 리는 말하곤 했었소.」

풀잎 위에 깔아놓은 또 다른 밤의 색을 띠고 있는 침낭 위로 레바 를 잡아당기며 챈스가 말했다.

레바는 몸을 떨었다.

「춥소?」

묻는 말에는 대답하지 않고 레바는 글로리에게로 화제를 돌렸다.

「당신도 광부잖아요. 글로리는 당신의 마음도 그렇다고 생각했나 요?」

챈스는 허리에 매달려 있는 손전등과 칼을 풀었다. 그러고는 주먹 으로 턱을 받치고 옆으로 누워, 검정과 은색을 띤 울퉁불퉁한 대지 를 내려다보았다.

「아니오. 당신은 그렇게 생각하오?」

「저도 아니에요.」

챈스의 옆에 무릎을 꿇고 앉아, 달빛이 흐르는 대지가 아닌 그의 얼굴을 바라보며 레바는 대답했다.

「확신하는 거요?」

「내가 여기에 있잖아요.」

「하지만 이렇게 가까이 있으면서도 왜 멀게만 느껴지는 거요?」

챈스의 손이 그녀의 머리를 감싸쥐고 자신을 향해 조금 더 가까이

끌어당겼다.

「단지 키스뿐이오. 두려워하지 말아요, 채튼. 당신이 원하지 않는다면 끌어안는 것조차도 하지 않겠소.」

그가 나직하게 속삭였다.

레바는 자신의 입술이 그에게 닿는 순간, 챈스의 몸에 전율이 흐르는 걸 느꼈다. 그의 손이 그녀의 목에서 내려와 머리카락을 한번 쓰다듬고 이내 떨어졌다. 윤기가 흐르는 머리카락이 그의 몸 위로 폭포처럼 흘러내렸다. 그는 낯선 언어로 뭐라고 중얼거린 뒤, 레바가 전에도 들은 적이 있는 부드러운 말을 속삭였다.

「무슨 의미죠?」

그의 입술에 대고 레바가 중얼거렸다.

「바꿀 만한 적당한 어휘가 없군.」

손가락으로 그녀의 머리카락을 말면서 챈스가 말을 이었다.

「새벽녘에 빛나는 호수, 광부의 불빛 속에 모습을 드러낸 오팔, 고함을 지르는 동시에 울고도 싶고 웃고도 싶어지게 만드는 아름다움. 바로 당신을 말하는 거요.」

「챈스…….」

레바는 그의 입가에 키스를 하고, 매끄러운 검은 수염 위로 예민한 입술을 움직이며 숱이 많은 검은 머리카락 속으로 손을 집어넣었다. 그리고 그에게 천천히 키스를 하며, 매순간 조금씩 커져만 가는 친밀감과 변화해 가는 자신의 감각을 음미했다.

레바의 손길이 그의 머리카락에서부터 어깨와 팔 그리고 상반신의 단단한 근육을 따라 움직였다. 조심스럽게 레바는 그를 끌어안고 키스를 하며 그에게로 가까이 몸을 눕혔다. 그와의 키스가 길어질수록 자신이 알고 있는 유일한 방법으로 – 그를 어루만지며 – 쾌락을 충족시키고자 하는 욕구가 더욱 강해져만 갔다.

챈스는 목구멍 깊은 곳에서 나오는 신음 소리와 함께 몸을 들어올려 그녀에게 더 가까이 다가갔다. 움켜쥔 주먹이 그녀의 머리카락 끝에 놓여져 있었다. 레바는 챈스가 얼마나 자신을 갖고 싶어하는지, 그 움켜쥔 손이 얼마나 자신을 어루만지기를 원하는지, 그리고 그녀의 모든 것에 대해 더욱 더 많은 것을 알기를 절실히 원하고 있는지 알 수 있었다. 하지만 그 혹독한 열망에도 불구하고, 그녀가 머리를 들자 챈스는 재빨리 손에서 힘을 빼고 기다란 손가락 사이로 머리카락이 흘러 내려가게 내버려두었다.

그의 자제력이 오히려 그녀를 조급하게 만들었다. 레바는 다시 머리를 숙여 혀끝으로 그의 입술을 살짝 건드렸다.

「안아줘요.」

천천히 그의 팔이 다가오자, 레바는 거칠면서도 강하고 따스한 쾌락의 전율을 느낄 수 있었다. 팔에 힘이 들어가는가 싶더니, 그녀가 덫에 걸린 듯한 느낌에 힘겨워하기 전에 챈스는 재빨리 팔을 풀었다. 하지만 레바는 그보다 더 많은 것을 원했다.

「채튼…….」

그가 거칠게 속삭였다.

「지금 당신이 뭘 하고 있는지는 아는 거요?」

챈스의 손이 척추 위로 미끄러지자, 레바는 몸을 떨며 그의 남성적인 열기를 향해 가까이 다가갔다.

「두려워하지 말아요.」

챈스가 속삭였다.

「안 그래요. 난 문득…….」

「문득 뭐요?」

레바의 이마에 키스를 하며 그가 물었다.

「문득 깨달았다고요. 난 단 한번도 사랑을 나눈 적이 없었어요.

내 말의 의미는, 물론 난 결혼도 했었고, 처녀도 아니지만, 날 만진 사람은 남편뿐이었어요. 그리고 그는…….」

레바는 잠시 주저하며 너무나 가까운 곳에서 너무나 강렬하게 자신을 응시하는 짙은 은색 눈동자를 바라보았다.

「그는 단 한번도, 당신이 원하는 그런 식으로 날 원하지 않았어요. 그리고 단 한번도 내가 그를 원하게 만들지도 않았고요. 하지만 당신은…….」

챈스의 입술 위로 입술을 가까이 대자, 곧바로 그의 몸이 반응하는 것을 느낄 수가 있었다.

「나 자신이 주체할 수 없을 정도로 당신을 원하고 있어요.」

「당신을 두렵게 하는 건 아니오?」

그녀의 눈썹 위와 입가, 그리고 목덜미에 강하게 뛰고 있는 맥박 위에 키스를 하며 챈스가 부드럽게 물었다.

「더 이상은 아니에요. 그저 뭘 해야 할지 모르겠어요. 당신을 기쁘게 해주고 싶은데, 어떻게 해야 할지를 모르겠다구요.」

「당신을 사랑하게 해주시오.」

거칠어진 목소리로 챈스가 말했다. 그리고 레바의 귀 가장자리의 민감한 부분을 코로 문지른 뒤 귓불을 가볍게 깨물었다.

「아주 조심스럽게 하겠소. 당신이 처음인 것처럼 말이오. 어떻게든지 그렇게 하겠소. 당신은 잘 모르겠지만, 당신 안에 숨어 있는 여성은 이미 다 알고 있을 테니 두려워 마시오.」

레바는 대답 대신에 벌어진 입술 사이로 한숨을 내쉬었다. 그와 꼭 붙어 있는 자신의 몸이 약간씩 움직였다. 그녀의 부드러운 움직임은, 이미 마음속으로 허락했다는 사실을 말보다 더 분명하게 전하고 있었다. 그의 대답 대신 레바는 몸을 타고 빠르게 흐르기 시작한 숨길 수 없는 전율을 느꼈다. 그녀는 자신을 향한 그의 굶주림이 두

렵기는커녕 너무나 행복했다. 희미하게 미소를 지으며 레바는 따스한 그의 수염을 어루만졌다.

「사랑해줘요.」

레바는 그가 원하는 것보다 더 많은 것을 원하고 있었다.

「알았소. 이제, 아무것도 날 막을 수는 없소. 오직 당신밖에는. 당신이라면 언제든 날 멈추게 할 수 있을 거요, 채튼.」

강한 힘으로 그녀를 잡아당긴 챈스는 드문드문 끊어지는 탁한 목소리로 속삭이듯 덧붙였다.

「그저 안 된다는 말 한마디면…… 당신 말대로 하겠소. 내가 얼마나 당신을 원하는 거와는 상관없이 말이오.」

챈스는 천천히 자리를 옮기면서 그녀에게 저항할 수 있는 시간을 주었다. 그리고 잠시 몸을 옆으로 옮기고 머리를 들어, 쏟아지는 달빛에 비치는 레바의 얼굴을 내려다보았다. 그의 손이 따스함을 찾아 차갑고 부드러운 머리카락 속으로 파고들었고, 그의 입술이 자신을 위해 벌어진 붉은 입술 위에서 그녀의 이름을 속삭였다. 부드럽고 힘있게 그의 키스가 그녀를 사로잡으며, 천천히 움직이는 그의 혀가 앞으로 다가올 친밀한 행위를 예언하고 있었다.

그의 몸이 움직이는 것과 동시에 레바는 이제껏 알지 못했던 낯선 열기가 신경을 타고 온몸으로 퍼져나가는 것을 느꼈다. 작은 신음 소리와 함께, 그녀는 문명보다 더 오래된 언어로 그를 불렀다. 그는 더욱 깊은 키스로 그녀의 부름에 답했다. 열정과 억제로 그의 몸은 단단히 굳어져 있었고, 두 손은 달빛에 부드럽게 물들어 있는 아름다운 머리카락 위를 누비고 있었다. 천천히 그는 그녀의 스포츠 재킷 지퍼를 열고, 능숙한 손길로 목덜미에서 가슴 부분을 어루만지며 움직였다. 그녀는 눈을 감고 미소를 지으며 이제껏 알지 못했던 남자의 손길을 음미했다.

「이 블라우스를 보았을 때…….」

그녀의 입술과 어깨와 목덜미의 부드러운 살결 위로 입술을 문지르며 그가 속삭였다.

「이건 당신을 위한 거라고, 반드시 사야 한다고 결심했소.」

왼쪽 가슴 위에 달려 있는, 무수히 많은 단추들 중 첫 번째 것을 푼 뒤, 그는 천천히 목덜미 아래로 손을 내렸다.

「작은 단추들이 마치 보석처럼 빛나고 있었소. 이걸 입은 당신의 모습을 보고 싶어 기다릴 수가 없었지. 그리고 그런 당신을 보았을 때…… 난 블라우스를 벗기고 싶은 충동에 시달려야만 했소. 그리고 지금…….」

챈스는 부드러우면서도 약간은 거칠게 웃음을 터뜨렸다.

「손가락이 너무 떨려 단추를 푸는 것조차 힘이 드는군.」

자신이 그토록 강한 영향력을 발휘하고 있다는 사실에 레바는 숨이 멎을 것 같았다. 그의 모습이 눈앞에서 흐릿하게 보였고, 달빛을 받아 찬란하게 빛나는 눈동자는 은색으로 보였다. 레바는 너무나 거칠고, 위험하고, 혼란스러운…… 그러면서도 자신과 함께 있을 때는 한없이 다정하고, 무엇보다 그 어느 때보다 안전하게 살아 있다는 것을 느끼게 해준 남자를 올려다보았다.

「모든 게 다 잘 될 거예요.」

그의 손에 키스를 하며 레바가 말했다.

「당신이 무엇을 원하든 난 괜찮아요. 당신을 믿어요, 챈스. 어떻게 당신을 사랑해야 하는지 가르쳐줘요.」

성급한 몸짓과 함께 챈스는 거칠게 숨을 몰아쉬었다.

「오, 하나님.」

그의 목소리는 갈라져 나왔다.

「사랑하는 법은 당신이 나보다 더 잘 알고 있소.」

챈스의 입술이 내려오면서 마치 온몸에 불을 붙이듯, 그녀에게 굶주린 키스를 했다.

「내가 당신에게 가르쳐주는 건 단지 쾌락일 뿐이오, 채튼. 당신에게 그것을 주겠소.」

마침내 챈스의 손이 단추 위로 움직였다. 능숙하게 움직이는 손가락들은 더 이상 떨리지 않았다. 어두운 색 블라우스가 삼각형 모양으로 넓게 벌어지며, 그 아래 숨어 있는 밝은 온기를 밖으로 드러냈다. 달빛 아래에 비친 그녀의 피부는 진주처럼 뽀얗고 순결해 보였다. 헝겊 위로 와 닿는 감촉으로 인해 챈스는 부드러운 헝겊 아래에 아무것도 없다는 것을 미리 알고 있었다. 그런데도 그녀의 아름다움 때문에 흔들리는 마음은 어찌할 수가 없었다.

레바는 갑자기 그가 침묵 속에 빠져든 것을 감지했다.

「왜 그래요? 뭐가 잘못됐어요?」

챈스의 얼굴을 살피며 그녀가 물었다.

「아니오.」

콧수염으로 그녀의 가슴 끝 부분을 문지르며 챈스는 다시 한 번 숨을 몰아쉬었다.

「당신은 완벽하오. 당당하고, 매끄럽고 또한 내가 당신을 어루만질 때마다 그 모습이 계속 변하고 있소. 그렇소, 나의 여인…….」

레바는 그가 자신을 애무할 때마다 스스로가 완벽하게 느껴진다고 말하고 싶었지만, 그의 입술이 부드럽게 가슴 위에 와 닿자 입을 다물고 말았다. 온갖 감각이 온몸을 스치고 지나갔다. 부드러우면서도 까칠까칠한 그의 혀가 가슴 위에 느껴지자, 레바는 흥분에 몸을 비틀었다. 그리고 신음을 내뱉으며 손가락으로 그의 머리카락을 움켜쥐었다. 그녀는 벌어진 블라우스 사이로 밀어닥치는 한밤의 냉기를 전혀 느낄 수가 없었다. 단지 그의 손길과 자신의 젖가슴을 부드럽게 당기는 뜨거운 입술과 섬세한 고통을 안겨다주는 이의 감촉뿐이었다.

챈스가 머리를 들자, 그녀는 거부하듯 작은 신음 소리를 냈다. 그녀는 더 많은 것을 원했다. 그는 부드럽게 웃음을 터뜨리며 단단한 혀끝으로 젖가슴 끝을 지분거렸다. 온몸으로 불길이 퍼져나가자, 레바는 몸을 굽히며 그에게 조금 더 많은 것을 원했다. 그의 손이 그녀의 다른 쪽 가슴을 어루만지는 것과 동시에 손가락으로는 젖꼭지를 스치며 흥분에 몸을 떠는 그녀의 반응을 즐겼다.

레바의 몸이 다시 부드럽게 휘자, 챈스는 그녀의 두 다리 사이로 자신의 흥분된 몸을 느낄 수 있도록 움직였다. 그녀를 보려고 머리를 들자, 챈스는 자신을 바라보며 너무나 아름다운 미소를 짓고 있는 레바를 발견했다.

「고맙소.」

작고 가벼운 키스를 퍼부으며 챈스가 말했다.

「여자들은 애무 받는 것을 좋아하지만, 대부분의 경우 남자의 욕구 때문에 제대로 이뤄지지 않는 경우가 많소. 당신이 꼭 그런 경우라고 생각진 않지만, 그 덕분에 이혼 후 다른 남자와 잠자리를 하지 않았던 거라는 생각이 드는군.」

한순간 레바의 얼굴 위로 당혹스러움이 드러났다. 그녀는 두 손으로 그의 등과 척추를 따라 어루만지며 그의 힘과 평안함을 즐겼다.

「나는 날 원하는 남자들을 바랐던 게 아니었어요. 하지만 당신은…… 내가 당신을 원해요, 챈스. 당신이 날 원한다는 것만으로도 한번도 느껴본 적이 없는 굉장한 흥분이 일어나거든요.」

「그렇소?」

레바의 눈을 보면서 그는 부드럽게 물었다.

「그래요.」

그녀가 속삭였다.

레바는 그의 셔츠의 맨 윗단추를 푼 뒤, 그가 몸을 굴려 달라붙어 있는 셔츠를 벗을 수 있도록 나머지 것도 다 풀어주었다. 햇볕으로 그을린 근육질의 피부 위를 달빛이 비추면서, 그 위로 움직이는 그녀의 손가락을 따라 그림자를 만들어내고 있었다. 그녀의 손톱이 헝클어져 있는 털들 사이를 가볍게 긁으며 그의 작은 유두 위를 스쳐 지나가자, 그의 욕구는 더욱 커져만 갔다.

「당신도 좋아하는군요.」

새로운 발견에 대한 기쁨이 드러나는 목소리로 챈스는 말했다.

「이것도 좋아할까요?」

남성의 유두 위로 혀를 움직이면서, 레바는 그가 자신에게 했던 것과 똑같이 이로 가볍게 잡아당기며 애무했다. 점점 더 커져 가는 욕망과 함께 챈스는 지금 그녀가 자신이 했던 대로 움직인다는 사실을 깨달았다. 그녀는 부드럽게 웃으며 탐험을 계속했다. 일순 그녀의 움직임을 막은 챈스는 재빨리 몸을 움직여 그녀의 위로 올라왔다.

「다음번에는 당신이 날 가지고 놀아도 될 거요.」

검은 수염 아래로 하얀 이와 붉은 혀를 드러내며 챈스는 그녀를 향해 몸을 숙였다.

「하지만 지금은 아니오. 우선 당신에게 보여주고 싶은 게 너무나 많소. 그리고 당신은 날 너무나 굶주리게 만들고 있소, 채튼.」

챈스는 그녀의 가슴에 대고 속삭이듯 덧붙였다.

「너무나 굶주려 더 이상은 참을 수가 없소.」

그의 손이 그녀를 탐닉하며 남아 있는 옷들을 벗기고, 매끄럽고 여성스러운 온몸의 곡선들을 음미했다. 그녀의 알몸이 달빛 아래에 드러나자, 챈스는 타는 듯한 은빛 눈동자로 그녀를 살펴보았다. 한참 동안 그는 자신의 혈관 속을 미친 듯이 질주하고 있는 굶주림을 제어하려고 안간힘을 썼다.

「챈스?」

「괜찮소.」

거친 목소리로 그가 답했다.

「내가 이토록 한 여성을 원하게 될 거라고는 생각도 하지 못했소. 하지만 이제는 알겠소.」

그는 재빠른 동작으로 자신의 옷을 모두 벗어 던지고 그녀의 옆에 누워 가볍게 어루만지자, 그녀의 관자놀이에서부터 발끝까지 흥분이 밀려들었다. 섬세한 그의 손짓에 레바는 점점 더 거세게 타올랐다. 그녀는 그의 손아래 몸을 비틀며 침묵 속에서 더 많은 것을 요구했다. 챈스는 진한 키스로 그녀의 요구에 화답했다. 그의 손이 젖가슴보다 더 낮은 곳으로 내려가면서 그녀의 긴장된 피부와 엉덩이 그리고 허벅지의 매끄러운 곡선을 따라 어루만지자, 레바는 더 친밀한 손길을 바라는 듯한 신음 소리를 냈다.

마침내 챈스의 손이 천천히 내려와 허벅지 사이의 따스한 곳을 찾아 움직이며 부드럽고 뜨거운 습기를 느낄 수 있게 되자, 그는 레바가 자신을 원하고 있다는 사실에 대한 의심을 모두 떨쳐버릴 수 있었다. 그는 부드러운 애무를 계속하면서 그녀가 원했던 친밀한 감각을 조금씩 일깨웠다. 쾌락에 겨운 그녀의 비명 소리와 함께 그는 자신의 온몸을 타고 흐르는 땀방울을 느낄 수 있었다. 욕구와 억제로 인한 긴장으로 그의 젖어 있는 온몸이 달빛을 받아 마치 깨끗하게 닦여진 돌덩이처럼 보였다.

레바는 자신을 내리치는 전율과 흥분으로 흐릿해진 눈을 떠 그를 바라보았다.

「호랑이 신!」

경이로움으로 가득한 속삭임과 함께 그녀의 손이 그의 단단한 몸을 따라 미끄러졌다.

챈스는 거친 신음 소리와 함께 그녀의 온몸을 감싸안고, 손가락 사이로 빠져나가는 비단자락을 움켜쥐듯 그녀의 머리카락을 붙잡았다. 조금씩 커져 가는 그의 움직임에 그녀의 몸 안으로 빛과 함께 쾌락이 퍼져 나갔다. 그는 강철같은 자제력의 끈을 놓은 채, 그녀의 절정을 함께 공유했다.

남아 있던 절정의 여운이 가라앉으며 다시 고르게 숨을 내쉴 수 있을 때까지, 챈스는 그녀를 꼭 끌어안고 있었다. 그는 그녀의 얼굴을 기억하려는 듯 계속해서 가볍게 키스를 퍼부었다. 레바는 만족과 즐거움이 뒤섞인 한숨을 내쉬었다. 그녀를 끌어안은 채 들어올린 챈스는 두 사람의 친밀한 접촉을 풀지 않고 몸을 옆으로 굴렸다.

「이런 일이 일어날 줄 알았다면…….」

그녀의 귀에 대고 챈스는 웅얼거렸다.

「침낭 매트리스까지 챙겨오는 건데. 딱딱한 바닥 때문에 당신의 사랑스러운 피부에 상처가 생긴다는 게 마음에 들지 않는군.」

「전혀 몰랐어요.」

그의 따스함을 쫓아 레바는 그의 품안으로 바싹 다가갔다.

챈스는 미소를 지으며 혀끝으로 그녀의 귓불을 희롱했다.

「추워지면 말하시오.」

「그럼, 어떻게 해줄 건데요?」

가슴털을 손바닥으로 문지르며 레바는 나른하게 물었다.

「다시 옷을 입혀줘야지.」

「차라리 그냥 추위를 타는 게 낫겠어요.」

그가 자신을 만족시켜주었던 것만큼 자신도 그를 완벽하게 만족시켜주었다는 확신에 자신감 있는 미소를 지으며 레바는 말했다. 너무나 새롭고, 평안하면서도 대담한 느낌이었다.

소리 없는 웃음으로 그의 가슴이 울리고 있었다.

「대신 내 옷은 당신이 입혀주면 되지 않겠소.」

레바는 그를 향해 얼굴을 들었다.

「옷을 입지 않고 있는 것이 더 기분 좋지 않아요?」

「당신도 그런가보군.」

챈스는 여전히 그녀의 가슴을 어루만지면서 그 친밀한 접촉을 즐겼다.

「그리고 내가 어루만질 때면, 당신의 기분이 더 좋아지는 것 같군.」

레바는 자신의 열정을 숨기려 하지 않소 그를 꼭 끌어안았다. 잠시 동안 두 사람은 서로를 가슴에 품은 채 아무런 말없이 누워 있었다. 부드러운 곡선을 따라 배회하는 그의 손을 제외하고는 두 사람은 아무런 움직임도 보이지 않았다.

언덕 기슭의 잡목 위로 바람이 스쳐 지나가고, 풀잎이 몸을 숙이며 달빛 아래에 흔들리고 있었다.

「추운가보군.」

그녀의 피부가 차가운 바람으로 인해 소름이 돋는 걸 느낀 챈스가 밀했다.

레바는 그의 품에서 떨어지고 싶지 않았기 때문에 아무런 말도 하지 않았다. 너무나 큰 쾌락과 평온을 주었던 그의 품에서 벗어나 꿈에서 깨어 옷을 입어야 한다는 사실이 마음에 들지 않았다.

주저하는 듯한 키스와 함께 챈스는 그녀에게서 몸을 떼고 옷가지들을 모았다.

「아니오.」

레바가 청바지를 향해 손을 뻗자 그가 제지했다.

「내가 하겠소.」

보라색 레이스 속옷이 달빛 아래에서는 검은색으로 보였다. 그는 피부 위에 자리잡고 있는 레이스를 따라 움직이며 느린 키스를 퍼부은 뒤, 천천히 그녀에게 청바지를 입히고 단추를 채워주었다. 블라우스를 집어들자, 작은 보석 같은 단추들이 반짝이며 윙크를 하고 있었다. 그는 부드러운 헝겊을 그녀의 팔과 어깨로 집어넣었다. 그런 다음 아래서부터 재빠른 손길로 단추를 채웠다.

그녀의 가슴 위에 있는 단추에 손이 닿자, 챈스는 잠시 손놀림을 멈추고 고개를 숙였다. 그리고 젖가슴을 입술로 애무하며 흐르는 듯한 낯선 언어로 뭐라고 중얼거리고는, 어쩔 수 없다는 듯한 동작으로 서둘러 나머지 단추들을 채웠다.

「좀 따스해졌소?」

손등으로 그녀의 볼을 어루만지며 챈스는 부드럽게 물었다.

「네.」

그녀의 목소리는 가볍게 떨리고 있었다.

「하지만 옷 때문은 아닌 게 확실해요.」

어둠 속에 가려진 얼굴 위로 하얀빛처럼 미소가 번져 나갔다. 챈스는 걸음을 옮겨 자신의 옷가지들을 챙겼다. 레바는 재빨리 몸을 움직여 눈에 보이는 모든 것들을 다 집어들었다. 그리고 소유욕을 드러내며 옷가지들을 끌어안은 채 그의 앞에 무릎을 꿇었다. 그는 알 수 없다는 시선으로 그녀를 내려다보았다.

「이제는 내가 당신에게 입혀줄 차례인 것 같군요.」

「날 벗기는 게 더 재미있을 텐데…….」

천천히 챈스가 입을 열었다.

「명심해두죠.」

레바가 새침하게 약속했다.

품속에 들어 있는 옷가지 중 처음 끄집어낸 건 챈스의 셔츠였다. 레바는 나머지 것들을 옆에 내려놓고 자리에서 일어섰다. 그녀는 우선 한쪽 팔을 그리고 나머지 팔에 셔츠를 끼워 넣었다. 바싹 다가가 구겨진 헝겊과 그의 가슴을 함께 문지르며 그녀는 강인한 힘과 근육질의 몸, 그리고 까칠하게 느껴지는 털의 감촉을 즐겼다. 마지막 단추를 채운 뒤, 발끝으로 서서 그에게 키스를 했다. 그녀를 감싸안은 그의 팔에 힘이 들어갔다.

챈스가 팔에서 힘을 빼자, 레바는 미끄러지듯 그의 품에서 빠져나와 다시 발 밑에 무릎을 꿇었다. 나머지 옷가지들을 향해 손을 뻗던 그녀는 잠시 주저하더니 들었던 옷을 다시 떨구었다.

「아직은 아니에요.」

속삭이듯 말을 한 레바는 단단한 기둥처럼 보이는 그의 다리를 따라 손을 움직였다.

챈스의 근육이 움직이더니, 그녀의 손길 아래 무릎이 약간 굽혀졌다. 무수히 많은 정글과 사막에서 검게 그을린 검은 피부 아래의 근육들이 꿈틀거리고 있었다. 레바는 근육투성이의 종아리를 손으로 쥐어보며 그의 강한 힘을 만끽했다. 희미한 미소와 함께 그녀는 눈을 감고 종아리에서 허벅지 근육 위로 손가락을 움직여 갔다. 마치 자석에 이끌리듯, 그녀는 그의 허벅지 위에 뺨을 문질렀다. 거친 피부 아래에서 따스함과 단단함이 느껴졌다.

바람이 다시 불어닥치자 맨다리 위로 머리카락이 날아올라 차가운 비단처럼 그의 엉덩이와 허벅지를 어루만졌다. 그녀는 계속 허벅지 위로 뺨을 문지르면서 손가락으로는 그의 다리를 샅샅이 관찰했다. '호랑이 신'의 남성적인 상징을 제외하고.

갑자기 레바는 단호하고 거친 손길에 의해 자신의 몸이 들어올려지는 것을 느꼈다.

「왜 그래요? 이게 싫어서……」

챈스의 뜨거운 은색 눈을 본 순간, 그녀의 질문은 목구멍 속으로 사라져버렸다. 한 시간 전과는 전혀 다른 힘과 열기가 담긴 키스에 레바는 두려움을 느끼는 동시에 자신도 모르게 그 열기에 휩쓸려 들어갔다. 그녀는 그의 머리카락 속으로 손가락을 찔러넣고, 그로 인해 알게 된 갈망과 굶주림을 드러내며 키스를 했다. 그의 손이 그녀의 몸 위로 스쳐 지나가며, 방금 전 조심스럽게 입혀주었던 옷들을 거칠게 벗겨내었다.

손가락들이 떨려와 레바는 챈스의 셔츠 단추를 풀 수가 없었다. 강한 힘을 가진 손이 그녀 등뒤로 넘어와 엉덩이를 감싸안고 번쩍 들어올려, 그녀의 몸을 자신에게 맞추었다. 그 친밀한 접촉에 레바의 온몸에서 열기가 뿜어져 나왔다. 쾌락과 욕구 그리고 항복의 의미가 담긴 작은 신음 소리가 그녀의 목을 타고 새어나왔다.

챈스는 달빛이 은은하게 비추이는 바닥에 레바를 내려놓고, 그녀의 부드러움 속으로 더 깊게 들어갔다. 그러고는 충만함으로 가득 찬 그녀의 울음소리와 함께 그녀에게서 받았던 모든 것들을 더욱 거친 열정과 절정으로 되돌려주었다.

다시 제대로 숨을 고를 수 있을 만큼 시간이 흐른 뒤, 챈스는 몸을 일으켰다. 그리고 레바의 얼굴을 두 손으로 감싸쥐고 미동조차 없는 그녀의 온몸을 끌어안은 채, 마치 한번도 본 적 없는 사람을 보듯 그녀의 얼굴을 바라보았다. 끝없는 애정을 담아 그녀의 입술 위로 몸을 숙여 달콤한 키스를 했다. 레바는 아직까지 자신의 몸 속에 남아 있는 절정의 여운을 음미하듯 천천히 몸을 흔들었다.

「사랑해요.」

두 손으로 그의 얼굴을 감싸쥐며 레바가 속삭였다.

챈스는 다시 그녀에게 키스하면서 꼭 안아주는 것으로 대답을 대신했다.

「나는 말로 표현할 수 있을 만큼 사랑에 대해 아는 게 없소. 내가 아는 건, 그저 당신과 같은 여자는 이 세상에 없었다는 거요.」

레바는 목구멍을 타고 올라오는 아픔과 싸우며 손가락 끝으로 관능적인 입술을 따라 선을 그렸다. 자신의 눈썹 사이로 떨어져 내리는 눈물 방울을 그가 보지 못했기를 바라며 그녀는 눈을 감았다. 그런 다음 목소리를 가다듬은 뒤 조용히 말했다.

「지금까지 중에는 최고라는 말이군요. 그 말도 괜찮은데요.」

「채튼.」

「괜찮아요.」

그의 입술을 손가락으로 막으며 레바가 말했다. 그가 무슨 말을 하든 그녀가 듣고 싶은 말이 아니라면 차라리 침묵이 더 나았다.

「난 어른이에요, 챈스. 그러니 허황된 약속 같은 건 필요 없어요. 우리는 서로에게 커다란 기쁨을 주었고, 그것으로도 충분해요.」

그의 입술을 자신의 입술로 문지르며 레바는 말했다.

레바가 자신에게서 벗어나려는 것을 느낀 듯, 챈스는 그녀의 머리카락을 세게 움켜쥐었다. 그는 열정과는 다른 굶주림으로 그녀에게 키스를 했다. 그녀는 그의 이마에 흘러내린 머리카락을 부드럽게 쓰다듬으며 마치 상처받은 것이 자신이 아니라 그인 것처럼 무의식중에 그를 위로해주고 있었다.

「레바.」

감정으로 거칠어진 목소리로 그가 말했다.

「말하고 싶은 게…….」

「걱정하지 말아요. 이제 다 이해했으니까요. 다시는 사랑이라는 말을 꺼내 당신을 얽매지 않겠어요.」

그녀가 조용히 말했다.

「그런 말이 아니라…….」

「나 추워요, 챈스. 이제 야영지로 돌아가야 할 때인 거 같군요.」

챈스는 그녀를 내려다보았다. 절망감으로 그의 입술이 가늘게 다물어져 있었다. 그녀의 알몸을 끌어안으려 했지만, 레바는 더 이상 다가오려 하지 않았다. 다시 한 번 그는 이 자리에서 그녀가 다시는 자신에게서 벗어날 수 없을 때까지 사랑을 나누고 싶은 유혹을 느꼈다. 그런 유혹이 그의 얼굴에 적나라하게 드러나고 온몸이 긴장으로 굳어졌다.

「당신은 내게 특별한 존재요.」

방금 전까지 빛을 뿜고 있던 눈동자를 살펴며 챈스가 말했다. 그녀의 입술에 부드럽게 키스를 했지만, 그 어떤 부드러움도 이제는 남아 있지 않았다.

「젠장, 레바, 당신은 그냥 좋은 잠자리 상대 이상의 존재요.」

「그러나 좋은 사랑에는 미치지 못하는 존재이죠.」

비틀어진 미소를 지으며 그녀는 덧붙였다.

「괜찮아요, 챈스. 물론 사랑을 나누는 것에 대해 그리 많은 연습은 없었지만…… 곧 익숙해지고 즐길 수 있게 될 거예요. 하지만 지금은 아니에요, 괜찮죠? 아무래도 회복할 만한 시간은 있어야죠.」

지금 그녀의 말이 사랑을 나눈 것에 대한 회복을 의미하는 게 아니라는 것쯤은 챈스도 잘 알고 있었다. 하지만 그녀가 지금보다 더 멀리 달아나기 전에 그녀를 놔주어야 한다는 것도 알고 있었다. 그는 마지막으로 키스를 한 뒤 그녀에게서 몸을 뗐다.

챈스가 옷가지를 모으자, 레바는 아무 말 없이 손을 내밀었다. 그것들을 건네주기 전에 그가 잠시 주저하자, 그녀는 스스로 옷을 입는 편이 낫을 것 같다고 조용히 말했다.

레바는 주저 없이 옷을 받아 걸치고, 챈스에게 너무나 많은 쾌락을 주었던 단추들을 서둘러 채웠다. 그러고는 자리에 앉아, 익숙하지 못한 모양의 매듭과 싸우며 야영용 신발 끈을 묶었다. 챈스는 이미 옷을 다 입고 한 손에는 손전등을 다른 한 손에는 엽총을 든 채, 달빛 아래에 서서 기다리고 있었다.

그때 언덕 바로 아래의 덤불 속에서 나뭇가지 부서지는 소리가 커다랗게 울려 퍼졌다. 순간 챈스는 엽총을 엉덩이에 붙인 채, 순식간에 약실에 총알을 장전하면서 소리가 난 쪽으로 몸을 돌렸다. 손전등에서 나오는 눈부신 하얀빛이 원형을 그리며 주위를 비추었다. 예상치 못했던 빛의 홍수에 어린 사슴이 앞발을 쳐들고 얼어붙은 듯 멈추어 서 있는 모습이 보였다. 손전등의 빛이 깜박이며 좌우로 흔들리자, 사슴은 재빨리 몸을 돌려 잡목 숲 속으로 사라졌다.

가쁘게 숨을 몰아쉬며 레바는 멀리 사라져 가는 발자국 소리에 귀를 기울였다. 챈스의 모습이 그녀의 머릿속을 가득 메우고 있었다. 그의 빠른 몸놀림, 그리고 총신과 같은 방향을 정확하게 비추는 손전등은 말 그대로 무엇이 나타나든 그의 조준범위에 있다는 의미였다. 비록 방아쇠를 당기지는 않았다고 해도. 레바는 같은 상황에서 그의 반만큼이라도 주위를 구별할 수 있을지 의심스러웠다. 어둠 속에서 들려오는 갑작스러운 소리에 레바는 심장박동이 빨라지는 동시에 마약 밀수꾼들이 복수를 위해 몰려온 것은 아닌가 하는 두려움에 빠졌었다. 그리고 아직도 그녀의 손이 떨리고 있었다.

챈스는 그녀 앞에 무릎을 꿇고 신발 끈을 묶어준 다음, 그녀를 번쩍 들어올려 꼭 끌어 안아주었다. 레바는 주저했지만 이내 그에게 팔을 돌려 마주 안았다. 챈스가 어떤 사람이든 그리고 무슨 말을 했든 간에 그건 중요하지 않았다. 그녀에게 그는 너무나 친절한 사람이었다. 그것으로 충분했다.

아니, 그래야만 했다.

7

레바는 자리에서 벌떡 일어나 앉았다. 심장은 거칠게 뛰고 있었다. 주변은 온통 어둠뿐이었고, 산등성이 위로 비치던 희미한 달빛마저도 이제는 보이지 않았다. 머리 위로 차갑게 빛나는 수천 개의 별들 때문에 어둠은 더욱 짙게만 느껴졌다. 그녀는 자신이 무엇 때문에 잠에서 깨어난 건지 궁금하게 여기며 몸을 떨었다.

「다시 잠을 자요, 채튼.」

그녀의 옆에서 굵은 목소리가 조용히 속삭였다..

「아무것도 걱정할 필요가 없소. 단지 드래곤의 꼬리가 움직였던 것뿐이오.」

「뭐라구요?」

되묻는 순간, 레바는 그의 말을 이해할 수 있었다.

「아, 지진이요.」

「그렇소. 우리 아래에 묻혀 있는 투어말린들이 조금 더 부스러졌을 뿐이오.」

하품을 하며 레바는 다시 자리에 누웠다. 그는 손을 뻗어 그녀를 자신의 품속으로 가까이 잡아당겼다. 지난밤 챈스는 그녀의 저항을 무시한 채 두 개의 침낭을 하나로 연결했다. 그리고 지금 레바는 이 친밀한 둥지가 너무나 마음에 들었다. 그의 어깨에 머리를 기대고 가슴 위에 손을 얹자 마음이 편해지는 것을 느꼈다. 그녀는 다시 하품을 했다.

챈스는 부드럽게 웃으며 그녀의 머리카락에 얼굴을 문질렀다.

「뭐가 그렇게 재미있는 거죠?」

졸린 목소리로 레바가 물었다.

「당신이오. 로스앤젤레스에 사는 사람 중에서도 사슴을 보고 겁을 내고, 지진에 하품하는 사람은 그리 흔치 않을 거요.」

「그냥 조금 흔들린 것뿐이잖아요.」

잠에 취해 그녀가 중얼거렸다.

「사슴도 그렇게 크지는 않았소.」

처음 몇 분 동안은 남아 있던 여진으로 인해 불안한 마음이 가시지 않았지만, 레바는 새벽녘까지 다시 깨어나는 일없이 잠을 잘 수 있었다.

깊은 잠에서부터 천천히 깨어나면서 처음으로 인식한 건, 챈스의 따스한 피부와 자신을 어루만지는 손 그리고 물결처럼 밀려드는 쾌락이었다. 그의 입술이 그녀의 관자놀이에서부터 배꼽까지를 애무하며 숨막힐 듯한 열기를 만들어내고 있었다. 반쯤은 잠에 취한 채 그의 손길 아래 완전히 녹아든 레바는, 나른하고 힘없이 누워 그녀의 '호랑이 신'이 일으키는 불꽃에 몸을 태워 갔다.

마침내 챈스가 그녀 안으로 들어오자, 레바는 그의 이름을 외치며 단지 그만이 끝낼 수 있는 달콤한 고통을 조금이라도 더 연장시키려 노력했다. 그는 천천히 힘있게 움직이며 매번 밀려드는 쾌락과 함께 더욱 깊숙이 파고 들어가, 그녀가 아무런 저항 없이 모든 것을 내놓을 때까지 밀어붙였다. 챈스 또한 그녀의 부드러움과 열기에 압도당해 그녀가 부르는 절정의 노래에 깊숙이 빠져들었다.

그후로도 한참 동안 챈스는 가만히 레바를 끌어안은 채, 입술과 손으로 부드럽게 그녀를 어루만졌다. 레바는 말없이 누워 그의 딱딱하고 매끄러운 몸을 느끼며 자신이 누구인지를 천천히 인식해 가고 있었다. 레바는 두근거리는 가슴을 진정시키며 자신이 아무런 예고도 없이 그를 받아들였음을, 아니 싫다고 말할 아주 작은 기회도 갖지 못했음을 되새겼다. 챈스는 일부러 그런 기회를 주려 하지 않았는지도 몰랐다. 하지만 너무나 특별한 쾌락을 나누고 난 뒤라 레바는 그에게 화를 낼 힘조차 남아 있지 않았다.

「날 용서하시오.」

그녀의 뺨에 대고 챈스가 속삭였다.

「지난밤, 내가 당신을 너무 심하게 몰고 간 건 아닌지 알아야 했소. 그리고 당신에 대해 잘 알지도 못하는, 아니 별 관심도 없이 스쳐 지나간 사람들에 의한 문명화된 방식이나 기대가 아니라, 당신이라는 인간 그 자체에 대해 알려고 노력했어야 했소. 이제는 알고 있소. 우리 둘 사이에 무슨 말이 있었건 간에, 내가 당신을 원하는 것만큼이나 당신 또한 나를 원하고 있소.」

레바는 사랑 또한 '문명화된 기대'에 속하는 건지 궁금했다. 챈스에게 언급했던 대로 그녀는 묻지 않았다. 다시는 사랑에 대해 말하지 않겠노라고 그녀는 약속했고, 가능한 오래 그 약속을 지킬 생각이었다. 약속을 깨는 날이 바로 무슨 대가를 지불하든, 뒤도 돌아보지 않고 그에게서 떠나야 하는 날이 될 것은 자명했다.

「레바? 지난밤 일 때문에 아직도 화가 나 있는 거요?」

두 손으로 그녀의 뺨을 감싸쥐고 황갈색의 빛나는 눈동자를 응시하며 챈스가 물었다.

「아니에요.」

자신의 정직한 대답 속에 들어 있는 슬픔을 감지하는 것을 막기 위해 레바는 그에게 키스를 했다.

「어떻게 내가 그럴 수 있겠어요. 당신은 내게…… 아름다움을 주었는데요.」

거친 신음과 함께 챈스는 그녀를 고통스러울 정도로 꼭 끌어안았다. 그녀는 아무런 저항 없이 거세게 그의 품에 안겨들었다. 오늘 아침 레바는, 아주 간단하고 가슴 아픈 진실을 알게 되었다. 레바 파렐에게는 다른 어떤 남자의 사랑보다도 챈스 워커가 자신을 원한다는 게 더 중요하다는 사실을.

「그렇다면…….」

오랜 시간이 흐른 뒤, 마지못해 팔을 풀면서 그가 말했다.

「이제 침대에서 일어날 때요.」

「룸서비스용 종은 찾을 수가 없군요.」

「종은 없소. 그저 마법뿐이오.」

「난 마법을 믿어요.」

「그렇소?」

「그럼요.」

웃음기를 띤 채 레바는 대답했다.

「분명 옷을 입고 잠자리에 들었는데, 당신은 입고 깨어났잖아요. 마법이 아니면 어떻게 이런 상황을 설명할 수가 있죠?」

챈스는 호랑이처럼 미소를 지었다.

「당신이 원한다면 상세하고 원색적으로 설명해줄 수 있소. 아주

원색적으로.」

　침낭 지퍼를 연 챈스가 그녀를 일으켜 세웠다. 알몸의 두 사람은 서로에게 전혀 어색함을 느끼지 못하고 있었다. 눈부신 황금빛 새벽 햇살이 마치 벌꿀처럼 그의 피부 위로 흘러내리며 그의 몸을 부드러운 그림자와 윤곽으로 보이게 만들었다.

　「내가 틀렸어요.」

　레바가 나직하게 속삭였다.

　챈스는 불꽃처럼 우아하게 그녀를 향해 몸을 돌렸다. 레바를 바라보는 그의 눈동자가 녹색으로 변해 가고 있었다.

　「당신은 '호랑이 신'보다 더 아름다워요.」

　순간, 그의 표정이 변하면서 온갖 감정이 스쳐 지나갔다. 마침내 그가 입을 열었을 때, 목소리는 심하게 갈라져 나왔다.

　「눈을 감으시오, 나의 여인. 아니면 오늘 아침식사는 내가 될 테니까.」

　천천히 검은 눈썹이 아래로 내려와 레바의 빛나는 황갈색 눈동자를 가렸다.

　토끼가 나뭇조각을 밟고 지나가는 소리가 들리기 전까지, 그녀는 반쯤 잠든 상태로 침낭 속에 누워 있었다. 레바는 눈을 뜨고 챈스를 찾아보았다. 청바지와 검은 플란넬 셔츠를 입고 가죽 재킷을 걸친 채 얼마 떨어지지 않은 곳에 서 있는 그의 모습은, 거친 황야와 굉장히 잘 어울렸다. 챈스는 그녀에게 등을 보인 채 일을 하고 있었다. 레바는 장작을 쪼개는 그의 능숙한 솜씨에 감탄했다. 갑자기 그녀의 시선을 느낀 듯, 그가 어깨 너머로 시선을 돌렸다.

　「몇 분 후면 커피가 될 거요. 스테이크와 계란이면 되겠소?」

　「육식성이군요.」

레바는 고양이처럼 기지개를 켜고, 서둘러 침낭 안으로 팔을 집어 넣었다.

「우우우…… 이 호텔의 관리에 대해서 별 불만은 없지만, 이건 좀 우습군요.」

불평 섞인 목소리로 말을 꺼내며 그녀는 침낭에서 눈만 빼꼼히 내밀었다.

「내가 대신 지배인에게 전해주겠소.」

미소를 지으며 챈스가 약속했다.

「그렇게 해주세요. 그리고 덤으로 세탁 서비스 담당에게 내 옷은 어떻게 된 건지도 물어봐주세요.」

「그거라면 침낭 안의 내 자리를 살펴보시오.」

레바는 손으로 주위를 더듬어 옷을 찾아낸 다음, 그것들을 집어들고 살펴보았다.

「당신 옷은 깨끗하군요. 하지만 내 건 그렇지가 않잖아요.」

비난하듯 레바가 말했다.

「도요타에 갔다 와야겠군.」

레바는 의기양양하게 미소를 지었다.

「당신이 이해할 줄 알았어요.」

웃음을 터뜨리며 챈스는 도요타로 걸어가, 레바가 갈아입을 수 있는 옷가지를 꺼내왔다. 그는 그것들을 그녀에게 건네준 뒤 잠시 기다렸다. 그리고 상황은 그를 실망시키지 않았다. 차가운 옷가지를 받아든 순간, 레바는 비명을 질렀다.

「침낭 안에 넣어두시오. 그럼, 내가 면도하고 올 때쯤이면 따스해질 테니까.」

웃음을 참느라 숨막히는 듯한 목소리로 챈스가 말했다.

혼잣말로 불평을 늘어놓으며 레바는 그가 시키는 대로 했다. 옷가지들에서 더 이상 냉기가 느껴지지 않자, 그녀는 옷을 꺼내들었다. 그가 가져온 청바지는 전날 입었던 것처럼 몸에 딱 맞았다. 셔츠는 많은 단추들이 달려 있던 블라우스보다는 좀더 실용적이었다. 오렌지색과 적갈색이 뒤섞인, 긴 팔 플란넬 셔츠는 입는 즉시 따스함을 느낄 수가 있었다. 그녀는 그 부드러운 헝겊에 볼을 비비면서 만족스러운 한숨을 내쉬었다.

불길이 타오르면서 새벽 하늘 위로 창백한 은색 연기가 올라가고 있었다. 면도를 마친 챈스는 잠시 서서 그녀를 위해 자신이 고른, 부드러운 셔츠에 얼굴을 비비고 있는 레바를 바라보았다. 그리고 미소를 지으며 그녀를 향해 걸음을 옮겼다.

「이제 충분히 따스해졌소?」

그녀는 고개를 끄덕였다. 그런 다음 얼굴 위로 흘러내리는 헝클어진 머리카락들을 쓸어 올리며 말했다.

「한 가지 문제가 있어요.」

「무슨?」

「하녀가 방을 치우면서 내 핀을 어디로 치웠는지 도저히 찾을 수가 없군요.」

「이걸 말하는 거요?」

재킷의 주머니에서 상아로 만든 아름다운 머리 빗을 꺼내며 챈스가 물었다.

「어떻게 그건 줄 알았죠?」

레바가 점잔을 빼면서 되물었다.

「당신 머리카락과 어울리게 호박을 박아 넣은 핀도 있소.」

챈스는 다른 주머니에서 상아와 호박이 섞인 핀을 꺼내며 말했다.

「그건 또 어디로 갔는지 궁금해하고 있었어요. 그런데 왠지 내 핀들이 자꾸 당신 손가락에 달라붙는 버릇이 있다는 걸 당신도 눈치챘나요?」

챈스는 흥미롭다는 듯 자신의 손가락을 살폈다.

「당신 말에 의하면, 금세 당신 핀들이 모두 내 수중에 들어올 거란 말인데…… 당신을 위해 모두 모아두겠소.」

그녀의 뒤에 무릎을 꿇고 앉으며 챈스가 말했다.

레바는 그의 손가락이 자신의 머리카락을 어루만지자 미소지었다.

「이제 아침을 먹을 때요.」

챈스는 그녀의 머리카락을 들어올리고 목덜미에 기나긴 키스를 했다. 그의 수염이 피부 위를 간질이며 부드럽게 쓸고 지나가자, 레바는 소스라치듯 몸을 떨었다. 부드럽게 중얼거린 챈스는 머리카락을 내려놓고 벌꿀색의 물결 위로 빗질을 시작했다. 레바는 순수한 관능적인 즐거움에 신음하며 눈을 감았다. 그는 머리카락을 등 한가운데로 모아쥐고, 치렁거리며 매끄럽게 흘러 내려올 때까지 조심스럽게 빗어 내렸다. 헝클어진 머리카락을 다 푼 뒤에도, 그는 매끄럽고 반짝이는 머리카락 촉감을 즐기면서 단호하면서도 부드러운 손길로 빗질을 계속했다.

「내가 가진 모든 빗을 다 훔쳐가도 돼요.」

레바는 한숨을 내쉬며 재빨리 덧붙였다.

「아니, 그렇게 해달라고 솔직하게 요구하겠어요.」

거칠게 가르랑거리는 듯한 챈스의 웃음소리가 그녀를 설레게 만들었다. 그는 두 손으로 그녀의 머리카락을 모아쥐고 등뒤로 길게 따내려가기 시작했다.

「머리를 틀어 올리지 마시오, 차이나 퀸에서는 조금이라도 낮은 게 편할 테니까.」

그는 머리를 땋은 뒤 재빨리 가죽 끈으로 단단히 묶었다. 그런 다음 스스로의 작품을 감탄하듯, 그녀의 머리 모양을 바라보며 말했다.

「내 천직을 이제야 찾았군. 아무래도 난 귀부인의 하녀가 됐어야만 했소.」

챈스 워커가 부유한 여인의 까다로운 침모 노릇을 한다는 생각에 레바는 터져 나온 웃음에 숨이 막힐 것 같았다. 챈스는 잠시 그녀가 웃도록 놔둔 뒤, 부드럽게 그녀의 머리채를 잡아당겨 등을 감싸안고 웃음이 달아날 정도로 그녀에게 진한 키스를 했다. 그런 다음 침낭으로 그녀를 단단히 감싸주고 아침을 준비하기 위해 자리를 떴다.

스테이크 구워지는 냄새에 레바는 자신이 얼마나 배가 고픈지 깨달았다.

「계란은 어떤 게 좋소?」

「당신이 아는 가장 빠른 방법으로요.」

위가 요동치는 소리를 들으며 레바가 대답했다.

「배가 고픈 거요?」

웃음이 가득 담긴 어조로 챈스가 물었다.

「굶어죽겠어요. 밤 공기와 다른 여러 가지 것들이 식욕을 일으키나봐요.」

「특히나 그 다른 여러 가지 것들이.」

「점잖지 못하게…….」

그녀는 신랄하게 비난하듯 말했다.

챈스는 불이 반사되는 눈동자로 레바를 바라보았다.

「솔직한 거요.」

그가 조용히 말했다.

「절대로 난 당신에게 거짓을 말하지 않을 거요. 심지어 농담이라고 해도. 단, 당신도 내게 거짓말을 하지 않으면 좋겠소.」

레바는 자신이 전부 다 진실을 말한 게 아니라고…… 사랑이란 주제에 대한 자신의 마음을 솔직하게 말하고 싶다고 말하려 했었다.

하지만 그와 자신에 대한 약속을 깨버릴 수가 없었기 때문에 아무런 말도 하지 못했다. 결국 그녀는 미소를 지으며 다른 주제로 화제를 돌렸다.

「차이나 퀸에는 언제 들어가는 거죠?」

순간, 챈스의 머리가 날카로운 속도로 들려졌다. 그의 눈동자는 가늘어졌고, 얼굴은 산처럼 딱딱하게 굳어졌다. 그는 가차없이 레바의 표정을 바라보며 그녀의 미소 아래 놓여진 무엇인가를 살폈다. 일순, 레바의 미소가 사라졌다. 침묵 속에서 레바는, 왜 광산에 대한 말만 언급하면 그가 야만적인 반응을 보이는 건지 궁금했다.

「뭐가 잘못됐나요?」

「아니오. 단지 거짓말과 차이나 퀸이 무슨 관련이 있을까 궁금해했을 뿐이오.」

당혹감에 레바는 잠시 주저했다.

「그런 거 없어요. 당신에게는 두 가지가 관련이 있나요?」

혼란과 솔직함이 담긴 목소리로 그녀가 물었다.

챈스는 얼굴을 돌려 지글거리며 불 속으로 떨어지는 기름을 살펴보았다.

「계란은 두 개? 아니면 세 개?」

아이스박스를 향해 손을 뻗으며 챈스가 물었다.

「두 개요.」

레바는 자신의 질문에 그가 대답하지 않을 거라는 사실을 깨달으며 조용히 말했다. 거짓말도 회피도 없이 단순한 침묵뿐.

잠시 후 챈스는 레바에게 접시를 건넨 뒤, 자신의 것을 들고 그녀 옆으로 와서 앉았다.

「언젠가…….」

챈스가 담담하게 말을 이었다.

「당신의 질문에 대답을 해주겠소. 하지만 지금은 아니오. 당신이 다른 누구보다도 나에 대해 더 많이 그리고 여러 모로 알게 된 후에……. 당신은 아직 나에 대해 전혀 아는 게 없소. 내가 무슨 말을 하던 간에 지금의 당신은 분명 오해하게 될 거요.」

그녀의 손을 붙잡은 챈스는 재빨리 손바닥 위로 입술을 눌러 강하게 키스했다.

「커피는 어떻게 하겠소? 크림? 설탕? 아니면 둘 다?」

「광부의 마음처럼 검게요.」

순간, 챈스의 눈동자가 가늘어졌지만 그는 억지로 미소를 지어 보였다.

「그럼, 블랙이군.」

그녀의 손을 놓은 챈스가 불가로 갔다. 그리고 김이 모락모락 나는 두 잔의 블랙커피를 들고 돌아왔다.

「조심하시오.」

레바가 잔을 향해 손을 뻗자, 그는 부드럽게 말했다.

「이건 어떤 여인의 사랑만큼이나 강하고 뜨거우니까.」

레바는 재빨리 머리를 든 뒤 움직이지 않았다.

「그럼, 마실 수 없겠군요. 식을 때까지 놔둬야겠어요.」

가볍게 말을 받으며 레바는 컵을 받아 옆으로 내려놓았다.

「어떤 건 절대로 식지가 않지.」

자신의 눈과 마주할 수 있도록 손가락으로 그녀의 머리를 기울이며 챈스는 말했다.

「태양, 지구의 중심부, 당신 그리고 나. 우리에게 시간을 주시오, 채튼.」

그의 은녹색 눈동자를 바라본 순간, 그녀는 차마 거절의 말을 할 수가 없었다.

「네.」

두 사람은 식사를 마친 뒤 차이나 퀸을 뒤덮은 울퉁불퉁한 화강암 언덕 위로 내리쬐는 햇빛을 받으며, 자연스러운 침묵 속에 야영지를 정리했다. 마지막 식기까지 치우고 난 뒤 작은 불씨들을 흙으로 묻고, 남아 있는 음식들은 작은 동물들의 손에 닿지 못하게 도요타 안에 집어넣고 문을 잠갔다. 그런 다음 챈스는 레바에게 몸을 돌렸다.

「이제 차이나 퀸 안으로 들어갈 준비는 된 거요?」

흥분으로 레바의 눈동자가 빛났다.

「당신이 영원히 그 말을 꺼내지 않을지도 모른다는 생각을 하고 있었어요.」

챈스는 미소를 지으며 자신이 가져온 장비들, 특히 광산용 램프의 사용법을 설명해주었다.

「건전지 주머니를 벨트에 채우시오. 이 스위치를 켜면 불이 들어오는 거요. 스위치는 세 개가 있는데, 대부분의 경우는 가장 낮은 곳에 있는 스위치의 조명을 사용하오. 일단 불을 켠 뒤에는 말을 나눌 때에도 날 곧바로 쳐다봐서는 안 돼요. 그러다가는 서로의 눈을 보이지 않게 할 수도 있으니까.」

램프가 조립된 헬멧을 머리 위에 씌워준 뒤, 챈스는 가죽으로 만든 끈이 매달린 엽총과 두 개의 손전등, 두 개의 뾰족한 손망치, 두 개의 물통, 곡괭이, 삽, 가죽으로 감싸여 있는 두 개의 사냥용 칼과 작은 등산용 배낭을 바닥에 늘어놓았다. 그런 다음 목수용 허리띠보다 넓게 생긴 가죽벨트에 칼과 망치와 손전등을 매달았다. 그는 그 벨트를 레바의 엉덩이 주위에 묶어주었다. 그녀의 모습을 살펴보던 챈스는 너무나 헐거운 모습에 머리를 흔들었다.

「그런 것들을 들고 다니기에는 너무나 연약해 보이는군.」

사냥용 칼을 가죽 칼집에서 꺼내 버클에 맞게 또 다른 구멍을 만들면서 챈스가 말했다. 그는 다시 그녀에게 벨트를 채워주었다. 이번에는 잘 맞았고, 단단하게 그녀의 엉덩이춤에 고정되었다.

「처음에는 어색하게 느껴지겠지만, 점점 익숙해질 거요.」

「우리가 따로따로 움직이나요?」

자신의 벨트와 챈스의 것에 각각 하나씩 매달려 있는 장비들을 보면서 레바가 물었다.

「사고가 날 거라고 예상하기 때문에 안전벨트를 매는 거요?」

그가 냉소적으로 물었다.

「무슨 말인지 알겠어요. 그럼, 그건 뭐죠?」

하나만 준비된 배낭을 가리키며 레바가 물었다.

「음식이오.」

「그건 두 개가 필요하지 않은가요?」

「음식 없이도 일주일 넘게는 버틸 수 있소. 하지만 물은 또 다른 문제지. 빛 또한 마찬가지요. 사람들은 보통 갈증으로 죽기 전에 이미 어둠을 견디지 못하고 미쳐버리고 마니까.」

레바는 불편하게 몸을 움직였다.

「별로 즐거운 생각은 아니군요.」

마침내 그녀가 입을 열었다.

「시속 백킬로미터로 달리다가 충돌사고가 났다는 소식도 마찬가지지.」

「튜샤(됐어요).」

레바는 한숨을 내쉬었다.

「아직도 퀸 안에 들어가고 싶은 마음은 변하지 않은 거요?」

「네.」

챈스는 레바의 얼굴을 두 손으로 마주잡았다.

「한 가지만 알아두시오.」

그의 은녹색 눈동자를 관찰하면서 레바는 기다렸다.

「뭔데요?」

「일단 퀸 안으로 들어가고 난 뒤에는…… 내가 멈추어 서면 당신도 멈추어 서시오. 내가 뛰라고 말하면 뛰는 거요. 땅을 파지 말라고 하면 파는 일을 멈추고, 조용히 하라고 말하면 조용히 하는 거요. 알겠소?」

레바는 그의 강한 시선을 마주보면서, 챈스가 일시적인 변덕으로 그녀에게 어떤 복종을 요구하는 것이 아님을 확인했다.

「알았어요.」

그녀는 조용히 대답했다.

부드러우면서도 강하게 챈스는 레바에게 키스를 했다.

「무엇보다 솔직하게 말하자면, 난 당신이 차이나 퀸 안에는 들어가지 않았으면 좋겠소.」

거친 목소리로 그가 인정했다.

「광산이란 건 음주운전자들만큼이나 예상할 수 없는 존재니까. 당신에게 무슨 일이 생기는 건 원치 않소.」

「난 포대기에 싸여서 안전하고 따분한 곳에 갇혀 있고 싶지 않아요. 그건 어렸을 때 충분히 겪었다고요. 광산 속에 있는 동안은 당신 말에 복종할 거예요, 챈스. 하지만 그건 내가 어린아이가 아니라 어른이기 때문이라고요.」

레바는 담담하게 말했다.

「잘 알았소.」

챈스가 중얼거렸다. 그런 다음 엄지손가락으로 천천히 레바의 광대뼈를 어루만진 뒤, 한숨을 쉬며 그녀를 놔주었다. 그는 마치 화살통을 매듯 엽총을 덮어씌운 가죽끈을 등뒤로 가로질러 매고 배낭을 흔들어 모양을 잡은 뒤, 자신의 벨트에 묶으며 입을 열었다.

「저 변덕스러운 낡은 광산을 탐험하는 것보다 더 나은 일을 생각해내기 전에 빨리 출발합시다.」

「변덕스럽다뇨?」

그를 따라 걸음을 옮기며 레바가 물었다.

「오늘따라 저 아가씨의 기분이 좋은 편이오.」

챈스는 농담하듯 가볍게 말했다. 그리고 레바를 내려다보고는 그녀의 황갈색 눈동자 속에서 반짝이는 호기심을 발견했다.

「광산이란 배와 똑같은 거요.」

그가 설명했다.

「나름대로의 개성을 가지고 있지.」

「그리고 마찬가지로 광산도 여자군요.」

「그렇소.」

비틀어진 미소를 지으며 챈스가 대답했다.

「그건 대부분의 광부들이 남자이기 때문이오.」

「그리고 당신이 보기에 차이나 퀸은 변덕스럽다고요?」

「대부분의 여자들이 다 그렇지.」

그는 사무적인 어조로 대답했다.

「퀸은 오랫동안 무시당해왔소. 그리고 그녀는 그 사실을 좋아하지 않을 거요.」

「이해할 말한 반응이군요.」

레바는 냉소적으로 대답했다.

챈스는 뭐라고 투덜거리며 퀸의 검은 입 속으로 들어가, 자신의 램프에 불을 켜고 레바가 램프를 켤 때까지 기다렸다. 광산 입구 위로 내려앉는 하얀빛의 폭포 속으로 두 사람의 램프 조명이 마치 투명한 노란색의 물처럼 그 빛을 뚫고 들어갔다.

「일단 좀더 안으로 들어가면……..」

먼지더미와 바위 위로 걸음을 옮기며 챈스는 입을 열었다.

「마치 어깨 바로 위에 산이 올라앉은 듯한 기분이 들 거요. 그러면 잠시 기다리면서 그런 기분이 가라앉거나 아니면 짓누르는 듯한 느낌이 계속되는지 스스로를 점검해보시오. 만일 그런 느낌들이 가시지 않는다면 곧바로 내게 말을 하시오. 부끄러워할 건 전혀 없소. 땅 아래를 걷는다는 게 어떤 사람들에게는 심각한 공포심을 불러일으키기도 하니까.」

「밀실공포증처럼요.」

「원한다면 그렇게 불러도 좋소. 그런 느낌이 들면 곧바로 날 불러요. 땀을 흘리고 비명을 지르는 당신을, 억지로 끌고 밖으로 나오는 불상사는 없어야만 하니까.」

「그런 일을 겪은 적이 있나요?」

갑자기 입술이 바싹 마르는 걸 느끼며 레바가 물었다.

「한 번, 아니 세 번인가. 물론 같은 사람과 같은 경험을 한 적은 없소. 그들은 일단 땅에 대한 믿음을 잃어버리면 다시는 돌아오지 않지.」

「곡괭이 질을 하고 삽으로 파며 탐험하는 것 이상의 무언가가 있나보군요.」

「지독히도 정확한 표현이오.」

챈스는 담담하게 말했다.

남아 있던 희미한 빛줄기마저 조심스럽게 두 사람의 뒤로 사라져 갔다. 칠흑처럼 검은 어둠 속에서 타원 모양의 헬멧 불빛만이 흔들림 없이 터널 안의 어둠을 쓸어 내리고 있었다. 챈스의 얼굴 위를 스쳐 지나가는 불빛에 그의 빰과 턱의 단호한 윤곽이 드러나 보였다. 그의 눈동자는 은백색으로 빛나고 있었다.

터널의 벽은 빛을 흡수하는지, 조명에 씻겨져 내려간 뒤에도 여전히 검은색을 띠고 있었다. 비록 아무런 말도 하지 않았지만, 레바는 조금씩 실망을 느꼈다. 그녀는 무언가 굉장한 것…… 땅 아래 숨겨져 있는 아름다운 보석이 있는 곳을 알려주기 위해 벽들이 번쩍이거나 빛을 뿜어낼 거라 예상하고 있었다.

터널이 두 갈래로 나뉘어지면서 오른쪽 길이 왼쪽 길보다 넓었고, 벽 또한 비교적 밝은 색의 바위로 이루어져 있었다.

「페그마타이트 광맥이오.」

자신의 조명으로 벽을 쓸어 보이며 챈스가 말했다. 빛을 반사하는 광맥 사이에 뒤섞인 운모 조각들과 석영 결정들이 챈스를 향해 깜박이는 모습이, 마치 밤하늘에 총총히 반짝이는 별들을 수놓은 태피스트리처럼 보였다.

「오…….」

레바는 한숨을 쉬는 듯한 소리로 탄성을 내뱉었다.

「이제 상상했던 것과 좀 비슷한 거 같소?」

그녀의 손을 잡으며 챈스가 물었다.

「네, 아름다워요.」

「대부분의 광산은 굉장히 추악한 모습을 하고 있소. 사람 몸이 겨우 들어갈 정도로 작은 구멍을 파 들어가는 것뿐이니까. 투어말린 광산이야말로, 드래곤이 살고 있는 커다란 검은 동굴 속에 반짝이는 아름다운 보석들이 박혀 있을 거라는 아이들의 상상과 비슷한 모습을 한, 몇 안 되는 동굴들 중 하나요.」

「아니면 일곱 난쟁이의 다이아몬드 동굴이거나요.」

챈스가 짧게 웃음을 터뜨렸다.

「세상에서 가장 추악한 장소가 있다면, 그건 아프리카의 다이아몬드 광산이오. 난 아직 그곳보다 더 심한 곳을 본 적이 없소. 금광 또한 거의 맞먹지.」

「보석들이 박혀 있는 수정 결정들은 아름답잖아요.」

「하지만 그런 '보석' 돌 속에서 발견되는 보석이나 금의 양은 굉장히 작소.」

앞으로 나가면서 챈스는 말을 이었다.

「단 한번, 수정 결정 속에 햇살 모양으로 금이 박혀 있는 광석이 한가득 들어 있는 주머니를 본 적이 있소. 진짜 경이롭고, 거의 압도적이었지. 주머니 전체의 크기가 거의 싱크대만큼 컸으니까. 하지만 대부분의 경우는 수 톤의 검은 바위를 정제해서 겨우 몇 온스(약 30그램)의 금을 만들어내는 거요.」

챈스의 머리 위에 달려 있는 램프가 반짝이는 터널 벽을 따라 지나갔다.

「하지만 여기는…… 모든 게 다 번쩍이는군.」

챈스가 부드럽게 말하면서 망치의 날카로운 부분으로 벽을 가볍게 문질렀다. 그러자 작은 광물 조각들이 바닥 위로 떨어졌다.

「다이너마이트를 사용하지 않기로 했던 게 잘한 일인 거 같군. 안 그랬다면 진동으로 인해 이 장소가 완전히 붕괴되었을 테니.」

갑자기 작은 바위 알갱이들이 우수수 떨어져 내리는 소리에 귀를 기울이며 레바는 아무 말 없이 벽을 바라보았다. 그리고 챈스가 자신을 살펴보며, 발 밑에서 약하게 느껴지는 진동에 대한 그녀의 반응을 가늠하고 있음을 깨달았다.

「난 괜찮아요.」

레바는 조용히 말을 이었다.

「단지 이런 광석이 뒤범벅이 된 곳에서는 내 손톱보다 더 큰, 뭔가를 찾아낼 수 있을지 의심하던 중이었어요.」

「팔라 투어말린은 기적이오.」

챈스가 인정하며 덧붙였다.

「엠프레스 광산에서 나온, 원석에 박혀 있는 투어말린의 표본을 본 적 있소?」

「네, 박물관에서 한번 봤어요. 내 손만큼이나 긴 분홍색 투어말린이 불투명한 수정 원석 속에 자리잡고 있더군요. 투어말린 안에는 무수히 갈라진 선들이 보였어요. 수백 개의 선들이요. 커다란 결정의 주위를 감싸고 있는 수정 결정 때문에 쉽사리 부서지지 않고 형태를 유지하고 있더군요. 그 이후로, 어쩌면 그보다 아름다운 무엇인가를 차이나 퀸에서 발견할 수 있을지도 모른다는 망상이 날 괴롭혔죠.」

레바는 머리에 달린 램프로 투명하고 거친 터널의 벽을 이리저리 비추어보면서 그의 말에 동의를 표했다.

「원석 상태의 엠프레스 투어말린 대부분이 그렇게 잘 보존되지는 못했소. 그렇기 때문에 그런 것들이 말 그대로 값으로 따질 수 없는 가치를 지니는 거요. 지구의 어디에서도 그리고 어느 광산에서도 그것들과 비견되는 것을 발견할 수는 없을 거요.」

그의 침착한 목소리가 점점 더 흥분으로 고조되는 것을 느낀 레바는, 차이나 퀸이 챈스와 같은 남자에게도 꿈 — 이 지구상의 한 지점에서 독특한 보물을 발견하겠다는 — 을 실현시키기 위한 수단이 될 수 있음을 깨달았다. 그걸 위해서라면, 분명 터널의 벽이 부서져 내리는 것보다 더 위험한 일도 마다하지 않으리라.

「레바?」

그녀는 챈스가 있는 쪽으로 몸을 돌렸다. 순간, 레바는 자신이 램프의 불빛을 곧바로 그의 얼굴에 집중시켰음을 깨닫고 재빨리 고개를 돌렸다.

「괜찮소?」

「잠시 생각 중이었어요.」

「터널 벽에 대해서?」

「아니, 당신에 대해서요. 어떻게 보면 당신에게도 여기 이곳이 그리고 지금 이 순간이 일생에 있어서 가장 중요한 순간이 될 것이 틀림없다는 생각을요.」

챈스는 고개를 가볍게 움직여, 강한 하얀색 불빛의 약한 가장자리 부분으로 그녀의 얼굴을 비추어보았다. 그리고 아무런 말없이 오랫동안 그녀를 살펴본 다음, 몸을 돌려 자신의 헬멧 불빛으로 벽의 이쪽 저쪽을 비추었다.

「맞소. 나는 여기에 투어말린이 있을 거라고 확신하오. 그것들은 지난 수만 년 동안 발견되어지기를 간절히 기다리고 있는 중이오. 내가 그것들을 찾아낼 거요.」

조용한 목소리 속에 담긴 그의 강렬함에 레바는 잠시 움직일 수가 없었다. 잠시 뒤 그녀는 입을 열었다.

「그건 너무나 위험해요, 챈스. 아무도 내게 차이나 퀸을 안전한 장소로 만들 만한 돈을 빌려주지 않을 거예요. 이 버려진 광산의 소유권의 50퍼센트를 담보로 내놓는다고 해도요. 아니 백퍼센트라고 해도 충분하지 않을 거예요.」

「무언가 길이 있을 거요.」

스쳐 지나가는 벽을 조사하면서 챈스는 터널의 가파른 경사면을 따라 천천히 걸음을 옮겼다.

「뭔가 지독히 원하는 게 있다면 결국 길은 생기기 마련이오.」

레바는 챈스의 불빛이 어두운 터널을 따라 천천히 사라지는 것을 바라보며 항변이나 고함을 지르고 싶은 충동을 억눌렀다. 그녀는 광맥 탐사가 말라리아보다 더 지독한 병이라던 챈스의 말을 이제야 이해하기 시작했다. 챈스는 이제 그녀를 완전히 잊어버린 듯했다. 마치 광산 속에 혼자 있는 듯한 느낌이 밀려들었다. 천천히 레바는 자신이 걸어왔던 길을 따라 불빛을 비추었다. 벽들이 반짝이며 어둠 속을 따라 햇빛이 있는 곳으로 길을 안내해주겠다고 유혹하고 있었다.

레바는 다시 앞으로 시선을 돌렸다. 챈스는 움직이는 작은 원 모양으로 무시무시한 어둠 속에 그녀를 남겨둔 채 멀어져 가고 있었다. 그녀는 몸을 돌려 자신이 차이나 퀸을 빠져나간다 해도 그가 깨닫지 못할지도 모른다는 의구심이 들었다. 어쩌면 그렇게 해야 할지도 몰랐다. 그녀에게는 그의 꿈에 편승해, 어리석은 질문과 동굴 속에서의 서툰 행동으로 그를 방해할 권리가 없었다. 그리고 질투할 권리도.

챈스의 온 관심을 빼앗아간 – 유구한 시간 동안 갇혀 있던 어둠과 반짝이는 광석들의 주는 약속에 – 차이나 퀸에 대한 질투로 레바는 심한 감정의 기복 속에 빠져 있었다.

「레바?」

안심을 시키려는 듯 따스한 목소리가 들려왔다. 마치 그녀의 어깨에서 손가락 끝까지 부드럽게 쓰다듬으며 내려온 그의 손처럼……. 그는 그녀의 손을 꼭 움켜쥐었다.

「이제 야영지로 돌아갈 시간이오, 채튼.」

챈스는 자신의 품안으로 그녀를 잡아당겼다.

「다 괜찮소.」

그는 달래듯 중얼거리며 왔던 길로 다시 돌아가기 시작했다.

「눈을 감아요. 다시 눈을 떴을 때는 태양이 보이고, 무서운 건 아무것도 없을 거요.」

레바는 그의 목에 팔을 감았다.

「당신이 생각하는 것처럼 광산 안이 두려운 게 아니에요.」

「그럼, 뭘 그렇게 두려워하는 거요? 두려워하지 않았다는 말은 하지 마시오. 당신의 얼굴을 보았으니까.」

부드러운 목소리로 그가 물었다.

「당신을 보고 있었어요.」

그녀는 잠시 주저하다가 서둘러 작게 말을 이었다.

「데스 계곡에서 내가 누군지 당신이 몰랐다는 사실이 너무나 기뻐요. 만일 그렇지 않았다면, 난 당신이 원하는 게 나인지 아니면 내 광산인지 절대로 확신을 갖지 못했을 거예요.」

「그런 말은 하지 마시오.」

챈스는 그녀를 힘껏 끌어안으며 거칠게 말했다. 그런 다음 흉폭한 기운이 담긴 은색 눈동자로 그녀를 노려보았다. 그의 헬멧에서 나오는 불빛에 레바는 움찔 뒤로 물러섰다.

「들리오? 듣고 있는 거요?」

「네.」

하얀 불빛도 그의 눈동자도 똑바로 마주볼 수가 없어 레바는 눈을 감은 채 대답했다.

그녀의 귓가에 뭔가 딸각거리는 소리가 두 번 들려왔다. 그리고 그의 입술이 자신을 뜨겁고 탐욕스럽게 소유하자, 레바는 모든 것을 다 잊어버렸다. 거친 신음 소리와 함께 챈스는 그녀의 입술을 열고 달콤한 온기를 들이마셨다. 잠시 동안 레바는 그의 키스 속에 담긴 원초적인 힘에 압도되어 움직일 수가 없었다. 천천히 그녀는 그의 침입에 긴장을 풀고 남자들의 단순한 욕구와는 다른, 그를 향한 노골적인 갈망과 사랑으로 그에게 반응했다.

그녀의 반응을 느낀 챈스는 부드러운 신음을 토해냈다. 그의 입술이 요구 대신 유혹으로, 지배가 아닌 공유로 부드러워졌다. 그녀를 온기와 힘의 울타리 안에 가둔 채 작은 호흡 하나까지, 그리고 욕구로 인한 모든 떨림까지도 그녀와 나누며 챈스는 유혹이 담긴 속삭임을 내뱉었다.

챈스의 단단한 근육질 팔에 기대 머리를 뒤로 젖힌 채, 레바는 그의 따스한 육체에 몸을 붙였다. 그런 다음 성급한 손길로, 챈스에게 자신이 그의 것임을 알렸다.

　아주 오랜 시간이 흐른 뒤, 그는 입술을 들었다.

「챈스…… 난…….」

　여전히 눈을 감은 채 그녀는 날카롭게 말했다.

「아니오.」

　다시 한 번 그녀의 입술에 부드럽고 강렬한 키스를 한 뒤 챈스는 덧붙였다.

「다시는 그런 말을 듣고 싶지 않소, 절대로.」

　레바는 눈을 떴지만, 보이는 건 칠흑 같은 암흑뿐이었다. 그녀는 조그만 빛도 없는 이런 암흑은 단 한번도 구경해본 적이 없었다. 자신의 손가락조차 보이지 않았고, 챈스를 붙들고 있지 않았다면 그가 옆에 있다는 사실조차 믿을 수가 없었을 것 같았다.

　어둠은 마치 살아 있는 생물처럼 무게와 색조를 가지고 주위에 있는 모든 것들을 압도하고 있었다. 그리고…… 만지는 모든 것들 위로 원시적인 어둠의 물결이 내려앉아 아무것도 보이지 않았다. 차가운 냉기처럼 밀려드는 확신과 함께 레바는 왜 사람들이 갈증으로 죽기 전에 미쳐버리는 것인지를 깨달았다.

「챈스, 전등이 어떻게 된 거예요?」

　마음을 진정시키고, 고조된 목소리를 가다듬으려 애쓰며 레바가 물었다.

「눈을 감아요.」

　그렇게 중얼거린 챈스는, 그녀의 눈 위로 못 박힌 손을 얹어 그녀가 자신의 말에 복종했는지를 확인했다.

　그녀는 다시 두 번 딸깍이는 소리를 들었다.

「눈을 뜨시오.」

　손으로 그녀의 얼굴을 옆으로 기울이며 챈스가 말했다.

그의 말대로 눈을 뜨자, 두 개의 하얀 원형의 빛이 다시 동굴을 비추고 있었다. 레바는 한숨을 내쉬며 그에게 몸을 기댔다.

「미안하오. 내가 불을 껐다는 걸 당신이 알고 있을 거라 생각했소. 당신의 눈이 머는 것을 원하지 않았소.」

턱수염으로 레바의 볼을 문지르며 챈스는 말했다. 그의 입술이 목덜미 위에 빠르게 뛰고 있는 그녀의 맥박을 살며시 눌렀다.

「괜찮소?」

「네.」

불빛이 다시 돌아오자, 그녀는 자신이 어리석게 느껴졌다.

「단 한번도 그런 것을 본 적이, 아니 아무것도 보이지 않았어요. 그런 경험은 한번도 없었죠. 암흑 같은 밤에도 별이 한두 개는 떠 있었죠.」

「처음이란 건 항상 충격적인 법이오.」

그녀의 손을 잡고 차이나 퀸 안으로 들어가며 챈스가 말했다.

「어머니가 돌아가신 뒤 사흘 후, 아버지는 날 데리고 광산으로 들어가셨소. 그러고는 불을 꺼버렸지. 아무런 경고도 없이……. 세상의 종말이라도 온 듯한 무서운 어둠뿐이었소. 나는 귀가 멀 정도로 비명을 질렀소. 럭이 날 끌어안고, 내가 비명을 멈출 때까지 어르며 쓰다듬어주었소. 그리고 아버지를 향해 내 귀가 뜨거울 정도로 심한 욕설을 퍼부었소. 럭이 아버지에게 화를 내는 모습을 본 건 그때가 처음이자 마지막이었소. 그후로 난 럭을 경배했소. 나이가 든 뒤에도 그가 날 놀리고 괴롭혀도, 난 그가 물 위를 걸어다닐 수도 있다고 생각했소. 그리고 항상 그에게 보답할 기회를 달라고 기도했지. 하지만 그날 그 기회가 왔을 때…… 난 굴을 파고 있었고, 그는 다이아몬드 광부들과 술을 마시고 있었소. 그리고 자신의 동생이 도움이 되기 위해 달려가고 있다는 사실을 모른 채 그는 죽임을 당했소.」

챈스의 손을 마주잡고 있던 레바의 손가락에 힘이 들어갔다. 그녀는 유감이라고 말하고 싶었지만, 자신의 머릿속에서도 그 말이 너무나 진부하게 들렸다. 그녀가 할 수 있는 유일한 말은 '당신을 사랑해요'였지만 그가 결코 원하지 않을 것 같았다.

「그렇게 슬픈 표정 짓지 마시오. 20여 년 전 일이오. 아주 오래 전이지.」

손가락 끝으로 그녀의 입술을 따라 그리며 그는 중얼거렸다.

「하지만 여전히 아프잖아요. 안 그래요?」

레바는 조용히 물었다.

「그렇소.」

「그렇다면 지금 방금 일어난 것과 마찬가지예요. 그리고 앞으로도 계속 일어날 거구요.」

「처음처럼 그렇게 아픈 건 아니오. 그리고 그리 자주 일어나는 것도 아니고.」

챈스는 레바의 손을 들어 연약한 피부 위에 키스를 했다. 그는 무엇인가 기억해낸 듯 놀라움의 신음 소리를 냈다.

「장갑은 어디에 있소?」

「머리를 긁으려고 벗어버렸어요. 헬멧을 쓴 데가 가려워서요.」

그는 웃음을 터뜨렸다.

「우리가 땅을 팔 때는 그것들을 기억해서 끼시오.」

「당신이 드디어 그 말을 꺼내다니 기쁘군요.」

「장갑?」

「땅을 판다면서요, 언제 그리고 어딜요?」

「인내는 미덕이오.」

「거울을 보면서 그 말을 하시죠.」

그녀가 반박했다.

「앞으로도 몇몇 터널과 모퉁이를 누비고 가야 할 거요. 당신의 조상들은 페그마타이트를 찾아내는 데 있어서는 별 운이 없었더군. 게다가 일부는 지역적인 문제도 있었고. 이곳의 지진은 예상했던 광맥의 방향을 비틀어놓고 악마처럼 교활한 방법으로 그것들을 숨기는 걸로 악명이 높소.」

「그럼, 나머지 문제점은요?」

「무지요.」

챈스는 퉁명스럽게 대답했다.

「이 터널들을 보면…… 진짜 광부들은 몇 명 없었소. 어쩌면 단 한 명뿐이었을지도. 그것도 아주 오래 전의 일이오.」

「증조부이신 미첼 할아버지요.」

레바는 재빨리 말을 이었다.

「아니, 고조부셨던가? 어쨌든 가족의 전설에 의하면, 그분은 남아프리카에서 광부로 일하셨대요. 그분이 사신 땅이 바로 차이나 퀸이에요. 또 그분은 이 주변의 땅에 대한 채굴권도 사셨죠. 하지만 그리 오래 퀸을 소유하지는 못하셨어요.」

「함몰사고를 당한 거요?」

너무나 일상적인 일을 말하듯 광산에서의 사고를 언급하는 챈스의 말투에 레바는 재빨리 숨을 들이마셨다.

「아니에요, 콜레라였어요.」

챈스는 툴툴거렸다.

「그랬군, 광부였군. 나쁜 땅에 나쁜 물 그리고 나쁜 사람들과 나쁜 운.」

「사람들에 대해서는 몰라요. 하지만…….」

「조용.」

레바는 그의 명령 때문이 아니라, 자신의 손가락을 움켜쥐는 강한 손아귀 힘에 놀라 조용히 행동을 멈추었다. 그녀는 숨조차 내뱉을 수가 없었다. 어둠 속 어디에선가 이가 갈리는 듯한 작은 소리가 들려왔다. 잠시 후, 챈스는 손가락에 힘을 풀며 그녀를 놓아주었다.

「느꼈소?」

챈스가 조용히 물었다.

「뭐였죠?」

「드래곤의 꼬리가 움직였소. 아주 약하게, 단지 공기가 흔들리는 정도의 진동이었소.」

그가 중얼거렸다.

레바는 몸을 떨었다.

「나는 아무것도 느끼지 못했어요.」

솔직히, 레바는 아무것도 느끼지 못했다는 사실이 고마울 따름이었다. 광산 안에서 지진을 만난다고 생각하니, 지표면에서 그것도 챈스의 품에 안겨 있을 때와는 달리 굉장히 불안해졌다.

「안전한가요?」

그의 어깻짓이 마치 눈에 보이는 것처럼 생생하게 느껴졌다.

「어떻게 안전해야 안전한 거요?」

챈스가 덧붙였다.

「방금의 진동은 광산을 무너뜨릴 정도로 심각한 건 아니었소. 당신의 질문이 그런 의미라면 말이오. 하지만 다음번에도 그럴 거란 보장은 없소. 밖으로 나가고 싶소?」

「지진이 도망갔으면 좋겠어요.」

레바는 단호히 말했다.

「미안하군. 불을 켜는 것 정도는 할 수 있지만, 지진을 연기시키거나 내쫓는 건 내 능력 밖의 일이오.」

챈스가 가볍게 그녀의 말을 받았다.

「당신은 그리 걱정하지 않는 것 같군요.」

그는 주저했다.

「광산에 들어와 있는 동안은 늘 주의를 기울이고 있소. 전에 내가 이곳에 왔을 때, 난 단지 재빨리 퀸을 둘러보았을 뿐이오. 그때는 그녀가 무시무시한 함정을 파고 기다리거나, 폭발이나 융기를 준비하고 있는 건 아닌지 확인했을 뿐이오. 이곳에도 당신을 데리고 갈 수 없는 터널이 몇 군데 있소. 그리고 나 또한 들어갈 수 없는 터널도 한 군데 있소.」

「어딘데요?」

「우리가 들어왔던 곳의 첫 번째 갈림길의 왼쪽이오. 그곳으로 가는 도중에 보면, 터널의 천장 위로 바위가 널빤지와 함께 매달려 있소. 터널이 만들어졌을 때부터 그랬던 것 같은데, 내일이라도 그 바위들이 모래로 변해 무너져 내리지 않을 거라는 보장은 없소. 달리 말하면, 다른 터널들이 벌레들의 구멍이 된 뒤에도 그 바위들이 여전히 그렇게 매달려 있을 수도 있다는 말이오. 광산이란 건 확실한 것이 아니오, 레바. 단지 있는 돈을 다 걸고, 알고 있는 지식을 모조리 동원해 최선을 다해 게임하는 수밖에 없는 거요.」

「마치 장마철의 고속도로를 말하는 것 같군요. 몇 달 동안 건조했던 도로의 갈라진 틈 사이로 스며들어 있던 기름들이 비와 함께 밖으로 나오죠. 그리고 도로 표면 위에 둥둥 떠다니게 되죠. 그럼 천사들의 도시는 그야말로 미끄러지는 사고로 가득하게 되요.」

「미끄러져서 고속도로를 벗어나 본 적이 있소?」

호기심에 챈스는 물었다.

「없어요. 그런 날일수록 브레이크를 밟지 않으면서, 흔히 말하듯 천천히 조심스럽게 움직여요.」

챈스가 갑자기 몸을 숙여 레바에게 재빨리 키스하자 불빛이 이리저리 흩어졌다.

「당신은 뼛속까지 진짜 광부군. 광산 또한 그렇게 다루면 되오. 천천히 조심스럽게 주변을 자세히 살피는 거요. 그리고 나서 원하는 만큼 세게 곡괭이를 내리치는 거지.」

한 발자국씩 움직이자 투명한 터널의 벽이 다시 어두워졌다. 레바는 걸음을 멈추고 주변의 벽을 자신의 불로 비추었다.

「무슨 일이죠?」

「단절(斷切)이오.」

그녀의 손을 세게 잡아당기며 챈스가 대답했다.

「오래 전에 여기가 지표면이었소. 페그마타이트는 부식되어버렸고, 시간이 흐르면서 이 위쪽에는 흙이 층을 이루며 쌓여 갔소. 그리고 그 위에 더 많은 흙더미가 쌓이면서 땅은 압착되어버렸지. 그런 뒤 지진으로 인해 주변의 모든 게 다 뒤엉킨 거요. 어떤 지층은 기울어지고, 어떤 층은 잘려지고, 또 나머지 것들은 땅 속으로 파묻히게 된 거요.」

「그럼, 이 흙더미 속에는 값어치 있는 건 아무것도 없나요?」

「뭐, 곡식을 키우길 원한다면 필요할 거요.」

「별로 고맙지는 않군요. 난 고엽제보다 더 빨리 식물을 죽인다구요. 운이 나쁘게도 우리 집 주변의 묘목상들은 모두 내 얼굴을 알고 있어요. 내가 마지막으로 화원을 찾아갔을 때 그는 내게 수석을 집어주면서, 다시는 오지 말라고 하더군요.」

챈스의 깊고 나직한 웃음소리가 터널을 타고 울려 퍼지며 메아리를 만들어냈다.

「진짜로 광부군. 진짜로 내 여자야.」

턱수염으로 그녀의 손가락 관절을 문지르며 챈스는 부드럽게 덧붙였다.

「머리 위를 보시오. 당신 가족들은 이 길을 파 들어가면서도 지겹지 않았나보군. 끝이 없소. 그것뿐만 아니라, 여기 또한 붕괴되기 쉬운 장소요.」

레바는 커다란 터널을 놔두고, 별로 들어가고 싶은 마음이 생기지 않는 작은 구멍 속으로 머리를 집어넣는 챈스를 바라보며 가만히 기다렸다. 그는 작은 입구의 오른쪽 위에 금을 두 개 긋고는 앞으로 나아갔다. 그녀는 터널의 다른 방향으로 나 있는 여러 개의 구멍들을 바라보았다. 갑자기 레바는 그들이 가고 있는 곳이 어딘지, 무슨 이유로 챈스는 지금 막 그가 사라진 동굴을 택한 건지 궁금했다.

「따라오는 거요?」

챈스의 목소리가 주 터널까지 울려 퍼졌다.

「바로 당신 뒤로 가고 있어요.」

레바는 한숨을 쉬며 대답했다. 그런 다음 몸을 숙인 채 동굴 안으로 들어가, 한참을 ― 아마도 백여 발자국을 넘지 않았겠지만 ― 전진했다. 바닥은 울퉁불퉁했고, 발 옆으로는 예상치도 못했던 바퀴자국과 오래 전에 사용한 광부들의 외바퀴 수레가 지나간 자국이 남아 있었다. 조금씩 터널 벽의 구성물질이 바뀌면서 시야가 좀더 밝아지고, 뒤섞여 있는 광물들과 함께 페그마타이트 광맥이 평범한 흙더미와 묻혀 있는 것이 눈에 들어왔다. 그리고 점차 페그마타이트 암석들만이 동굴 사방을 전부 메우고 있었다.

「이제 일어서도 좋소.」

챈스의 목소리가 오른쪽으로 조금 떨어진 곳에서 들려왔다. 몸을 일으킨 레바는 우연이라도 헬멧 불빛이 챈스의 눈을 비추는 일이 없도록 머리를 기울인 채 고개를 돌렸다.

「오……」

레바는 천천히 커다란 원을 그리며 이 예상치 못했던 방의 크기를 재보려 했다. 반짝이는 조명 불빛으로는 전부 다 볼 수 없을 것 같다는 생각에 그녀는 포기하고 말았다. 분명히 그녀의 거실보다도 커 보였다. 두 배? 세 배? 다섯 배? 드문드문 천장을 지탱하기 위해 세워진, 남겨진 거친 바위 기둥들 때문에 직접 걸어가 확인해보지 않고는 정확히 재보는 것이 불가능했다. 램프의 불빛도 밝은 벽과 어두운 그림자로 인해 시야가 드문드문 가려져 있었다.

사방에서 하얀 광물들이 그녀에게 빛을 반사하고 있었다. 심지어 가장 어두운 그림자 속에서도 멀리 떨어진 곳에 위치한 벽은 거의 새하얀 색으로 보였다.

「화강암이오.」

그녀의 불빛이 뻗어 나가는 방향을 보며 챈스는 말했다.

「고된 작업에 비해 별 소득은 없었던 것 같소. 이것들은 퀸을 따라 깊숙한 곳까지 뻗어 있을 거요. 적어도 이쪽 방향으로는…….」

「이게 전부이고 투어말린은 없다는 거군요.」

레바는 한숨을 내쉬며 덧붙였다.

「불쌍한 조상님들……. 온 산을 헤집고 돌아다녔지만, 결국 작고 반짝이는 돌멩이 외에는 발견한 게 없으셨다는 거군요.」

「당신의 발 밑이나 머리 위 아니면 그 기둥 속이나 벽 속에 투어말린이 들어 있을 수도 있소.」

레바는 챈스의 얼굴을 볼 수 있도록 불빛을 움직였다.

「농담하는 거 아니죠?」

「물론이오. 당신은 페그마타이트에 둘러싸여 있소.」

그의 낮은 목소리가 흥분과 확신을 담은 채 울려 퍼지고 있었다.

「손에 쥐기 전까지는 절대로 투어말린 찾기에 근접했다는 말을 쓸 수가 없는 법이오.」

레바는 머리를 이리저리 기울이면서 천장을 훑어보았다. 불빛이 천장 위의 광석덩어리 위로 흔들리고 있었다.

「움직이지 마시오.」

갑자기 챈스가 말했다. 그런 다음 다시 침착하게 덧붙였다.

「다 괜찮소. 단지 움직이지 마시오.」

레바는 꼼짝하지 않았다. 챈스의 불빛이 천장 위로 올라와 두 개의 불이 하나로 뒤섞였다.

「됐소, 이제 움직여도 괜찮소. 단지 당신이 발견한, 저 착한 마녀를 놓치고 싶지 않았소.」

「다시 말을 해봐요. 이번에는 우리말로요.」

맥이 빠져버린 목소리로 레바가 물었다.

헬멧의 불빛에 챈스의 이가 빛을 반사했다.

「저기 기둥 근처의 리티아 운모덩어리를 보시오. 당신의 미소처럼 커다란 하얀 운모조각 말이오.」

레바는 빛이 모여 있는 곳으로 시선을 던졌다.

「네, 보여요.」

「그렇다면 이제 투어말린에 조금 더 가까이 다가간 거요.」

레바의 불빛이 흔들리더니 다시 같은 장소로 돌아왔다.

「당신의 말은 저것이…….」

「투어말린 원석이오.」

챈스는 조용히 말했다. 하지만 그 단조로운 어조에는 흥분을 억제하는 기색이 역력했다.

「지난번에 여기 왔을 때, 내가 왜 이것을 못 봤는지 모르겠군. 불을 계속 비쳐요.」

레바가 움직이지 않을 거라는 확신이 생길 때까지 기다린 챈스는, 천장에서 바닥으로 이어진 리티아 운모의 흔적을 따라 불빛을 비추었다. 그는 최근에 일어난 지진으로 인해 천장에 커다란 틈이 생겨 그곳에 숨어 있던 착한 마녀가 모습을 드러냈음을 깨닫고 조용히 웃음을 터뜨렸다.

「고맙군, 드래곤.」

재빨리 걸음을 옮겨 무릎을 꿇은 챈스는 중얼거렸다.

그의 불빛이 천장에서 떨어진 흙무더기 위를 비추었다. 재빠르고 정확한 동작으로 챈스는 부서져 내린 흙더미를 헤집었다. 그리고 수통을 열고 자신의 손바닥 위에 약간의 물을 따르며 미소지었다.

「이리 오시오, 채튼.」

레바는 재빨리 걸음을 옮겼다. 그녀의 불빛이 발꿈치를 들고 앉아 있는 챈스의 힘있는 어깨 너머 무언가를 쥐고 있는 손으로 향했다.

「그게 뭐죠?」

챈스의 손바닥이 펴졌다. 그곳에는 소름끼칠 정도로 선명한, 분홍색의 결정 조각들이 반짝이고 있었다. 그 한가운데에는 작고 완벽한 바늘 모양의 투어말린이 놓여 있었다.

8

레바는 챈스의 손바닥 위에 놓여 있는 퓨셔(바늘꽃과의 관상용 식물) 잎사귀를 바라보고, 믿을 수 없다는 듯 작은 비명을 질렀다. 챈스는 그녀의 눈동자 속에 반짝이는 기쁨과 경이로움을 보았다. 그리고 그녀가 그랬던 것처럼, 자신의 손바닥 위에 놓여진 투어말린 조각을 다시 바라보았다. 분홍색의 결정 속에 녹아 있는 작은 꿈들이 광부의 조명을 차갑게 반사해내며 뜨거운 약속을 속삭이고 있었다. 챈스는 미소를 지으며 하얀 돌 먼지 속에 뒤섞여 있는, 부서진 결정들을 골라냈다. 손가락 끝에 걸리는 작은 운모조각들이 그의 눈에는 은처럼 하얗게 빛을 발하고 있는 듯했다.

「손을 내밀어요.」

챈스가 부드럽게 말했다. 그런 다음 완벽한 바늘 모양의 투어말린을 포함한 작은 결정 조각들을 그녀의 손바닥 위에 올려놓았다. 레바는 한숨을 내쉬며 분홍색 파편들이 잘 보이도록 불빛 아래로 손을 움직였다. 잠시 후 그녀는 머리를 들어 자신을 바라보고 있는 챈스를 보았다.

「알아요, 안다구요.」

스스로를 비웃으며 레바가 덧붙였다.

「벼룩시장에 내놓아봤자 2센트도 받을 수 없다는 걸 잘 알고 있다구요. 하지만 내게 있어서 이것들은…….」

레바의 목소리가 조금씩 사그라졌다.

「오즈로 가는 표지판이오.」

챈스는 인자한 미소를 지으며 그녀를 대신해 말을 마쳤다.

「맞아요.」

한숨을 몰아쉰 레바는 부서진 투어말린 조각 위로 불빛을 비쳤다.

「조금만 더 일찍 왔다면…….」

「드래곤이 몸을 뒤흔들면서 이것들을 부셔버리기 전에 말이오?」

레바의 입술이 살짝 비틀어졌다.

「어떻게 그렇게 잘 알아맞히는 거죠?」

챈스의 손가락이 그녀의 코를 살짝 어루만지자, 반짝이는 운모 찌꺼기가 그녀의 코끝에 묻었다.

「어젯밤에 여기를 왔다고 해도 별로 도움이 되지 못했을 거라고 말한다면, 기분이 좀 나아질 것 같소? 이 불쌍하고 아름다운 아가씨 때문이라면 이미 수백만 년이나 늦은 거요.」

흠이 하나도 없는 매끄러운 투어말린 바늘을 엄지와 집게손가락으로 레바의 손위에 올려놓으며 챈스는 덧붙였다.

「하지만 이건 아니지.」

세로 3센티미터 가로로 한 5밀리 정도 되는 작은 결정은, 수많은 단면 위로 다양한 빛을 뿜어내고 있었다. 비록 완벽한 투어말린 결정이 가지고 있는 그런 선명한 분홍색을 띠기에는 좀 작았지만, 위쪽으로 갈수록 세 가지 색이 뒤섞여 반짝이고 있는 투어말린은, 나름대로 독특한 팔라 투어말린의 모습을 보여주고 있었다. 결정은 수박(안은 붉고 겉은 녹색인 투어말린을 일컫는 말)을 본뜬 주면체(柱面體) 모양이지만, 색의 90퍼센트는 투명하고 선명한 분홍색이었다. 그리고 그 위에는 마치 과일 껍질처럼 투명한 하얀색의 가느다란 선이 그어져 있고, 투명한 녹색을 띠고 있는 뭉툭한 끝 부분은 마치 진짜 수박의 녹색 껍질을 보는 듯했다.

사실인지 확인해보려고 손가락을 가져다대면 마치 꿈처럼 사라져 버리는 않을까 하는 두려운 마음을 갖고, 레바는 조심스럽게 손톱 끝으로 결정을 문질러보았다.

「오, 챈스, 진짜예요, 진짜라고요.」

레바는 숨을 몰아쉬며 탄성을 내질렀다.

「물론 진짜요.」

챈스가 동의했다.

「하지만 아름다움에 있어서는 당신 미소의 반도 따라가지 못하는군.」

그의 입술이 천천히 그녀에게 내려왔다.

「오즈에 온 것을 환영하오.」

레바가 속삭이는 듯한 웃음을 터뜨렸다. 따뜻하고 향기로운 숨결 위로 그의 입술이 스쳐 지나갔다.

「고마워요.」

레바는 숨길 수 없는 갈망을 드러내며 덧붙였다.

「더 캘 수는 없나요?」

챈스가 어쩔 수 없다는 듯한 미소를 지었다.

「진짜 광부처럼 말하는군. 물론 더 캘 수는 있소. 하지만 먼저…….」

바닥에 떨어져 있는 리티아 운모더미를 향해 몸을 돌리던 레바는 그의 말에 다시 머리를 뒤로 돌렸다.

「먼저?」

대답 대신 챈스는 강한 힘과 열기로 그녀를 품안으로 잡아당겼다. 레바는 눈을 감은 채 그에게 다가서서, 초대와 항복의 뜻으로 입술을 벌렸다. 그의 품에 안겨 있는 자신의 모습이 거세게 뛰는 심장만큼이나 자연스럽게 느껴졌다. 달콤하고 단호한 혀의 움직임이 마치 투어말린 위를 비추이는 빛처럼 레바에게 커다란 흥분을 선물했다. 챈스가 다시 머리를 들어올릴 때쯤, 이미 레바는 자신의 움켜쥔 손안에 들어 있는 완벽한 모습을 가진, 단 하나의 투어말린이나 부서진 작은 결정들에 대한 생각은 전부 잊어버린 뒤였다.

「고맙소.」

그녀의 입술 위로 챈스는 한숨을 내쉬며 말했다.

「나도 좋았어요.」

흥분과 웃음에 취한 나직한 목소리로 레바는 대답했다.

「키스가 아니라……. 물론 그것 또한 감사받을 만했지만.」

챈스가 미소를 지었다.

「그럼 뭐가요?」

그의 수염 위로 입술을 문지르고, 자신의 섬세한 피부에 와 닿는 거친 실크와 같은 느낌을 즐기며 레바가 물었다.

「당신 말이오.」

챈스는 간단히 설명했다.

「당신 눈을 통해 차이나 퀸을 보고 있자니, 다시 젊었을 때로 돌아가는 기분이 들었소. 이곳을 바라보는 당신의 눈동자 속에는 모든 것이 새로운 듯이 반짝이고, 희망과 웃음이 가득 담겨 있소.」

챈스가 천천히 그녀에게 키스했다. 그녀의 모든 것, 그녀가 자신에게 녹아드는 순간, 그리고 두 사람이 서로에게 완벽하게 어울린다는 사실을 각인시켜 놓겠다는 듯, 그의 손이 그녀의 온몸을 스치고 지나갔다. 오랜 시간이 지난 뒤 챈스는 마지못해 머리를 들었다.

「지금 멈추지 못한다면……」

거친 목소리로 챈스는 말했다.

「당신이 이 광산에서 발견하는 건 나뿐일 거요.」

레바는 미소를 지었다. 그리고 그의 가슴 위에 손을 얹어 검은색 플란넬 셔츠 아래 숨겨져 있는 근육을 따라 조심스럽게 움직였다. 조금씩 내려가던 그녀의 손이 허리 벨트 위에서 멈추었다. 순간, 멈칫하는 숨소리와 함께 갑작스럽게 그의 손이 방황하는 그녀의 손가락을 붙잡아 자신의 입술로 가져갔다. 그가 손바닥의 통통한 부분을 조금은 난폭하게 깨물자 레바는 몸을 떨었다.

「퀸의 바닥은 당신의 연약한 피부에 비해 너무나 거친 곳이오.」

아쉽다는 듯 챈스가 속삭였다.

「뭐, 사랑을 나눌 때 누가 위에 있는가에 따라서는 상관없는 일이지만……」

레바의 눈동자가 희망과 사랑의 웃음으로 반짝였다.

「여기저기 약간의 생채기를 입는 것쯤이야 감수할 수 있다구요.」

그녀를 향해 다가오는 눈동자의 색이 갑자기 변했다. 챈스는 굶주린 듯한 거친 키스로 그녀의 머릿속에 자신이란 존재로 가득 채워놓았다. 그의 팔이 숨이 막힐 정도로 거세게 그녀를 끌어안았지만, 레바는 저항하지 않았다. 아니, 좀더 가까이 그에게 다가가고 싶었고, 자신의 품안에 안겨 있는 그를, 자신의 일부가 된 그를 확인하고 싶었다. 거칠고 남성적인 신음과 함께 챈스는 그녀를 약간 뒤로 밀쳐냈다.

「당신과 함께 있으면, 나 스스로가 점잖게 행동할 수 있을지를 확신할 수가 없소.」

그는 거칠게 말했다. 챈스의 눈동자가 그녀를 뚫어질 듯 바라보고 있었다.

「만일 당신을 이 바닥 위에 눕힌다면, 다시는 당신을 놓아주지 않을 거요. 한 번, 두 번, 세 번…… 그런 건 다 상관없소. 내가 원하는 건 그저 당신을 다시 보고, 당신의 모든 것을 다시 차지하는 것뿐이니까. 당신은 내 마음속의 불꽃이오, 채튼.」

챈스의 입술을 어루만지는 레바의 손가락들이 떨렸고, 온몸이 그에 대한 욕구로 흔들리고 있었다. 마지못해 하는 기색을 감추지 못한 채, 그녀는 그에게서 한 발자국 물러섰다.

「투어말린…….」

레바는 단호하면서도 날카로운 목소리로 덧붙였다.

「우리가 여기에 온 이유는 그거예요, 그렇죠?」

일순 날카로운 웃음소리가 들려왔다.

「내가 차이나 퀸에 온 이유를 다른 사람이 상기시켜주게 되리라고는 생각조차 하지 못했소.」

챈스는 깊게 숨을 들이마셨다.

「그렇소, 투어말린 때문이오.」

단호한 목소리로 챈스가 말했다.

하지만 그의 눈동자는 아직도 리티아 운모가 쌓여 있는, 작은 언덕 옆에 무릎을 꿇고 앉아 있는 그녀의 나긋나긋한 곡선을 따라 움직이고 있었다. 굴이 끝나는 부분의 왼편에 자리잡은 두꺼운 돌기둥 옆에는 천장에서 떨어진 돌더미들이 쌓여 있었다.

레바가 깨어진 돌더미 속을 이리저리 휘젓기 시작하자, 챈스 또한 그녀의 옆에 무릎을 꿇고 앉았다. 두 사람은 밝은 분홍색의 작은 결정 몇 개를 더 찾아냈다. 그리고 아직까지 리티아 운모의 껍질 안에 감싸여 있는, 2센티미터 넓이의 분홍색 투어말린을 발견했다. 드래곤이 몸을 비틀어 거대한 어깨로 땅을 후려치기 전까지 어떤 모습을 하고 있었던 간에, 작은 투어말린 파편은 이제는 한낱 값어치 없는 단순한 돌 조각에 지나지 않았다. 하지만 제대로 된 표본을 구하는 일조차 불가능하게 여겨졌던 버려진 동굴 속에서, 뜨거운 분홍색 투어말린과 차가운 하얀색의 리티아 운모는 아름다운 색채의 대조를 보여주고 있었다.

「단지 몇 백만 년만 빨랐다면…….」

광산의 딱딱한 바닥에 쌓여 있는 돌덩이를 치우고, 밑바닥에 흩어져 있는 하얀 먼지더미를 손가락으로 긁으면서 레바는 한숨을 내쉬었다.

챈스는 가볍게 미소를 지은 뒤, 두 사람이 모은 투어말린 결정들을 벨트에 매달린 작은 주머니에 집어넣었다. 커다란 값어치도 없고 단지 반짝이기만 하는 결정들은 남겨둘 수도 있었지만, 레바가 반대할 것임을 잘 알고 있었다. 그 또한 그런 그녀를 탓할 자신이 없었다. 그의 회의적인 눈에도 그녀의 기쁨을 대변하는 듯, 반짝이는 그 작은 돌 조각들이 특별하게 보였던 것이다.

챈스는 레바를 일으켜 약간 떨어진 곳으로 데리고 갔다.

「여기에서 기다리시오.」

배낭에서 투명한 보호안경을 꺼내든 챈스는 안경을 쓰면서 하얀 부분이 벌어져 있는 천장을 향해 걸어갔다. 망치의 날카로운 부분으로 여기저기를 두들기며, 그는 리티아 운모를 조사하기 시작했다. 천장은 머리 위 바로 몇 센티미터 위쪽에 있었기 때문에 그의 얼굴과 어깨 위에는 금세 반짝이는 하얀 먼지와 빛을 발하는 운모 조각들로 뒤덮이고 말았다.

레바는 조바심으로 몸을 뒤척이며 챈스가 일하고 있는 바위로 자신의 불빛을 비추어주었다.

「보호안경을 가져온 게 또 있나요?」

챈스는 대답하기 전에 소매로 입술을 닦아낸 다음 그녀를 향해 몸을 돌렸다. 콧수염 위에도 반짝이는 운모와 결정들이 묻어 있었다.

「있지만, 안 되오. 당신은 그걸 사용할 수 없소. 물론 지금까지 내가 발견한 돌덩어리들은 작은 편이오. 하지만 리티아 운석이라는 게 단지 마그마로 인해 온갖 종류의 광석들이 나름대로의 특성을 간직한 채 녹아들어, 결정화된 암맥에 붙인 허울좋은 이름일 뿐이오. 그래서 다른 광석들이 함께 뒤섞여 있는 게 흔한 일이오. 혹시라도 몇 킬로그램이 넘는 바위가 떨어져 나올 수도 있소. 그런 것이 당신의 아름다운 작은 귀를 덮친다는 건 생각만으로도 끔찍한 일이오.」

레바는 꿀꺽 침을 삼켰다.

「그렇게 위험한 일이라면 당신은 왜 하는 거죠?」

「내게는 위험한 일이 아니니까.」

일그러진 미소를 지으며 챈스는 설명했다.

「당신과 나는 위험의 가능성을 계산하는 기준이 다른 법이오.」

그녀가 뭐라고 반박할 말을 찾기도 전에, 챈스는 다시 등을 돌려 여기저기를 두들겼다. 그리고 가끔씩은 멈추어서 한 움큼의 거친 광석들을 바닥으로 떨어뜨렸다. 곧 근처에 있는 기둥으로 가는 짧은 길이 돌더미로 채워졌다. 하얀 암맥은 기둥 속으로 이어져 있었지만, 챈스는 더 이상 움직이지 않았다. 그는 안경을 벗고 입 속에 들어간 먼지를 뱉어낸 뒤, 레바에게 몸을 돌렸다.

「이리 와서 투어말린 찾는 일을 도와주겠소, 아니면 계속 거기에 서서 내 머리를 후려칠 방법을 연구하고 있을 거요?」

순진한 표정으로 그가 물었다.

「챈스 워커! 당신은 진짜로 사람 화나게…….」

레바가 입을 열었다. 하지만 그녀의 말은 그의 웃음 속에 묻혀버렸다.

낮게 몇 마디를 궁시렁거린 레바는 무릎을 꿇고 앉아 그가 만들어 놓은 흙더미를 뒤지기 시작했다. 간간이 웃음을 터뜨리며 챈스 또한 그녀 옆에서 작업에 열중했다. 두 사람의 손이 하얗게 반짝이는 흙더미 안에서 부딪히기 전까지 레바는 일부로 그를 무시했다. 그의 손가락이 그녀의 손을 들어 재빨리 키스했다.

「당신에게서는 심지어 먼지까지도 좋은 맛이 나는군.」

그의 목소리는 나직했고 눈동자는 짙은 은색으로 빛나고 있었다.

레바가 머리를 세차게 흔들자, 이마에 달린 불빛도 미친 듯이 따라 움직였다. 레바는 재빠른 동작으로 그의 딱딱한 손을 잡아 자신의 입술에 갖다댄 다음 혀끝으로 그의 손을 맛보았다. 운모 조각이 그녀의 혀끝에서 반짝이는가 싶더니, 곧바로 그녀의 미소 속으로 사라졌다.

「당신 말이 맞아요. 당신은 뭐든지 맛이 좋군요.」

「지금 날 유혹하는 거요?」

키스를 하기 위해 몸을 숙이며 그는 말했다. 챈스가 다시 머리를 들자 수염으로 문질렀다는 걸 증명이라도 하듯, 그녀의 입술 위에 운모 조각들이 붙어 있었다.

「나의 여인…….」

챈스가 중얼거렸다.

「내가 만진 곳은 어디든 눈부시게 반짝이는군.」

그녀의 입술이 살짝 벌어지면서 부드러운 미소가 떠올랐다. 작게 욕설을 퍼부은 챈스는 몸을 돌려 다시 투어말린을 찾는 데 열중했다. 두 사람은 무수히 많은 파편들과 함께 지진이 일어나 땅이 뒤틀리기 전에는 챈스의 손가락만큼 길고 두꺼웠을 주면체 모양으로 된, 몇 개의 작은 투어말린을 찾아냈다. 그것들은 미처 완벽한 모습을 갖추기도 전에 지진으로 인해 완전히 부서져버린 것 같았다.

「자……..」

기둥 위쪽에서 하얗게 반짝이는 암맥을 올려다보며 레바는 한숨을 내쉬었다.

「또다시 천장을 캐야겠군요.」

챈스의 빛이 그녀의 빛을 따라 움직였다.

「그럴 수는 없소.」

「왜죠?」

「기둥을 파는 것에 대해 이야기를 좀 해야겠군. 아니, 라이트닝 산맥에서는 그걸 면도라고 불렀소. 그 어느 곳의 땅덩이도 처음부터 끝까지, 똑같은 구성물질로 이루어져 있는 경우는 없소. 예를 들어 여기 퀸만 해도…… 다른 크기의 과일들이 뒤섞여 층을 이루면서 모양을 만들고 있는 과일케이크와 같은 상태요. 겉으로 보기에는 함께 뒤섞여 평형을 이루고 있지만, 그 내면을 살펴보면 어떤 곳은 다른 곳보다 얇은 부분도 있을 거요. 어쩌면 이 리티아 운모 기둥 또한 화학작용으로 엉켜 붙은, 무른 흙더미를 운모가 둘러싸고 있을지도 모르는 거요.」

불안한 마음이 든 레바는 땅 밑의 작은 바위에 솟아올라 있는 기둥들을 바라보았다.

「반대로……..」

미소를 지으며 챈스는 말을 이었다.

「기둥들이 딱딱한 화강암으로 만들어져 이 광산의 끝까지 고르게 이어져 있을 수도 있지. 뭐, 조금 면도를 해서 당신이 원하는 것을 찾아낼 수도 있을 거요」

「어, 아니에요.」

근처에 있는 기둥 위로 불빛을 비추며 레바는 중얼거렸다. 지금 그녀는 자신이 찾고 있는 것이 무엇인지 그리고 그 차이점이 무엇인지를 잘 알고 있었다. 분명 페그마타이트 암맥이 기둥을 이루고 있을지는 몰라도, 챈스의 말대로 페그마타이트도 단지 여러 가지 광석이 뒤섞인 흙더미의 이름일 뿐이었다.

「영리한 여자로군. 아랍 사람들은 그렇게 영리하지가 못했소.」

「무슨 의미죠?」

레바가 몸을 돌리며 물었다.

「그들은 기름을 판 수입의 일부로, 전 세계적으로 잘 알려진 광산의 채굴권을 샀소. 헐값이었지. 아프리카 정부는 파산된 광산을 판 거였소.」

레바는 얼굴을 찌푸렸다.

「거기에 대한 기사를 읽었던…….」

「끝까지 다 읽어보았소?」

챈스는 그녀의 말을 끊으며 냉담하게 물었다.

「아니에요.」

「아주 단순한 사건이었소. 정말 그랬지. 대부분 사람들의 탐욕이 그렇지만…… 아랍인들은 광산에서 한 푼이라도 더 건져야 한다고 결정을 내렸고, 광부들에게 저런 두터운 기둥들은 모두 깎아내라고 말했소. 그렇게 작업은 진행되었소. 그리고 그 속에서 광산의 다른 어느 곳에서 발견했던 것보다 많은 녹색 석류석들을 발견할 수 있었소. 광산이 붕괴되기 전까지는 말이오. 그 뒤로는 단지 죽음뿐이었소. 물론 광산을 소유했던 멍청한 개자식들 중에서 그 안에 생매장당한 사람은 단 한 명도 없었소.」

「내 생각에…….」

힘겹게 침을 삼킨 레바는 말을 이었다.

「차이나 퀸의 기둥들은 발견된 모습 그대로 놔두는 게 나을 것 같아요. 면도도, 머리를 자르는 것도, 아니 목욕도 시키지 말고요.」

「현명한 결정이오.」

챈스의 불빛이 방안에 있는 기둥들을 하나하나 훑고 지나갔다.

「단지 다섯 개일 뿐이오. 잠 못 이루고 있는 팔라의 드래곤에게 바치는 것 치고 그리 많은 개수는 아니지. 물론 실패할 확률이나 이 지역의 통과하는 바윗덩어리들이 여러 광석들과 뒤범벅이 되어 있다거나 불연속적인 암맥층이 많다는 점을 고려하지 않는다고 해도 말이오.」

레바의 걱정스런 얼굴 표정이 그의 불빛 아래 고스란히 드러났다.

「난 이보다 더 상황이 안 좋은 광산에서도 일했었소. 하지만 이 광산에 대해서도 좀더 신중하게 조사해봐야겠다는 생각이 드는군. 나 없이 혼자서 퀸에 다시 올 생각은 하지 마시오.」

「그 정도에 겁을 먹지는 않아요.」

「더 이상 쑤시지 말라는 말이오. 원한다면 당신이 고용한 지질학자가 작성한 광산의 형태와 지질에 대한 보고서를 내가 확인하기 전까지는 말이오.」

레바가 다시 입을 열기 전에 챈스는 말을 이었다.

「물론 그렇게까지 하지 않아도 될 거요. 그리고…….」

그의 불빛이 다시 한 번 주위를 쓸고 지나갔다.

「자, 이제 밖으로 나가 점심을 먹고 태양 아래서 낮잠을 즐길 시간이오.」

「여기서 점심을 먹을 거라고 생각했는데요.」

「이번에는 아니오.」

「그럼 당신은요? 당신도 퀸을 포기할 건가요?」

챈스는 미소를 지었다.

「당신이 잠든 사이에 난 주변을 좀더 살펴볼 생각이오.」

「만일 당신에게도 안전하다면, 내게도 충분히 안전해요.」

턱을 고집스럽게 들어올리며 레바는 당당하게 선언했다.

「이미 그 일에 대해서는 설명을 한 것 같은데.」

가뿐하게 레바를 들어올리며 그는 가볍게 말했다.

「당신의 안전에 대한 내 평가 기준은 다르다고 말이오.」

그녀가 미처 뭐라고 입을 열기 전에, 챈스는 키스로 그녀의 입을 막았다.

「바람이 산들거리고 풀잎이 부드럽게 흔들리는 따뜻한 언덕으로 돌아가고 싶지 않다는 거요?」

혀끝으로 그녀의 입술을 애무하며 챈스는 중얼거렸다.

「당신의 안전만큼 중요한 건 없소, 채튼. 오, 하나님…… 내가 얼마나 당신을 원하는지.」

깊은 신음 소리와 함께 챈스는 그녀를 꼭 끌어안고, 가득한 소유욕과 굶주림으로 그녀의 입술을 가졌다.

「당신이 이겼어요.」

한참 뒤에 그가 머리를 들어올리자, 레바는 가쁘게 숨을 몰아쉬며 속삭였다.

「언덕을 찾아 가자구요.」

챈스는 몸을 숙여 바닥에 떨어져 있는 배낭을 집어들었다. 마지막으로 다시 한 번 주위를 둘러보고 남겨놓은 것이 없다는 사실을 확인한 뒤, 그는 왼손에 가방과 장비를 모아쥐고 미소를 지으며 그녀에게 오른손을 내밀었다.

「태양 아래서 당신과 나누는 사랑을 철저히 즐길 생각이오. 당신의 모든 것을…… 달콤하고 뜨겁고 부드럽게 나를 감싸올 당신을 말이오.」

달콤하고 나른한 흥분에 그녀는 기분이 들떴다. 레바는, 주인에게 사랑해달라고 애원하며 가르랑거리는 벌꿀색의 고양이처럼 자신의 남자에게 매달려 그에게 몸을 비비고 싶었다.

「챈스…….」

낮은 어조로 레바가 덧붙였다.

「햇빛 아래로 가는 길이 멀다면…….」

그가 미처 대답을 하기도 전에, 갑자기 바닥이 흔들리기 시작하면서 작은 흙먼지가 마치 물줄기처럼 쏟아져 내렸다. 귀에 거슬릴 정도의 낮은 옥타브로 두꺼운 바위층들의 으르렁거리는 소리가 허공을 타고 진동과 함께 울려 퍼졌다. 천장에 금이 가면서 옆으로 기울어지는 듯싶더니, 지난 반세기 동안 캐냈던 흙먼지보다 더 많은 바위들이 한꺼번에 흘러 내려왔다.

챈스의 몸이 날아와 레바를 밀쳐내고는 광산 끝에 있는 단단한 화강암 벽을 향해 두 사람이 함께 굴러갔다. 등뒤로 천장이 한숨을 내쉬며, 오랜만에 찾아온 잠깐의 자유를 만끽하듯 몸을 흔들어대고 있었다. 거친 신음성과 함께 붙어 있던 바위가 쏟아져 내려 챈스와 레바가 방금까지 서 있던 장소를 완전히 뒤덮었다.

챈스는 온몸으로 레바를 감싸안고, 떨어지는 바위로부터 그녀를 보호하기 위해 최선을 다했다. 먼지와 돌덩어리가 마치 폭포에서 떨어지는 물살처럼 쏟아져 내려 두 사람을 질식시킬 듯이 덮쳐왔다. 마지막으로 돌들이 모두 떨어지고 사위가 다시 조용해지자, 챈스는 몸을 일으켰다. 그의 등에서 떨어져 내린 주먹 크기의 돌덩이들이 광산의 바닥 위로 쿵쾅거리며 굴러갔다.

「레바…….」

다급한 어조로 챈스는 그녀의 이름을 불렀다.

「다쳤소?」

챈스의 두 손이 그녀의 떨리는 몸을 어루만지며 상처 입은 곳을 찾아 헤맸다.

「아니에요, 약간 멍이 들었을 뿐이에요. 그리고 조금 많이 겁을 먹었고요. 무슨 일이죠?」

떨리는 목소리로 레바가 물었다.

「진동의 크기는 작았는데, 그에 비해 돌덩어리들이 좀 많이 떨어졌을 뿐이오.」

「조그만 짚이 낙타의 등을 때린 것처럼요?」

머리를 들어 불안한 미소를 보이며 레바는 말했다.

「그렇소. 운이 나쁘게도, 우리가 피 흘리는 야수의 등을 타고 있었던 것 같군.」

「다쳤군요.」

챈스의 거무스름한 뺨 위로 흘러내리는 핏자국을 보며 레바가 소리를 질렀다.

「단지 날아오는 작은 돌멩이에 맞은 것뿐이오.」

손바닥으로 핏자국을 닦아내며 챈스는 말했다.

챈스의 헬멧 조명이 레바의 몸을 이리저리 비춰보며 상처들을 점검했다. 그녀의 옷이 – 그리고 그의 몸이 – 그녀를 최악의 상황에서 구해준 것 같았다. 셔츠는 심하게 찢어져 있었고, 여기저기에 생채기와 멍이 들었을 뿐 심각하게 다친 곳은 없고, 그저 조금 겁을 먹고 있었을 뿐이었다. 챈스는 안심이 된다는 듯 자리에 앉아, 함몰이 일어남과 동시에 화강암 벽 구석으로 집어던진 장비들을 살피기 시작했다. 비록 흙더미에 파묻혀 있기는 했지만, 곡괭이의 강철 부분이 무너져 내린 파편의 가장자리에 반쯤 파묻힌 채 희미한 모습을 드러내며 반짝이고 있었다.

「거기에 그대로 있어요. 만일 천장이 다시 흔들리기 시작하면, 화강암 벽에 매달리시오. 그곳이 이 광산 안에서는 가장 안전한 부분이오.」

레바는 조심스럽게 함몰된 돌더미 주위를 따라 걸음을 옮기는 챈스의 모습을 지켜보았다. 처음엔 그저 흙먼지가 방안을 가득 메워 동굴 안이 좁아 보이는 것뿐이라고 생각했다. 하지만 곧 함몰로 인해 동굴의 반 이상이 메워졌음을 깨달았다. 섬뜩한 두려움과 냉기가 피부를 타고 기어 올라오자, 그녀는 앞으로 몸을 웅크렸다. 그러고는 방 건너편을 노려보며, 두 사람이 들어왔던 작은 터널을 찾아보려고 애썼다.

하지만 터널 따위는 보이지 않았다. 천장에서 바닥까지 온통 흙과 돌더미만이 가득 차 있었고, 터널 입구가 있던 방향은 몇 톤의 흙으로 봉해져 있었다. 그녀와 챈스는 차이나 퀸 안에 갇힌 게 분명했다.

생매장.

공포심이 밀려들면서, 레바는 이가 딱딱 소리를 내며 부딪히고 있는 것조차 의식하지 못한 채 몸을 떨었다. 질식할 듯한 신음 소리가 흘러나오자, 레바는 아무 소리도 새어나오지 못하게 주먹으로 입안을 틀어막고 깨물었다. 고통이 공포를 뚫고 밀려 들어와 두려움과 뒤섞였다. 그녀는 두려움으로 멈춰버린 허파 속으로 공기를 집어넣으려고 노력하며, 자욱한 먼지였지만 깊게 들이마셨다. 그리고 반응을 보이기 전에 먼저 생각을 하라고 스스로에게 강요했다.

몇 분의 시간이 흐르자, 공포심이 조금씩 누그러들기 시작했다. 비록 온몸은 땀으로 젖어 있고 오한으로 부들부들 떨리기는 했지만, 레바는 다시 스스로를 추스를 수 있었다. 그녀의 눈앞에 서 있는 챈스가 도움이 되었다. 그의 힘과 침착함 그리고 냉정하게 사태를 살피는 그의 모습이 그녀에게 위안이 되어주었다. 뭔가 할 수 있는 일이 있다면, 챈스가 찾아서 처리하리라. 그리고 무슨 일이 일어나더라도 그녀는 혼자가 아니었다. 그가 같이 있었고, 지금 강한 힘과 빛을 몰고 그녀를 향해 걸어오고 있었다.

챈스는 그녀 앞에 편안하게 무릎을 꿇고 앉았다. 그런 다음 그녀의 눈을 직접 비추지 않으면서 표정을 살펴볼 수 있도록 머리를 기울여 헬멧의 불빛을 조정했다. 그는 그녀의 손을 잡고 생생하게 남아 있는 이빨자국과, 너무나도 창백한 피부, 그리고 흔들리듯 새어나오는 호흡을 살폈다. 챈스는 아주 부드럽게 그녀의 손바닥을 입술로 눌렀다.

「최악의 상황이 될 수도 있을 것 같소. 비록 우리 두 사람 다 다친 곳은 없고, 산소 또한 물보다는 오래 남아 있겠지만…… 터널의 입구가 사라졌소.」

레바에게서 아무런 반응도 느껴지지 않자, 챈스는 그녀의 손을 움켜쥔 손에 힘을 주었다.

「이미 알고 있었군, 안 그렇소?」

「맞아요.」

레바의 목소리가 갈라졌다. 그녀는 마른침을 삼키고 다시 입을 열었다.

「네, 나도 보았어요.」

「여기서 우리가 기어 나왔던 터널까지 약 6미터 정도가 흙과 바위로 막혀버렸소. 그리고 터널이 그대로 있으리라는 보장 또한 없소. 함몰이 이 동굴에서 시작된 거였소.」

레바는 그의 강한 손을 두 손으로 움켜쥔 채 기다렸다.

「일말의 가능성이라도 있다면, 난 저 돌무더기를 통과하는 터널을 뚫을 생각이오.」

챈스는 침착하게 말을 이었다.

「물론, 정말로 힘든 일일 거요. 어느 방향으로 뚫어야 할지도 지금으로서는 잘 모르겠소. 만일 이번에 무너져 내린다면 진짜로 갇히는 셈이니까.」

레바는 가볍게 고개를 끄떡이며, 함몰된 돌무더기를 향해 헬멧 불빛을 비추었다.

「그렇게 따지면, 차라리 이쪽으로 터널을 파는 게 더 나을 것 같다는 생각을 하고 있소.」

그녀의 왼쪽으로 머리를 돌려 투명한 화강암이 군데군데 박혀 있는 벽을 비추며 챈스는 말을 이었다.

「분명 몇 미터 안에 또 다른 터널이 있을 거요. 페그마타이트를 찾아 당신의 조상들이 뚫어놓았을지도 모르는 또 다른 작은 굴 중 하나가 말이오.」

레바는 주저하며 먼지로 얼룩진 그의 얼굴을 살폈다. 챈스는 그녀의 눈을 마주보았지만, 그 차분한 행동 속에 뭔가 석연치 않은 기색이 느껴졌다.

「내게 말하지 않은 게 있나요?」

챈스는 얼굴을 찌푸리며 그녀의 손바닥을 들어 자신의 뺨에 댔다.

「이 방과 같은 높이에 위치한, 비슷한 방향으로 나 있는 터널을 찾으리라는 보장은 없소.」

그가 인정했다.

「솔직히 동굴을 판다는 것 자체가 도박이오.」

「하지만 저쪽으로 파는 것보다는 더 나은 확률을 가지고 있다는 거군요.」

레바는 함몰된 부분을 향해 손짓을 하며 말했다.

「그렇소.」

「최선이라고 생각하는 대로 해요.」

담담한 어투로 레바가 말했다.

「채튼, 어떤 일이 있더라도 당신을 이 빌어먹을 구멍에서 빼내어 주겠소.」

챈스가 속삭였다.

「당신이 함께 하건 안 하건, 난 필연적으로 차이나 퀸을 찾아왔을 거예요. 그러니 죄책감을 갖지는 말아요. 게다가 이런 사태에서 빠져나갈 수 있는 능력이 있는 사람이 있다면, 그건 바로 당신이에요. 혼자서도 당신은…….」

갑자기 챈스를 두 팔로 감싸안은 레바는, 놀라운 힘으로 그를 다시 한 번 꼭 끌어안은 뒤 놓아주었다.

「당신과 함께 있어서 너무나 기뻐요.」

떨리는 손가락으로 그의 굳어진 입술을 어루만지며 레바가 말했다.

「무슨 일이 생긴다 해도, 다른 누군가가 아니라 당신과 같이 있어서 안심할 수 있어요.」

자신을 사로잡고 북받쳐 오르는 감정을 숨길 수가 없어서 챈스는 두 눈을 감았다. 다시 눈을 떴을 때, 그의 눈동자는 밝고 짙은 은색으로 빛나고 있었다. 아무런 말없이 자리에서 일어난 챈스는 함몰 지점에서 약간 떨어진 ― 파 들어가다 보면 햇빛 아래로 그들을 이끌어줄 다른 터널이 존재하리라고 믿고 있는 ― 벽을 향해 단호한 걸음을 옮겼다.

「전에 내가 퀸에 왔을 때에는…….」

정확한 각도로 화강암을 뚫기 위해 벽을 살펴보며 챈스는 입을 열었다.

「대부분의 동굴들이 아마추어들에 의해 뚫어졌다는 걸 한 눈에 알 수 있었소. 동굴들의 대다수가 주 동굴을 중심으로 평행하게 놓여져 있더군. 진짜 광부라면 위아래 그리고 옆으로 땅을 파서, 놓치는 광맥이 없도록 했을 거요. 그때 난 이렇게 평행으로 파 들어간 터널들을 보게 되어 재미있다는 생각만 했는데…… 지금 생각하니, 당신 가족들이 무작정 광맥을 따라 이리저리 뚫고 들어간 것에 대해 다행이라고 여겨야겠군.」

챈스가 자신의 대답을 기다리는 게 아니라는 걸 알고 있었기에 레바는 아무런 말도 하지 않았다. 그의 목적은 단지 자신의 목소리로 그녀를 진정시키려 하는 것이었다. 레바는 헬멧 불빛을 그의 앞쪽으로 비추어, 그가 벽의 구성물질을 파악하는데 조금이라도 도움을 주려 했다.

그는 여러 차례 함몰 지역의 가장자리와 벽 사이로 걸음을 옮기면서 숙련된 전문가의 눈으로 각도와 거리를 계산했다. 가끔씩 그는 머릿속에 있는 지도를 검토하는 듯, 눈을 감고 아주 조용히 서 있기도 했다. 마침내 그는 화강암과 벽들이 만나는 구석 부분에서 몇 발자국 떨어진 곳으로 결정을 내렸다.

땅을 파 들어가기 전에, 챈스는 레바 앞으로 걸어와 무릎을 꿇고 앉았다. 그가 천천히 미소를 지어 보이자, 얼룩진 얼굴 위로 이가 하얀 선을 그리며 나타났다.

「행운을 위한 키스 한번…….」

레바는 화강암 벽처럼 단단하게 자신을 감싸안는 그의 품안에서 따스하고 달콤한 그의 입술을 느꼈다. 그리고 그가 속삭이는, 물처럼 부드러운 낯선 언어에 귀를 기울였다. 갑자기 챈스가 그녀의 품에서 벗어났다. 곡괭이가 흙과 바위를 내리치는 거칠고 삐걱이는 소리가 그녀의 뒤쪽에서 들려왔다. 레바는 화강암 벽에 등을 기대고 앉아, 챈스가 더욱 수월하게 일할 수 있도록 불빛을 잘 비출 수 있게 자리를 잡았다.

한참 동안 사방에는 온통 금속성의 소리와 바위 부딪히는 소리,

그리고 흙 떨어지는 소리만이 울려 퍼졌다. 챈스의 발 밑에는 흙과 돌무더기가 쌓이기 시작했다. 그것을 무시한 채 챈스는 지친 기색 없이 규칙적으로 곡괭이를 휘둘렀다. 그런 모습이 사람이라기보다는 마치 기계처럼 보였다. 셔츠가 땀에 젖어 새까맣게 변해 피부 위에 찰싹 달라붙어 있었다. 잠시 규칙적인 동작을 멈춘 그는 배낭과 엽 총 그리고 셔츠를 벗어 던졌다. 그의 발 밑에는 파편들이 좀 전보다 높이 쌓여 있었다.

레바는 뒷주머니에서 장갑을 꺼내 착용한 뒤 삽을 집어들었다.

「만일 당신 옆에 설 자리가 있다면, 내가 발목에 있는 흙더미만 좀 옮겨놓겠어요.」

챈스의 불빛이 갑자기 원을 그리며 어둠 속에 있는 레바를 비추었다. 그녀의 단호한 결심이 온몸에 확연히 드러나 있었다. 그는 잠시 주저하다 대답했다.

「그럼, 가능한 멀리 밀어내시오. 또다시 삽질하는 일이 없도록.」

가느다란 선을 그리며 그의 이가 살짝 모습을 보였다.

「이 작은 공간에서 얼마나 많은 흙더미가 나오는지 안다면, 분명 놀랄 거요.」

처음 얼마 동안, 레바는 무겁고 익숙하지 않은 도구를 가지고 악 전고투를 했다. 그녀가 삽 비슷한 도구를 사용했던 건 유치원의 모 래사장에서가 마지막이었다. 하지만 체조로 단련된 몸은 체력과 끈기 를 보여주었다. 미처 삽에 익숙해지기 전에 몸이 먼저 최소한의 노 력으로 삽을 다룰 수 있는 방법을 찾아냈다. 챈스의 근육에는 반도 미치지 않겠지만, 체조선수로서의 체력과 상황인지력 덕분에 레바는 자신의 힘보다 더 많은 힘을 발휘할 수 있었다.

하지만 얼마 지나지 않아, 익숙하지 못한 운동으로 인한 통증으로 근육이 비명을 지르기 시작했다. 그녀는 과거의 운동 경험으로 육체적인 불편함과 고통이 세상의 끝이 아님을 잘 알기에 무시해버렸다. 온몸의 근육이 부들부들 떨리고 쥐가 나면서 더 이상의 움직임을 거부할 때에야 그녀는 잠시 휴식을 취했다. 그녀는 가능한 열심히 일을 했다.

레바가 시계를 보려고 손을 들어올리자, 예상했던 대로 어깨 근육위로 불이 붙는 듯한 통증과 함께 다시 쥐가 났다. 놀랍게도 함몰된지 한 시간도 채 지나지 않았다. 그녀는 삽에 몸을 기댄 채 플란넬셔츠의 소매 부분으로 얼굴을 닦았다. 잠시 그녀는 챈스가 그랬던 것처럼 옷을 벗어버리고 싶은 충동을 느꼈다. 결국 그녀는 소매를 말아 올리고, 가슴 위에 있는 두 개만 제외하고 남은 단추를 모두 풀어버리는 정도로 만족해야 했다.

「수분을 좀 섭취하시오.」

갑자기 들려온 챈스의 목소리에 레바는 깜짝 놀랐다. 그는 곡괭이질을 멈추지 않았다. 레바 혼자의 힘으로 밀어내지 못할 정도의 커다란 바위를 옆으로 밀쳐낼 때를 제외하고, 그는 한 차례도 일을 멈추지 않았다.

「당신은요?」

곡괭이 끝을 벽 깊숙이 찔러넣고 있는 그의 강인한 힘과 근육을 바라보며 레바가 물었다. 머리카락 아래 매달린 땀방울들이 수정처럼 그의 등위로 떨어져, 근육을 타고 반짝이며 굴러가고 있었다. '호랑이 신'처럼 본질적이고 남성적인 그의 움직임이, 그의 존재가 그리고 단호하고 우아한 그의 몸이 너무나 특별하게 보였다.

「잠시 후에 쉬겠소. 난 내 한계를 알고 있소.」

레바는 속으로 그에게도 그런 게 존재하는지 궁금해했다. 비록 지금 파고 있는 공간으로 기어가기 위해 무릎을 꿇고 있으면서도 챈스는 그녀를 압도하고 있었고, 거침없는 힘이 동굴 안을 가득 채우고 있었다. 레바는 허리춤에서 수통을 꺼내 홀짝이며 물을 마셨다. 위 속에 물이 가득 차면 일하기가 어렵다는 걸 잘 알고 있었다. 아쉽지 만 수통을 다시 되돌려놓은 뒤, 타는 듯한 근육을 뻗어 삽을 집어들 었다.

잠시 후 그녀는 일을 멈추고 다시 시계를 보았다. 시간이 한 삽 한 삽 퍼 올리는 흙더미처럼 천천히 지나가고 있었다. 돌 위로 부딪 히는 쇳소리와 함께 매 초가, 챈스가 만드는 좁은 터널 뒤로 떨어지 는 화강암 먼지와 함께 매 분이 그리고 그녀의 몸 속으로 녹아드는 회색빛 피로가 매 시간마다 호수를 이루듯 쌓여 가고 있었다. 레바 는 눈앞의 파편들만을 바라보고 자신의 숨소리를 들으며 자동적으로 움직였다. 그저 헬멧의 동그란 불빛 안에 존재하는 흙더미 외에는 아무것도 인식할 수가 없었다.

갑자기 강인한 팔이 레바의 어깨를 움켜쥐며, 뭉치고 경련을 일으 키는 근육을 문질렀다. 장갑을 꼈다고는 해도 이미 손바닥은 물집투 성이로 변해 있었다.

챈스의 숨결이 뜨거운 두 뺨 위로 차갑게 스쳐 지나갔다.

「난 무수히 많은 사람들과 그리고 무수히 많은 광산에서 일을 해 보았소.」

레바의 뒤에 서서 그녀의 어깨를 주물러주며 챈스는 조용히 덧붙 였다.

「하지만 당신보다 더 나은 파트너를 만난 적이 없었소. 어떻게 이 토록 용감할 수 있는 거요?」

레바는 거칠게 숨을 내쉬며 그에게 몸을 기댔다.

「속으로 비명을 지르던 중이었어요.」

그녀는 솔직히 인정했다.

챈스의 손이 잠시 멈칫했다. 다음 순간 그의 헬멧이 레바의 것과 부딪히는 소리와 함께 그는 그녀의 어깨에 키스를 했다.

「나도 그랬소.」

부드럽게 한번 꼭 끌어안아 준 뒤, 챈스는 그녀를 놓아주었다.

「쉬시오. 이젠 더 이상 두 사람이 함께 일할 만한 공간이 없소. 그리고 만일 추위를 느끼면 내 셔츠를 입으시오.」

「추워요?」

믿을 수 없다는 듯 레바가 물었다.

「몇 분 동안 화강암 벽에 등을 대고 있어 보시오. 아무리 지금은 덥다고 해도…….」

챈스는 몸을 돌리다가 걸음을 멈추었다.

「그리고 너무 힘들지 않다면, 앉아 있는 동안 불을 좀 꺼두시오. 하지만 켜놓는 게 좋다면, 그렇게 하고.」

레바는 잠시 주저하다가 벨트의 뒤쪽에 붙어 있는 건전지 통에 손을 뻗었다. 이것이 필요해질 수도 있을 텐데, 챈스는 아무런 말도 하지 않았다. 이내 그녀의 불빛이 꺼졌다.

어둠이 그녀를 감쌌다.

「꼭 그렇게 할 필요는 없소, 채튼.」

챈스가 부드럽게 말했다.

「알아요.」

챈스는 그녀의 얼굴을 어루만지며 그녀가 알지 못하는 언어로, 그가 아닌 다른 사람이 사용하는 건 한번도 들어보지 못한 언어로 무언가를 중얼거렸다. 비록 그 말들을 이해할 수는 없었지만, 레바의 마음은 조금씩 진정되었다.

그의 불빛이 좁은 공간 안으로 사라지고 희미한 그림자마저 조금씩 보이지 않게 되자, 레바는 무릎 위에 머리를 기대고 앉아 눈을 감았다. 적어도 그렇게 하고 있으면 아무것도 볼 수 없다는 사실을 무시할 수 있었다. 그녀는 잠시 심호흡을 하며 온몸의 긴장을 풀기 위해 노력했다. 지금 이 순간, 그녀가 할 수 있는 일은 아무것도 없었다. 이제, 굴조차 곡괭이를 흔들 수 없을 정도로 작아져 챈스가 삽을 써야 했다.

한참의 시간이 흐른 뒤, 그녀는 불을 켜고 일어나 챈스가 일을 하는 장소가 들여다보이는 곳에 다시 자리를 잡고 앉았다. 옆으로 누운 자세의 챈스는 이제 굴 안으로 완전히 사라져버린 뒤였다. 벽에 반사되는 희미한 불빛 아래 구두코만이 반짝이고 있었다. 레바는 챈스에게 시선을 고정시킨 채 불을 껐다. 그런 다음 굳센 힘과 단호한 결심, 그리고 단지 어깨의 근육과 삽의 쇠 모서리만을 가지고 조금씩 산을 뚫고 있는 그를 생각했다.

레바의 근육은 이제 완전히 힘이 빠지고 부들부들 떨려와 더 이상의 일은 생각조차 할 수가 없었다. 그런 통증들이 곧 사라져버릴 것임을 알기에 레바는 억지로 그런 감각들을 무시했다. 가끔 그녀는 조심스럽게 몸을 움직여 쑤셔오는 근육을 풀고, 조금씩 뻣뻣해져오는 사지를 편하게 만들려고 노력했다. 챈스의 말이 맞았다. 차이나 퀸의 무지막지한 바닥이 조금씩 추위를 몰아오고 있었다.

거친 고함소리에 벌떡 일어난 레바는 벨트에 붙은 스위치를 찾기 위해 허리 위를 더듬거리는 한편, 터널을 향해 비틀비틀 걸음을 옮겼다. 그녀는 무릎을 꿇고 기어서 그의 옆으로 움직였다. 온몸이 긴장으로 아파 왔다.

「챈스, 괜찮아요?」

「조금 전보다는 낫소. 방금 깨부순 바위 덕분에 다른 터널을 찾았소.」

안도감이 휩쓸고 지나가자 레바는 기운이 쭉 빠져나가는 느낌이었다. 그녀는 사지를 뻗은 채 동굴 바닥에 주저앉아, 가쁘게 숨을 내쉬며 챈스가 구멍을 더 넓히기를 기다렸다.

잠시 후 두 사람은 새로운 터널이 얼마나 가까운 곳에 있었는지 분명하게 확인할 수 있었다. 챈스가 판 터널은 다른 터널의 천장을 엇비슷하게 가로지르고 있었다. 만일 챈스의 터널이 몇 센티미터만 높았거나 조금만 오른쪽으로 파 들어갔다면, 절대로 다른 터널을 찾지 못했으리라.

레바는 입구를 살펴보며 두 개의 동굴이 만드는 삼차원적인 공간을 머릿속으로 그려보고는 몸을 부들부들 떨었다. 그녀는 지금까지 터널을 판다는 게 얼마나 위험한 도박이었는지를 깨닫지 못하고 있었다. 챈스는 또 다른 동굴을 찾아 빠져나가거나 아니면 분명 함몰된 동굴을 뚫고 나간다는 게 얼마나 위험한 일인지, 어쩌면 불가능한 도전일지도 모른다는 사실을 알고 있었던 것이 틀림없었다. 레바는 그런 사실을 자신이 몰랐다는 것에 감사했다. 또 다른 방법이 존재한다는 믿음이 커다란 위안이 되어주었던 것이다.

「무슨 일이오? 분명 미소를 지었잖소.」

자신의 불빛을 그녀에게 비추며 챈스가 물었다.

「지금 막, 이게 얼마나 위험하고 희박한 확률이었는지를 깨달았어요.」

먼지가 묻은 그의 검은 턱수염 사이로 이가 반짝였다.

「기적이란 늘 나쁜 확률 사이에 있는 거요. 하지만 이렇게 일어날 수도 있는 거지.」

기다란 손가락이 그녀의 턱을 문질렀다.

「날 위해 웃어요, 나의 여인.」

레바는 자신의 더러운 뺨에서 그의 손위로 떨어져 내리는 눈물을 무시한 채 웃음을 터뜨렸다.

「억지로 밀고 나가야겠군.」

평평한 마름모꼴의 구멍을 보며 챈스가 말했다. 그는 머리를 집어넣고 헬멧의 불빛을 이리저리 돌려 새로운 터널을 살펴보았다.

레바는 그의 몸이 순간적인 긴장으로 굳어지는 것을 느꼈다. 뭔가 잘못된 것이 있는지 물어보려고 했지만 입을 다물었다. 한참 뒤, 챈스는 머리가 완전히 빠져나갈 수 있도록 구멍을 넓힌 뒤 몸을 일으켰다.

「가능한, 발이 먼저 착지할 수 있도록 해보시오.」

챈스의 목소리에는 아무런 감정도 담겨 있지 않았다.

「내가 먼저 내려가겠소. 모든 장비를 내게 건네준 뒤, 천천히 내려오시오. 그 허리의 벨트도 풀어요. 그러는 편이 더 수월할 거요.」

레바는 둔한 동작으로 느릿하게 그의 지시에 따라 터널을 되돌아나갔다. 그가 몸을 낮추어 구멍에서 터널로 착지하는 동안, 그녀는 함몰된 흙더미 옆에 놓아두었던 장비들을 모두 챙겼다. 그리고 장비를 몸으로 밀면서 좁은 탈출용 터널을 기어, 그보다 더 작은 입구까지 움직였다. 챈스의 손이 갑자기 입구 위로 나타나 그녀를 깜짝 놀라게 만들었다. 레바는 장비를 그의 손가락이 닿는 곳에 놓아두고는 그것이 하나하나 사라져 가는 것을 지켜보았다. 마지막으로 그녀의 벨트가 모습을 감추었다. 레바는 발이 먼저 빠져나갈 수 있게 작은 터널 안에서 몸을 돌렸다. 체조의 유연성 덕분에 그녀는 가까스로 몸을 뒤집을 수가 있었다.

「준비됐소?」

그녀가 막 자세를 바꾸는 순간, 챈스의 불빛이 구멍 위로 불쑥 올라왔다. 그리고 그는 놀라움이 뒤섞인 고함을 질렀다.

「이렇게 좁은 터널 안에서 고양이보다 큰 동물이 몸을 돌릴 수 있을 거라곤 생각지도 못했소.」

레바는 아무런 대답 없이 바닥에 등을 대고, 어색하기 그지없는 동작으로 기기 시작했다. 그녀는 챈스의 강한 손이 자신의 발목과 종아리를 잡아당겨 움직임을 돕는 것을 느꼈다. 반쯤은 눕고 반쯤은 천장에 뚫린 구멍에 매달리게 되자, 그는 그녀를 조심스럽게 들어올려 자신이 발견한 터널로 잡아당겼다. 그리고 발이 땅에 닿은 뒤에도 그녀를 놓아주지 않은 채 꼭 끌어 안아주었다. 레바는 그의 품에 안긴 채 천천히 머리를 돌려 주위를 살펴보았다.

새롭게 발견한 터널은 놀라울 만큼 컸다. 높이는 거의 2미터에 다다랐고, 공간은 그보다 더 넓었다. 오랜 세월 동안 버려지고 잊혀진 듯 모든 것이 고요했다. 그녀의 작은 움직임 하나하나에도 가루처럼 곱고 미세한 먼지들이 나풀거리며 날아올랐다.

「좀더 작은 동굴을 생각했는데…….」

마침내 레바는 입을 열었다.

「나도 그렇소.」

챈스가 담담하게 대답했다. 그의 억제된 목소리에 무언가 숨기는 것이 있음을 감지한 레바는 몸을 돌렸다.

「말해봐요.」

그녀가 속삭였다.

「이건 버려진 동굴이오.」

레바는 무슨 의미인지 몰라 가만히 그의 설명을 기다렸다.

「이 터널은 양쪽이 다 막혀 있소. 밖으로 나가는 길은 존재하지 않소.」

챈스가 조용히 말을 맺었다.

9

레바는 검은 얼굴과 대조적으로 가늘게 반짝이는 챈스의 녹색 눈동자를 응시했다.

「우리가 어디를 판 거죠?」

그녀는 담담한 어조로 물었다.

잠시 챈스는 눈을 감았다. 눈에 보이지 않는 것처럼 자신의 입술과 두 뺨 그리고 눈을 어루만지는 그의 손바닥을 느끼며 레바도 눈을 감았다.

「너무나 용감하군.」

레바의 감은 두 눈에 흘러내리는 눈물을 닦아주며 챈스는 그녀에게 부드럽게 키스했다. 그런 다음 몸을 숙여 그녀의 연장 벨트를 집어 엉덩이에 둘러주고, 자신도 셔츠를 다시 입고 벨트를 맸다. 그리고 엽총과 배낭을 어깨에 둘러맨 뒤, 왼손에 곡괭이와 삽을 들고 오른손으로 그녀의 손을 잡았다. 아무 말 없이 챈스는 그녀를 끌고 터널을 걷기 시작했다.

「뒤쪽으로는 뭐가 있는데요?」

「2미터 폭의 터널과 화강암 벽이오.」

「앞으로는요?」

「함몰된 돌무더기.」

발을 헛디딘 듯 레바는 비틀거렸다.

「이번 지진으로 인한 거예요?」

「그보다 더 오래된 거요.」

「어떻게 알죠?」

「여기에 떠도는 먼지들은 우리가 걸으면서 일으키는 바람 때문이오.」

걸음을 옮길수록 터널 바닥이 조금씩 울퉁불퉁해지고 있었다. 사람들이 외바퀴 수레를 뒤엎어버리고 그냥 빠져나간 것처럼, 군데군데 쌓여 있는 높다란 바위더미 위에도 먼지가 가득 쌓여 있었다. 터널의 넓이는 2미터 정도로, 넓은 부분부터 그 반만한 크기까지 다양했다. 벽은 운모와 석영이 섞여 있지 않은 어두운 색이었다. 선조들이 이 굴을 판 지 몇 년 후 페그마타이트 광맥이 사라져버린 듯, 왼쪽으로 얼마 떨어진 곳에 별로 깊지 않은 작은 굴이 나 있었다.

「우리가 기어 들어갔던 커다란 방과 비슷한 것 같군요.」

「같은 지층이오. 좋은 눈을 가졌군. 아직, 완벽한 광부가 되는 법에 대해 다 전수한 게 아닌데도 말이오.」

「왜 여기에 있는 터널은 이렇게 큰데, 우리가 빠져나온 굴로 향했던 터널은 그토록 작았던 거죠?」

「광부들이 달랐던 거요.」

챈스가 간결하게 대답한 뒤 덧붙였다.

「이 굴을 팠던 사람은 낙관론자였소. 그는 대박이 터질 거라고 확신하고 있었기에, 수레가 들어올 수 있을 만큼 터널을 크게 팠소. 하지만 채굴에 대해 그리 많이 아는 사람은 아니었소.」

「어째서요?」

「구멍이 크면 클수록 함몰의 위험성도 큰 법이오. 주변을 둘러보시오. 이 터널은 채굴이 시작되었던 것과 동시에 여기저기 무너지기 시작했소.」

레바는 터널 여기저기에 흩뿌려져 있는 바위와 흙더미가 작은 함몰로 인한 것임을 깨달았다. 터널은 천천히 지상과 멀어진 것이었다.

「여기서 대규모의 함몰이 있었군.」

레바는 챈스가 말한 곳을 찾으려고 주변을 유심히 살펴보았다. 하지만 그녀의 눈에 보이는 건, 흙더미와 먼지들뿐이었다.

「어떻게 아는 거죠?」

「위를 보시오.」

레바는 머리를 들어 천장 위에 울퉁불퉁하게 잘린 것처럼 보이는 커다란 구멍을 보았다. 삼각형 모양의 구멍은, 거칠고 휑하니 뚫려 있었다. 그녀는 부들부들 떨면서 조금 더 빨리 걸음을 옮겼다.

「그렇게 서두를 필요는 없소. 이곳은 이 빌어먹을 퀸을 통틀어 가장 안전한 장소니까. 이미 떨어질 건 다 떨어진 뒤요.」

터널의 각도가 오른쪽으로 급하게 꺾여지며 거친 돌무더기와 함께 끝이 났다. 챈스는 그녀의 손을 놓고는 함몰된 바위더미를 향해 다가갔다. 그는 잠시 동안 주위를 살펴보더니, 가능한 높이 기어 올라가 삽의 손잡이로 꼭대기 부분에 힘껏 찔러넣었다. 그러자 손잡이의 거의 3분의 1 정도가 푹 하고 들어갔다. 챈스는 다시 그것을 잡아 빼 돌려 잡고 삽질을 시작했다.

레바는 삽시간에 흙더미의 옆쪽으로 무너져 내리는 바위와 흙먼지를 보면서 챈스가 무엇을 하는지 의문을 품었다. 잠시 후, 그녀는 챈스가 조금씩 돌무더기 위쪽으로 사라져 가고 있음을 깨달았다. 갑자기 그는 파고 있던 굴에서 미끄러지듯 빠져나와 그녀를 향해 불을 비추었다.

「뒤로 물러서시오.」

그녀는 몇 발자국 뒤로 물러섰다. 곡괭이와 배낭, 엽총 그리고 그의 연장 벨트가 함몰된 언덕을 타고 미끄러지며 떨어졌다.

챈스는 다시 구멍 속으로 들어갔다. 잠시 시간이 지나자, 희미하게 반짝이는 불빛과 터널 바닥으로 흙더미가 떨어져 내리는 소리만이 그의 위치를 알려주고 있었다. 레바는 간간이 시계를 보면서, 그의 벨트와 도구들을 다시 모았다. 곡괭이를 집어드는 것만으로도 바늘로 찌르는 듯한 통증이 어깨와 팔에 밀려왔다. 그녀는 어떻게 아직까지도 계속 땅을 팔 수 있는 힘과 끈기가 챈스에게 남아 있는지 이해할 수가 없었다.

「레바, 내 말 들리시오?」

챈스의 목소리가 멀리서 들리는 것처럼 끊어지듯 가냘프게 들렸다.

「네.」

「함몰 부분을 **빠져나왔소**. 터널을 좀더 살펴봐야겠소. 지금 있는 곳에서 잠시만 기다리시오.」

「기다릴게요.」

그녀는 목구멍 속에서 터져 나오는 저항과 두려움을 삼키며 담담하게 대답했다. 그리고 자신도 모르게 덧붙였다.

「하지만 딱 3분이에요.」

그의 웃음소리가 들린 것 같았지만 확신할 수는 없었다. 레바는 먼지로 더러워진 소매를 들추고, 초침이 조금씩 움직이는 것을 지켜보았다. 1분 51초 후, 그녀는 챈스가 함몰 부분을 넘어 자신에게 돌아오는 소리를 들었다. 레바는 그를 보았지만, 무엇을 발견했는지 물어보기가 두려워 아무런 질문도 할 수가 없었다.

「아직은 아무것도 모르겠소.」

그녀의 말없는 질문에 챈스가 대답했다.

「80미터 정도 떨어진 곳에 또 다른 함몰 지역이 있소.」

레바는 아무런 말없이 연장 벨트를 풀고 챈스를 따라 돌무더기를 넘어갈 준비를 했다. 막 꼭대기를 지나는 순간, 방금 일어났던 함몰과는 달리, 이 터널의 함몰 지역은 흙이 천장까지 메워져 있지 않았음을 깨달았다. 일단 윗부분을 평평하게 파내자, 기어서 통과하기에 충분한 공간이 만들어졌다. 레바는 챈스에게 장비를 건넨 뒤, 그의 품안으로 미끄러져 내려갔다. 그는 그녀를 가슴으로 잡아당겨 따뜻하게 꼭 끌어안았다.

챈스의 헬멧에서 나오는 불빛이 천천히 터널 안을 비추었다.

「이 터널은 진짜로 끝내주는군.」

챈스의 불빛이 탄탄한 울타리처럼 터널 바닥에 세워져 있는, 몇 개의 대들보 위에 멈추었다. 누가 만들었는지는 몰라도, 그것들을 촘촘히 박아 넣느라 꽤 고생했을 것이 분명해 보였다. 몇 개의 다른 기둥들이 그것들을 다시 직각으로 받쳐주고 있어 터널의 양 옆 벽이 무너지지 않고 단단히 고정되어 있었고, 나무들은 모두 오래되어 먼지에 휩싸여 바싹 말라 있었다. 또한 새카만 모습이, 햇빛이라는 건 아예 구경조차 하지 못한 듯 보였다.

터널은 약간씩 경사가 져 있었지만 외바퀴 수레를 끌지 못할 정도로 가파르지는 않았다. 레바와 챈스는 걸음을 옮기며 퀸의 끊임없는 지각변동을 억누르기 위해 세워진, 조잡한 나무 벽 몇 개를 더 발견했다. 어떤 나무들은 제자리를 찾지 못하고 터널 바닥 위에 널브러져 있었고, 다른 목재들은 약간씩 휘어져 있는 채 때때로 한 움큼의 흙을 떨구어내고 있었다. 그런 동굴의 모습은, 마치 인간 세계와는 다른 시간과 다른 모습으로 살아 숨쉬는 듯했다.

무너져 내린 흙더미들 중에 특히 한 곳이 챈스의 관심을 끌었다. 그는 벽과 나무들을 오랫동안 조사했다. 그리고 흘러내린 지층과 벽 위로 천천히 빛을 비추면서, 무엇인가 숨어 있는 단서를 찾으려는 듯 조심스럽게 살폈다. 레바도 그곳을 바라보았다. 하지만 그녀의 눈에 보이는 건, 단지 지층을 이루고 있는 무늬들이 위쪽을 향해 사선으로 경사져 있고 울퉁불퉁하다는 것뿐이었다. 또 어떤 지층은 훨씬 어둡고 무거우며, 더 매끄럽게 보이는 부분도 있었다.

마침내 챈스가 레바를 향해 몸을 돌렸다. 그녀는 기다렸지만 그는 아무런 말도 하지 않았다. 두 사람은 왼쪽으로 꺾여진 터널을 따라 파편들이 쌓여 있는 가파른 돌더미 위로 올라갔다.

「폭파된 거요.」

날카롭게 모가 난 돌조각들을 바라보며 챈스가 입을 열었다.

「어떻게 아는 거죠?」

그는 어깨를 으쓱해 보였다.

「나도 가끔은 다이너마이트를 사용하곤 하오. 물론 이런 경우는 한번도 없었지만.」

「이런 경우라뇨?」

「광산을 닫기 위해서요.」

「무슨 의미죠?」

챈스는 몸을 숙여 화강암 조각 하나를 집어들었다. 어둠 속에서 수십 년을 보냈음에도 불구하고, 돌멩이에 붙어 있는 이끼는 아직도 생생하게 살아 있었다.

「이건 지표면에서 온 거요.」

돌멩이에 붙어 있는 이끼를 가리키며 챈스가 말했다.

「이 화강암의 색을 보시오. 이건 햇빛과 바람 그리고 비에 의해 씻겨진 거요.」

그는 어두운 대지 위에 쌓여 있는 바위의 파편들을 바라보았다. 태양은 이 벽 너머 어딘가에 있었다. 하지만 어느 쪽인지, 그리고 어떻게 이 거대한 화강암더미를 치워야 할지는 미지수였다.

「너무나 가까우면서도 끔찍할 정도로 멀군.」

챈스는 잠시 조용히 욕설을 퍼부었다. 그 부드러운 어조가 오히려 더 섬뜩하고 무섭게 들렸다. 다시 한 번 주위를 둘러본 뒤, 그는 레바를 데리고 두 사람이 왔던 쪽으로 다시 걸음을 옮겼다. 그녀는 벽 건너편 어딘가, 햇볕이 쏟아지는 밖을 등지고 떠나고 있음을 어슴푸레 이해하면서 천천히 걸음을 옮겼다.

「아마도 그가 1908년 경, 퀸의 문을 닫았다는 확신이 서는군. 중국의 황태후가 죽고, 분홍색 투어말린 시장이 붕괴되었을 때 말이오.」

방금 전까지의 분노가 그녀만의 상상이있나는 듯, 다시 차분해진 목소리로 챈스는 입을 열었다.

「젠장, 그가 이 광산을 얼마나 싫어했는지 알 것 같소.」

「누가요?」

「성냥불을 그어 퀸의 입구를 폭파시켜버린 사람 말이오.」

방금 전, 챈스의 시선을 끌었던 터널 벽에 도착할 때까지 두 사람은 아무런 말도 하지 않았다. 그는 장갑을 벗고 손가락 끝으로 무너진 흙더미와 그 속에 파묻혀 있는 나무 기둥들을 조심스럽게 어루만졌다. 레바는 무엇을 하느냐고 묻지도 못할 만큼 지쳐 있었다. 세상이 그리고 햇빛이 가까이에 있다는 생각이 그녀의 자제력을 조금씩 갉아먹고 있었다. 레바는 햇빛에 대한 생각을 더 이상 하지 않기 위해 챈스에게 시선을 집중했다.

「뭔가 좀 해봐야겠소.」

벽에서 걸음을 떼며 챈스가 입을 열었다.

「그래도 효과가 없다면, 뭔가를 좀 먹고 나서 저 폭파된 벽을 부수든지 아니면 새로운 함몰 지역을 찾든지 해야겠소.」

챈스는 배낭과 엽총을 옆에 내려놓았다. 그런 다음 곡괭이를 손에 든 채 삽으로 벽을 쿡쿡 찔러보았다.

「행운을 위해 또 다른 키스 한번!」

미소를 지으며 챈스는 그녀를 향해 손을 뻗었다.

레바는 아무런 말없이 달려가 그의 품에 안겼다. 그녀는 그에게서 뿜어져 나오는 포근함과 위안이 너무나 그리웠다. 알아들을 수 없을 정도로 나직한 속삭임과 함께 그에게 바싹 매달린 레바는, 자신의 온몸을 감싸안은 그의 팔에 힘이 들어가는 걸 느꼈다. 그녀는 소금기가 느껴지는 땀내와 그의 달콤한 입술을 맛보았다.

「당신과의 키스의 반만이라도 운이 좋으면…… 여기서 나갈 수 있을 거요.」

숨을 쉴 수 없을 만치 꼭 끌어안으며 챈스는 나직하게 덧붙였다.

「터널에서 멀찍이 떨어져 있으시오. 버팀목들이 무너지면서 당신 신발에 먼지를 묻히는 건 원하지 않으니까.」

레바는 다섯 발자국 정도 뒤로 물러선 뒤, 다시 몸을 돌려 그를 바라보았다. 그녀의 예상과는 달리 챈스는 딱딱한 벽 위에 묻혀 있는, 목재들을 지탱하고 서 있는 버팀목들은 무시해버렸다. 그는 수직으로 세워져 있는 목재의 뒤쪽에 놓여진 나무 틈 사이로 곡괭이를 내리쳤다. 비록 오랜 세월이 흘렀다고는 하지만, 나무는 여전히 놀라우리 만큼 튼튼했다. 순식간에 조각이 나거나 내려앉을 거라는 레바의 예상과는 달리 버팀목은 고스란히 남아 있었다.

챈스는 힘겹게 곡괭이 자루를 잡아당기며 버팀목이 조금이라도 움직이게 힘껏 흔들었다. 두꺼운 나무 조각이 몸을 떨면서 조금씩 벌어지고, 그 틈 사이로 흙먼지들이 떨어지기 시작했다. 그는 다시 곡괭이를 내리쳐 흔들었다. 이번에는 버팀목이 조금 움직였다. 그의 근육이 검은 플란넬 셔츠를 팽팽하게 잡아당기며 올라갔다. 다시 그가 곡괭이 자루를 잡아 흔들자, 셔츠의 등 뒷부분이 쭉 하고 찢어졌다. 버팀목은 몇 센티미터씩 앞으로 튀어나오고 있었다. 그는 곡괭이 자루를 재차 고쳐 잡으면서, 무거운 버팀목이 지난 수십 년 동안 놓여 있던 장소에서 빠져나올 수 있도록 되풀이해서 흔들었다.

아직까지 일곱 개의 버팀목이 더 있었고, 그것들 하나하나가 처음 것만큼이나 두껍고 무거웠다. 일단 버팀목 중 하나가 빠져나오자, 챈스는 발 뒤쪽으로 그것을 굴렸다. 레바는 앞으로 달려나와 나무를 가능한 멀리 치우려 노력했다. 하지만 그녀는 단지 몇 센티미터 옆으로 이동시키는 것밖에 할 수가 없었다. 2미터 길이에 두께가 30센티미터가 넘는 기둥은 바위보다 더 무거웠다.

마침내 그녀는 최선을 다해 버팀목을 바위 쪽으로 옮겨 챈스의 발 아래서 방해가 되지 않도록 치울 수 있었다. 하지만 그는 그런 것조차 신경 쓰지 않았다. 그는 고집스럽게 서 있는 버팀목들과의 전쟁에 여념이 없었다. 그의 가쁜 숨소리만이 조용한 터널 안에 울려 퍼지고 있었고, 헬멧의 불빛 속에 때때로 드러나는 그의 눈동자는 차가운 은색으로 빛나고 있었다. 길게 찢어진 셔츠 속으로는 땀방울로 얼룩진 근육들이 매끄럽게 흔들리고 있었다.

레바는 한동안 그렇게 서서, 시간과 두려움과 다른 모든 것들을 잊어버린 채 챈스만을 바라보았다. 그의 본질적인 힘과 끈기에 매료된 그녀는 그에게서 시선을 뗄 수가 없었다. 가장 옆쪽에 있는 마지막 버팀목을 꺼내자, 터널의 벽이 허물어져 내렸다. 그는 재빨리 레바를 잡아당기며 옆으로 비켜섰다. 두 사람은 수직으로 서 있는 버팀목 사이로 흘러 내려와 기둥들을 반 이상 덮어버리고 있는 흙더미를 바라보았다.

챈스의 몸에서 발산되는 땀과 열기를 온몸으로 느끼며 레바는 거칠게 입을 열었다.

「당신이 해냈어요.」

그는 레바에게 가볍게 입술을 문질렀다.

「다행스럽게도 많이 파지 않아도 될 것 같군.」

챈스는 반쯤 무너져버린 벽을 향해 걸음을 옮겼다. 그런 다음 수직으로 세워진 버팀목 사이로 흘러내린 흙더미 사이의 틈을 살펴보았다.

「불을 끄시오.」

레바는 왜냐고 묻지 않은 채 재빨리 불을 껐다. 챈스도 조심스럽게 자신의 헬멧 불빛을 껐다. 어둠. 하나의 흠도 없는 완전한 어둠뿐이었다. 챈스는 다시 불을 켜고 곡괭이로 벽을 공격했다. 반사되는 불빛 속에 일그러진 그의 얼굴이 보였다. 그녀는 아무 말 없이 그를 바라보았다. 그리고 불을 켜지도 않았다.

흙더미와 돌덩어리들이 앞으로 무너져 내렸다. 챈스는 곡괭이를 들어 다시 내리쳤다. 천여 번이 넘게 계속 되었던 곡괭이 질은 처음과 마찬가지로 힘이 넘쳐흘렀고, 땀방울이 그의 몸을 타고 흘러내렸다. 그의 거친 숨소리만이, 지금 하고 있는 일이 얼마나 고된지를 알려주었다. 그의 규칙적이고 힘있는 동작은 절대로 변함이 없었다.

곡괭이가 돌과 바위로 뒤덮인 나무를 또다시 내리치자, 이번에는 나무가 반으로 쪼개지면서 파란색과 흰색의 뒤섞인 빛이 터널 안으로 쏟아져 들어왔다.

「그게 뭐죠?」

그의 옆으로 걸음을 옮기며 레바가 물었다.

「햇빛이오.」

차분한 말투 아래로 웃음과 승리의 기쁨을 숨긴 채 챈스는 간단하게 대답했다.

레바는 믿을 수 없다는 듯 그 빛을 바라보았다.

「하지만 저건 푸른색이잖아요.」

「광산 안으로 들어가 인공의 불빛을 보고 난 뒤에는 항상 태양빛이 푸르게 보이는 법이오.」

챈스는 수직으로 서 있는 버팀목 사이로 손을 집어넣어 장갑 위로 쏟아지는 햇살을 받았다.

「세상에서 가장 아름다운 색이오. 그리고 생명 그 자체만큼이나 풍요로운 색이고.」

그는 부드럽게 미소지으며 연장 벨트를 풀었다.

「저 버팀목 사이로 빠져나갈 수 있을 것 같소?」

레바는 그를 향해 몸을 돌렸다. 차이나 퀸의 어두운 손아귀에서 풀려났다는 사실을 믿을 수가 없었다. 하지만 은녹색을 띤 챈스의 눈동자가 그녀에게 확신을 주었다. 정말로 햇살이 맞다는 믿음이 생기는 순간, 챈스가 커다랗게 웃음을 터뜨렸다. 레바는 두 개의 버팀목 사이로 자신의 도구를 집어던졌다. 그리고 몸을 옆으로 돌려 서둘러 부서진 버팀목 사이로 빠져나갔다. 챈스 또한 도구를 집어던진 뒤 버팀목을 조금 더 벌리고 가까스로 빠져나왔다. 레바는 몇 발자국 떨어진 곳에 서서 그를 기다렸다. 그녀가 빠져나온 곳은 차이나 퀸의 입구 바로 안쪽이었다. 그녀는 손을 뻗어 몸 위로 쏟아지는 햇살을 받았다. 챈스의 발자국 소리를 들은 레바는 그를 향해 몸을 돌렸다. 그녀의 얼굴은 상기되어 있었고, 미소는 그녀를 둘러싸고 있는 햇살보다도 더 아름다웠다.

「믿을 수가 없어요.」

레바가 숨을 내쉬며 말을 이었다.

「마치 푸른색과 흰색이 뒤섞인, 거대한 다이아몬드 속에 들어와 있는 것 같아요. 모든 것이 완벽하고, 생생하게 살아 있어요.」

그녀는 헬멧을 벗어 던지고 웃음을 터뜨리며 머리카락을 흔들었다. 그리고 마치 그가 바로 태양인 양 챈스를 향해 손을 뻗었다.

「살아 있다구요.」

챈스는 레바를 들어올린 채 빙글빙글 몸을 돌리며 그녀와 함께 웃음을 터뜨렸다. 그는 햇빛에 반짝이는 황갈색 눈동자와 팔라 투어말린처럼 분홍색을 띤 입술을 바라보았다. 헝클어진 머리카락에는 여기저기 생채기가 나 있고, 새까맣게 얼룩진 모습으로 웃고 있는 그녀는, 그가 지금까지 어두운 지하에서 가지고 나온 보석 중에서 가장 아름다운 존재였다. 그는 끝없는 굶주림에 미쳐버린 것처럼 몸을 숙여 키스를 하고, 그녀의 아름다움과 생명력 그리고 자신의 팔 안에서 녹아드는 부드러운 몸을 가졌다.

「나와 결혼해주시오.」

거칠게 갈라지는 목소리로 챈스가 말했다. 그러는 도중에도 그의 입술은 그녀에게 더 많은 것을 요구하고 있었다.

「결혼해주시오, 채튼.」

레바는 얼굴을 들어올렸다. 그녀의 눈동자는 탁해져 있었고, 입술은 햇빛처럼 쏟아지는 챈스의 열정으로 인해 떨리고 있었다. '호랑이 신'이 그녀의 품안에서 타오르고 있었다.

「네.」

'아니오'라는 말을 할 수가 없어 레바는 그렇게 대답했다. 그에게는…… 아무것도 거절할 수 없을 것 같았다.

「당신 없이는 살 수 없을 것 같아요.」

불타는 눈동자를 들어올린 챈스는 한참 동안 그녀를 바라보았다.

그리고 속눈썹 아래로 흘러내리는 그녀의 눈물을 닦아주며 숭배하듯 입술로 문질렀다. 레바는 자신이 더할 나위 없이 소중하고, 믿을 수 없을 만치 아름답고, 완벽한 존재인 것처럼 소중하게 보호받고 있음을 느낄 수 있었다. 얼마나 그를 사랑하는지 말하고 싶었지만 그럴 수가 없었다. 그 말은 그녀가 하지 않기로 약속한 단어였다.

그리고 그 단어는 그리 중요하지 않았다.

두 사람이 죽음과 맞서서 함께 싸우는 동안, 일반적인 상식과 시간들은 먼지가 되어 날아가버렸고, 단지 단단하고 영구한 결속력만이 두 사람 사이에 남아 있었다. 그녀는 챈스가 용감하고 가차없고 부드럽고 고독하고 자제력이 강하고 거칠고 열정적이고 힘이 세며 위험한 사람임을 잘 알고 있었다. 하지만 그 어떤 위험이 닥친다 해도 그는 그녀를 보호해줄 것이다. 또한 그는 그녀의 안에 숨어 있는 여성을 발견하고 자유롭게 풀어주었다. 그리고 다른 누구보다도 더 그녀를 원했고, 그녀 또한 똑같은 방식으로 그를 원했다.

말로 했건 안 했건 챈스 워커는 레바 파렐을 사랑했다.

「같이 갑시다. 이리로 오시오, 나의 여인.」

부드럽게 미소를 지으며 챈스는 자신의 입술로 그녀의 입술을 살짝 문질렀다. 그는 그녀를 잠시 바위 위에 앉혀놓고, 널려 있는 장비들을 모아 차이나 퀸의 입구의 그림자 속에 쌓아놓았다. 그리고 엽총만을 집어들었다.

「광부들이 소중하고 아름다운 것을 지상으로 가지고 나왔을 때 하는 의식을 알려주겠소.」

레바는 그를 향해 미소를 지었다.

「그 사람들이 뭘 하는데요?」

챈스는 장갑을 벗고 그녀의 장갑도 벗겨냈다. 그리고 손을 뻗어 레바의 손을 움켜쥐고, 차이나 퀸의 바깥에 내리쬐는 태양 아래로 나갔다.

이른 오후의 봄은, 덥고 눈부셨다. 산맥 사이로 불어오는 사막의
바람이 동쪽으로 지나가면서 여름의 열기를 미리 느끼게 했다. 챈스
와 레바는 산등성이를 돌아 울퉁불퉁한 언덕 사이의 낮은 계곡을 향
해 걸어갔다.

산골짜기는 보기보다 깊었다. 잠시 후 두 사람은 골짜기 안으로
깊숙이 들어가 모습을 감추었다. 다람쥐가 작은 나무에 몸을 싣고
이리저리 날아다니며 연약한 가지 사이로 움직이고 있었다.

「굉장히 비밀스러운 곳이오.」

무너져 내린 가파른 화강암 언덕을 넘으며 챈스가 말했다. 그런
다음 몸을 돌려 레바를 향해 손을 뻗은 뒤, 그녀가 안전하게 발을
디딜 수 있도록 안아들었다.

골짜기가 갑자기 넓어지면서 경사면이 낮아졌다가 다시 가파르고
거칠게 이어졌다. 조금 더 깊숙이 들어가자, 울퉁불퉁한 계곡이 아래
로 뻗어 있었다. 그곳에는 아주 작은, 그녀의 거실보다 조금 큰, 공
터가 있었다. 매끄러운 바위틈에서 물이 솟아 나와 작은 시내를 이
루고, 단단한 돌들 사이로 이리저리 흘러내려 작은 공터를 메우고
있었다. 냇물의 양옆과 계곡의 가파른 기슭에는 햇빛과 무겁게 매달
린 씨 때문에 풀들이 고개를 숙인 채 이리저리 몸을 흔들고 있었다.

「아름다워요. 어떻게 이런 곳을 발견했죠?」

레바가 한숨을 내쉬며 말했다.

「냄새를 맡았소.」

그녀는 믿을 수 없다는 듯이 그를 바라보았다.

「이곳은 메마른 대지요.」

챈스가 그녀를 향해 미소지으며 설명했다.

「풀과 물의 냄새는 마치 붉은 깃발처럼 분명한 길이오. 어제의 그 언덕도 그렇게 찾아낸 거요. 그 아래의 땅에는 물이 있었소. 물론 한 모금도 되지 않을 만큼 작았겠지만.」

놀라워하는 그녀의 표정을 보고 챈스는 웃음을 터뜨렸다.

「난 사막에서 많은 시간을 보냈소, 기억나오?」

챈스는 그녀의 코끝에 키스한 뒤, 부드러운 풀잎이 무성한 언덕으로 그녀를 데려갔다.

「야영지로 가서 몇몇 물건들을 가져오는 동안, 여기서 잠시 쉬도록 해요.」

챈스의 손가락이 그녀의 머리카락 사이로 들어와 따스하게 어루만졌다.

「곧 돌아오겠소.」

잠시라도 그녀의 곁을 떠나고 싶지 않다는 듯한 표정을 지으며 그가 중얼거렸다.

레바는 계곡의 그늘 사이로 사라져 가는 챈스를 바라보았다. 그녀는 두 팔로 몸을 지탱하고 몸을 뒤로 젖힌 채, 눈을 감고 햇볕에 얼굴을 쐬었다. 그녀는 불안함을 떨쳐버리고, 파고드는 햇빛과 열기에 젖어들며 온몸에 남아 있던 어둠과 두려움을 떨쳐내려 했다.

잠시 후 그녀는 자신이 얼마나 지쳐 있고 더러운지 깨달았다. 갑자기 목욕을 하고 싶다는 생각이 저항할 수 없는 유혹처럼 다가왔다. 하지만 목욕을 할 만한 장소를 찾아내는 일은, 몇 시간을 버려 다시 도심으로 나가기 전에는 불가능할 것 같았다. 레바는 한숨을 내쉬며 여전히 남아 있는 두려움과 고된 노동으로 인한 잔재들을 깨끗이 지워주고, 온몸에 남아 있는 먼지와 땀을 씻어줄 차갑고 부드러운 물에 대한 유혹적인 상상들을 밀쳐냈다. 그리고 작게 흘러내리는 물소리와 평화로움과 화창함이 뒤섞인 자연의 소리에 귀를 기울였다.

그녀는 문득 셔츠 단추를 푸는 손가락을 느끼며 눈을 떴다. 챈스였다. 레바는 그를 향해 나른하게 미소를 지었다. 그는 웃통을 벗은 채, 그녀 옆에 무릎을 꿇고 앉아 있었다. 햇빛에 그을린 그의 강인한 근육들이 피부 아래서 매끄럽게 움직이고 있었다.

　　「이게 광부들이 고된 하루의 일과를 끝난 뒤에 하는 건가요?」

　　갈망과 웃음기로 가득 찬 어조로 레바는 물었다.

　　「아주 오래되고 신성화된 전통이오.」

　　미소를 지으며 챈스는 분명하게 말했다.

　　「뭐라고 부르는 건데요?」

　　「음…… 발견한 것을 씻어내는 거요.」

　　레바는 소리 없이 웃으며 오랜지색과 적황색 줄무늬 셔츠의 단추를 벗기는 그의 손을 바라보았다.

　　「정말이오. 광부들은 무엇을 발견했던 간에 곧바로 깨끗이 씻어 확인하는 습관이 있소. 오판인 경우에는…….」

　　챈스는 차분한 목소리로 말을 이었다.

　　「대부분의 광부들은 혀로 핥아 무엇이 숨어 있는지를 확인하지.」

　　순간 레바의 숨이 멎었다.

　　「정말이오.」

　　챈스는 천천히 미소를 지었다.

　　「광부들은 자신의 혀로 발견한 것이 무엇인지를 알 수 있단 말이오.」

　　「지어낸 이야기죠?」

　　의구심과 웃음으로 뒤섞인 목소리로 레바가 물었다.

　　챈스는 두 눈을 반짝이고 그녀를 내려다보며 웃음을 터뜨렸다. 그의 양손이 그녀의 더러운 셔츠를 완전히 벗겨냈다.

　　「모두 사실이오.」

브래지어의 후크를 풀면서 그는 중얼거렸다.

「당신이 아름답다는 말만큼이나 사실이오.」

챈스는 몸을 숙이고 촉촉한 혀로 그녀의 핑크색 젖꼭지를 살짝 건드렸다.

「정말 아름답군.」

그는 거친 목소리로 말했다.

「팔라의 최상품만큼이나 아름다운 분홍색이오.」

까칠한 수염으로 젖가슴 위를 문지르자, 레바는 다시 숨을 멈추었다. 그의 이가 그녀의 젖꼭지를 조심스럽게 깨물었다. 그런 다음 자신의 입술로 그녀에게 뜨거운 열기와 압력을 일으키면서, 그녀가 자신의 이름을 부르며 전율할 때까지 애무를 계속했다.

「조금 더 기다리겠다고 내 스스로 약속했소.」

마지못해 머리를 들며 챈스는 거친 목소리로 말했다.

「그리고 난 언제나 약속을 지키는 사람이오.」

챈스의 손이 그녀의 가슴을 부드럽게 모아쥐고 다시 내려와 그녀의 청바지 단추를 풀었다.

「무슨 약속이요?」

다소 갈라진 목소리로 레바가 물었다.

「저 변덕스러운 퀸에서 묻어온 것은 아주 작은 것까지도 씻어버린 후에 당신을 가질 생각이오.」

챈스의 은녹색 눈동자가 뜨거운 태양 아래 반짝이는 호수처럼 깊어 보였다.

「우리는 두 번째 생명을 받은 거요, 채튼. 그러니 우리가 다시 하나가 되기 전에 먼저 깨끗이 몸을 정화시켜야 하오.」

챈스는 그녀의 남은 옷가지들을 벗겨낸 뒤, 자신의 옷도 모조리 벗어 던졌다. 그런 다음 얕은 물가로 그녀를 이끌고 들어갔다. 호수

바닥에는 작은 조약돌이 널려 있었고, 챈스의 키보다 높지 않고 레바의 손바닥 폭보다 넓지 않은, 작은 폭포에서 떨어지는 물살이 반대편까지 잔물결을 만들어내고 있었다. 피부에 닿는 차가운 충격에 레바는 몸을 떨었다. 하지만 곧 온몸을 타고 흐르는 물살의 감미로움과 부드럽게 어루만지며 씻겨주는 챈스의 관능적인 손길에 젖어들었다.

「내 차례예요.」

레바는 그를 향해 미소를 짓고, 챈스가 야영지에서 가져온 비누를 향해 손을 뻗었다.

그녀에게 비누를 건넨 챈스는 작은 폭포 아래로 한 발자국 들어갔다. 물방울이 그의 몸에 부딪혀 은색으로 부서지고 있었다. 그녀는 그의 머리카락을 먼저 감긴 다음 그의 얼굴과 관능적이고 단호한 형태를 지닌 입술과 턱수염을 씻겨주었다. 손가락이 닿을 때마다 움직이는 그의 목덜미의 근육에 매료된 레바는 잠시 그곳을 문질렀다. 그녀의 손이, 끔찍한 어둠 속에 갇힌 두 사람을 쏟아지는 햇살 속으로 꺼내주었던 강한 어깨와 팔을 따라 조심스럽게 움직였다.

레바는 조심스럽게 그의 몸을 돌아 뒤로 움직였다. 챈스의 등뒤에 난 긴 상처와 커다란 멍을 본 순간, 그녀는 차마 손을 대지 못한 채 숨을 들이마셨다.

「아파요?」

「당신이 날 만질 때면 아무런 통증도 느낄 수가 없소.」

떨리는 손으로 레바는 먼지와 말라붙은 핏자국을 닦아냈다. 그녀는 자신을 밀쳐내고, 떨어지는 돌덩이를 온몸으로 막아주었던 그를 기억했다. 가볍게 숨을 내쉬며 손가락 끝으로 멍 자국을 문질렀다. 그는 전혀 고통스럽지 않은 듯, 그녀의 손길 아래에서 부드럽게 몸을 돌렸다.

「난 괜찮소. 그러니 그렇게 창백하고 슬픈 얼굴은 하지 마시오.」

레바의 얼굴 위로 키스를 퍼부으며 챈스는 말했다.

「당신은 스스로를 너무나 위험스럽게 만들었어요. 날 보호하기 위해……..」

「당연한 거요.」

탁하게 갈라진 챈스의 낮은 목소리는 거칠게 들렸다.

「당신은 내 여자요. 그리고 난 언제나 당신을 보호할 거고.」

레바는 그의 앞에 무릎을 꿇고 앉아 은백색의 물살과 비누거품 아래로 느껴지는 그의 따스한 피부를 즐기며, 강인한 허벅지에서 종아리까지 문질렀다. 그녀가 손을 조금씩 높이 올리자, 떨리는 그의 근육이 느껴졌다. 챈스가 자신에게 그랬던 것처럼 부드럽게 그를 씻겨주며, 레바는 무의식적인 친밀감에 행복을 느꼈다.

그는 그녀의 남자였고, 거짓된 수줍음이나 속박 없이, 물처럼 햇살처럼 그리고 삶 그 자체처럼 마음껏 가질 수 있는 그녀만의 연인이었다.

챈스는 몸을 숙여 레바를 들어올린 뒤 키스를 했다. 그리고 레바의 반응을 통해 그녀가 더욱 더 뜨거워지고 솔직해졌음을 느꼈다. 전에도 들은 적이 있는 낯선 언어와 아름다운 목소리로 속삭이며, 그는 두 사람의 몸이 하나가 되게 꼭 끌어안았다.

아무런 말없이 챈스는 그녀를 안은 채 물 속에서 빠져나와 햇살이 내리쬐는 언덕 위에 미리 펼쳐놓은, 진한 회색 침낭 두 개를 이어 만든 담요로 걸음을 옮겼다. 그리고 조심스럽게 레바를 내려놓은 챈스는, 그녀에게서 완전히 손을 떼고 강렬한 시선으로 그녀를 바라보았다.

「지금 당신을 갖게 되면 절대로 놔주지 않을 거요.」

낮게 갈라지는 목소리로 챈스는 속삭였다.

「앞으로 무슨 일이 일어나더라도, 우리가 지금까지 어떤 이야기를 나누었건 간에, 그리고 우리가 무슨 일을 했건 당신은 그 어떤 결혼 서약보다 더 영속적이고 본질적인 방식으로 내 것이 되는 거요. 그렇게 되길 원하오?」

「그럼, 똑같은 방식으로 당신도 나의 것이 되는 건가요?」

그의 눈길만큼이나 강렬한 눈동자로, 그가 하지 않은 말들을 그리고 앞으로도 절대로 하지 않을 '사랑'이라는 말을 찾아보려고 애를 쓰며 레바는 되물었다.

「내게는 다른 선택이 없소.」

챈스가 속삭였다.

「나도 마찬가지예요. 난 아무도 원하지 않아요. 단지 챈스, 당신만을 원해요. 오직 당신만을.」

레바는 그에게 두 팔을 뻗으며 말했다.

「당신은 날 가질 거요. 오직 나만을.」

그녀의 옆으로 몸을 누이며 챈스가 약속했다. 그런 다음 레바를 자신의 팔 안으로 끌어당겨 부드러움을 음미하듯 온몸으로 감싸안았다. 마치 처음인 것처럼 두 사람의 입술이 만나고, 그녀의 피부 위로 쏟아지는 햇살처럼 따스하고 열렬한 손길이 조심스럽게 움직이기 시작했다.

그의 혀가 미소짓고 있는 그녀의 입술을 핥고, 그를 받아들이기 위해 입술을 벌릴 때까지 챈스는 장난치듯 희롱했다. 꺼칠하면서도 부드러운 챈스의 혀가 미끄러지듯 들어오며 화답을 원하듯, 그녀를 유혹했다. 그의 맛과 감촉이 번개처럼 그녀를 내리쳤다. 레바는 작은 신음과 함께 그에게 녹아들었다.

「그렇소.」

부드럽게 그녀의 귓불과 목 그리고 어깨와 젖가슴을 깨물면서 챈스는 속삭였다.

「내게로 오시오.」

레바는 손길과 사랑이 담긴 그의 열정에 맞추어 온몸이 녹아들 듯 변해 가는 것을 느끼며 흐느꼈다. 어루만져달라는 듯 가슴이 부풀어 올랐다. 그의 혀가 딱딱해진 젖꼭지를 번갈아 가며 거칠게 괴롭히고, 그녀가 몸을 비틀며 신음을 지를 때까지 부드럽게 빨았다.

뜨거운 열기가 그녀의 몸 안에 호수를 이루고 넘쳐흘러 주체할 수 없는 쾌락을 흘려보냈다. 레바는 그의 팔을 움켜쥔 손을 쥐었다가 풀기를 반복하며 숨을 헐떡이고 머리를 흔들었다.

「챈스…….」

힘없이 흔들리는 다리로 그를 향해 움직이며 레바는 성급하게 말했다.

「제발…….」

그는 웃음을 터뜨리며 좀더 아래로 내려가, 혀로 그녀의 배꼽 근처를 찰싹였다. 딱딱한 손이 그녀의 종아리와 허벅지를 문지르고, 배꼽 아래의 부드러운 피부를 부드럽게 유린하며 그녀의 다리를 옆으로 벌렸다. 그리고 까칠한 벌꿀색 숲을 뺨으로 문지르면서 그녀의 다양한 반응을 살피며 몸을 떨었다. 그의 콧수염이 허벅지 안쪽의 부드러운 곳을 문지르자, 레바는 전율했다. 혀가 예민한 살 속을 살피듯 침입해오자 그녀는 숨을 헐떡였다.

「챈스!」

「쉿…….」

레바의 엉덩이를 부드럽게 잡고 따뜻함 속에 얼굴을 묻으며 그는 중얼거렸다.

「당신은 너무나 부드럽고, 아름답군. 내가 당신의 모든 것을 알 수 있도록 허락하시오.」

뜨거운 열기와 숨막히는 욕구에 넋이 나간 레바는 그가 만들어내는 쾌락에 완전히 사로잡혔다. 그녀는 자신을 그에게 아낌없이 선사하고, 그의 부드러운 움직임과 거친 애무가 불러일으키는 뜨거운 불길에 자신의 모든 것을 소진했다. 그의 이가 약간은 야만스럽게 섬세한 살결을 지분거리자, 그녀는 활처럼 몸을 휘며 그에게 매달려 모든 것을 잊은 채 끊어질 듯 그의 이름을 불렀다.

지금껏 알고 있었던 그 어떤 것보다 강렬한 쾌락의 잔재에 떨고 있던 레바의 몸 위로 챈스가 재빨리 올라왔다. 그리고 한번의 거친 움직임으로 다시 그녀의 몸에 불을 지폈다. 그녀는 또다시 소리를 지르며 손톱을 세워 그의 어깨를 움켜쥐었다. 믿을 수 없을 만치 강렬한 쾌락이 또다시 밀려오고 있었다. 그는 부드럽게 웃음을 터뜨리고 천천히 힘있게 움직였다. 챈스는 여인의 황갈색 눈동자가 반짝이고, 자신이 불어넣는 강렬하고 내면적인 절정과 쾌락으로 얼굴이 일그러지는 것을 바라보았다.

챈스는 그녀의 이름을 되풀이해 외치며 본능 깊은 곳에서 빠져나오는 욕구를 거침없이 쏟아냈다. 레바는 몸을 떨며 천천히 그의 엉덩이 위로 두 손을 올려 자신의 절정에 그도 함께 할 것을 요구했다. 거친 신음 소리와 함께 자제력의 끈을 놓은 챈스는, 끝없이 그녀 안으로 침몰해 들어가며 그녀가 자신에게 주었던 모든 것을 그녀에게 되돌려주었다.

레바는 좁은 평균대 위에서 앞으로 세 발자국 걸은 후, 뒤로 한 바퀴 돌고 앞으로 두 바퀴 돌았다. 그리고 옆으로 비틀며 공중돌기를 해 탄력 있는 바닥 위로 착지했다. 피부에 흘러내리는 땀방울들을 느끼며 깊게 숨을 들이마신 그녀는 수건으로 손을 뻗었다.

「끝난 거요?」

문 쪽에서 나직한 목소리가 들려왔다.

갑자기 몸을 돌린 레바는 언제나 그렇듯, 챈스의 소리 없는 움직임에 또 한번 깜짝 놀랐다.

「어디서 오는 길이에요?」

「오브제 다르에서. 제레미의 수집품에 대한 신문 발표 내용을 커피 테이블 위에 올려놓았소. 지나가 마감시간 전까지 당신이 확인해 보았으면 좋겠다고 전해달라더군. 그녀는 결혼에 대해 언급하지 않기로 했다는 사실에 실망한 것 같았소.」

담담한 어조로 챈스가 덧붙였다.

「지나에게 결혼 발표는 델 코로나도에서 제레미의 수집품을 전시하는 날 할 거라고 말했거든요. 그때까지는 사람들의 호기심 어린 눈초리나 역겨운 추문에 휩싸이고 싶지 않아요. 그저 당신과 평화를 즐길 생각이라고요.」

챈스는 오랫동안 레바를 바라본 뒤, 고개를 끄덕였다.

「알겠소. 막 당신이 결혼에 대해 마음을 바꾼 게 아닌가 걱정하기 시작했던 참이었소.」

레바는 가볍게 팔짝 뛰어올라 그의 목에 팔을 감고 매달렸다.

「당신이나 그렇게 손쉽게 도망갈 생각은 하지 말라구요.」

미소를 짓던 레바는, 약간은 심각한 표정을 지으며 독특한 은녹색 눈동자를 바라보았다.

「내가 걱정하는 건 내가 아니오」

거칠고 딱딱한 챈스의 손이 그녀의 얼굴을 감싸쥐었다.

「난 당신이 걱정되오, 채튼. 죽음에 대한 위협이 사라지고 이제 안전한 곳으로 돌아왔으니, 조금씩 당신의 눈에 모든 일이 이성적으로 보이기 시작할 거요. 함몰된 동굴에서 멀어질수록 그리고 도시에서 머무는 시간이 점점 길어질수록, 혹시 당신이 마음을 바꾸면 어떡하나 점점 두려워지고 있소.」

레바는 눈을 감으면서 따뜻하고 단단한 살결에 뺨을 비비고, 챈스의 짙은 녹색 셔츠의 벌려진 부분에 드러난 가슴 위로 얼굴을 묻었다. 차이나 퀸을 떠나온 지 겨우 이틀밖에 지나지 않았지만, 평생을 챈스만을 사랑하며 살아온 듯한 기분이 들었다. 그녀에게는 아무런 의혹도 없었다. 내일이면 두 사람은 결혼하리라.

「내일이 바로 내 생일이에요.」

그의 피부에 대고 레바가 속삭였다.

「내가 바라는 유일한 선물을 주겠다고 약속해줘요. 당신이요. 당신을 오브제 다르의 금고에 넣고 잠가버리면 절대로 도망가지 못하겠죠?」

챈스의 웃음소리가 그녀의 뺨에 작은 진동을 일으켰다. 기다란 손가락이 비녀를 뽑아버려 그녀의 정수리 위에 단단히 고정되어 있던 머리를 풀어헤쳤다. 자신의 살갗 위로 미끄러져 내리는 황금색 물결을 느끼며 챈스는 그녀의 머리가죽을 따스하게 문질렀다. 혀끝이 그녀의 목덜미 아래에서 세차게 뛰는 맥박을 찾아냈다. 그는 자신의 손이 움직일 때마다 점점 빨라지는 맥박을 느끼고, 그녀가 입고 있는 자홍색 레오타드(leotard, 소매없는 타이츠) 아래에 숨겨진 부드러운 피부를 어루만졌다.

「난 당신 거요.」

챈스가 거칠게 속삭였다.

「결혼을 했든 안 했든. 지난번 온천에서 사랑을 나눌 때 내가 한 말이 바로 그런 의미였소. 맹세를 했건 안 했건 간에 당신은 내 것이오. 하지만 결혼을 하는 게 더 안심이 되긴 하오. 당신의 손가락에 내 반지가 끼워져 있고, 당신의 이름 뒤에 내 이름이 들어가기를 바라는 거요, 레바 파렐 워커. 세상의 모든 남자들에게 당신이 내 것임을 알리고 싶소.」

「나도 세상 모든 여자들에게 당신이 내 것임을 알리고 싶어요. 당신의 반지도 내 것과 똑같은 걸로 해야겠어요.」

레바는 삐딱한 미소를 지으며 말했다.

「원래 이렇게 소유욕이 강한 편이오?」

챈스가 부드럽게 물었다. 아랫입술을 적시기 위해 레바의 작은 분홍색 혀가 모양새 좋은 입술 사이로 모습을 드러내자, 그의 눈동자가 짙은 녹색으로 변했다.

챈스의 눈동자를 바라보던 레바는, 온몸을 흔들고 지나가는 세찬 물결과 그를 완벽하게 소유하고 싶다는 거친 흥분을 느꼈다.

「전에는 이렇게 소유욕이 강하지 않았어요. 내 남편이 자신의 제자를 유혹할 때에도 화가 난다기보다는 역겹기만 했죠. 하지만 만일 당신이 다른 여자에게 손길을 준다면, 난 폭력적인 것 이상의 끔찍한 짓을 저지를지도 몰라요, 챈스 워커.」

그는 배고픈 호랑이처럼 미소를 지으며 그녀를 잡아먹을 듯, 거칠고 탐욕스러운 키스를 퍼부었다.

「걱정 마시오, 나의 여인. 탐사꾼들은 일단 다이아몬드와 사금을 발견하고 나면 절대로 다른 것에는 눈을 돌리지 않으니까.」

챈스는 다시 한 번 부드럽게 키스를 하고, 마지못해 팔을 풀었다.

「지금 당장 멈추지 않는다면, 샤워하는 것을 도와주겠다는 제안을 하고, 그냥 머물러 있고 싶다는 유혹에 굴복하고 말지도 모르겠소.」

그의 시선과 손길이 그녀를 어루만지며 가슴 위의 단단한 구슬과 엉덩이의 부드러운 곡선, 그리고 허벅지 사이의 따스한 그늘을 찾아 움직였다.

「다음번에는⋯⋯.」

챈스의 목소리가 거칠어졌다.

「당신을 잘근잘근 깨물고, 당신의 그 작은 귀에서부터 발끝까지 모조리 맛볼 생각이오.」

그의 손길 아래 몸을 구부리며 레바는 가쁘게 숨을 몰아쉬었다.

챈스는 눈을 감으며 그녀의 어깨 너머로 두 손을 움직였다.

「하지만 지금 그렇게 해버린다면⋯⋯ 난 절대로 여길 떠날 수 없을 거요. 그럼, 내일 우리는 결혼하지 못하겠지. 당신의 저 빌어먹을 정부는 요구하는 서류가 너무 많소.」

「그 빌어먹을 정부가 바로 당신의 정부이기도 해요.」

욕망으로 반짝이는 눈을 들며 레바는 놀리듯 대답했다.

챈스는 한숨을 내쉬며 뒤로 한 발자국 물러섰다.

「알겠소. 지금 나는 모든 법이나 규칙 따위는 지옥으로 가라고 말하고 싶은 충동이 생기는 걸 계속 억누르고 있는 중이오.」

그의 손가락 끝이 그녀의 짙은 벌꿀색 눈썹을 따라 움직였다. 챈스는 그녀의 입술 위로 자신의 입술을 문지르고 몸을 폈다.

「내가 돌아올 때까지 여기에서 기다리시오.」

「언제까지나 그렇게 하죠.」

챈스의 등뒤로 문이 닫히는 걸 지켜보면서 그의 이름을 부르지 않기 위해 레바는 안간힘을 썼다. 오늘밤 그를 다시 자신의 품에 안을 수 있다는 사실도, 지금 그녀가 느끼는 아픔을 완화시켜주지는 못했다. 이제는 세상이 너무나 단순해 보였다. 일단 챈스와 함께 나누는 삶을 알게 되자, 그가 없는 세상은 흐릿한 색에 평범하고 둔탁한 싸구려 보석처럼 보였다.

재빨리 샤워를 마친 레바는 거실에 앉아, 간단한 스낵으로 늦은 점심을 먹으며 지나가 보내준 신문 발표 내용을 살펴보았다. 늘 그랬듯, 지나는 최소한의 과장과 최대한 명쾌한 문체로 필요한 모든 것들을 표현해놓았다. 레바는 서류를 옆으로 밀쳐놓고 전화기로 손을 뻗어 오브제 다르에 전화를 했다.

「지나? 기사 내용은 정말 훌륭해. 그대로 보내도 되겠는데. 내가 땡땡이를 친 동안, 누가 눈치채거나 방문한 사람이 있었어?」

「토드 싱클레어가 방문했었어요. 결국 그에게 당신이 선택한 두 가지가 무엇인지 말해주었어요. 팀이 사용하는 방법에는 미치지 않겠지만, 그게 그를 내쫓을 수 있는 가장 쉬운 방법이었어요.」

「곤봉을 말하는 거야?」

믿을 수 없다는 듯 레바는 물었다.

「팀은 그걸 사용하고 싶어 근질거리나봐요.」

지나가 냉소적으로 대답했다.

「그랬다고 어떻게 그를 비난하겠어요. 나만 해도 직접 팀의 곤봉을 훔쳐 그의 머리를 내리쳐주고 싶었는데.」

「그때 내가 사무실에 없었다는 게 기쁘군.」

「토드만큼 기쁘지는 않았을 거예요. 그는 당신이 ─ 그리고 챈스가 ─ 주위에 없다는 사실에 안도하는 게 분명했다고요. 분명 토드 싱클레어에게는 당신의 남자가 하나님보다 더 무서운 존재인 거 같더라니까요.」

「할렐루야. 마침내 두꺼비를 내 머릿속에서 몰아낼 수 있겠네.」

「다른 전화는 그렇게 많지 않았어요. 대부분의 사람들이 델 코로나도에서 제레미의 수집품을 전시할 때까지 기다려야 한다는 사실을 별로 좋아하지 않더군요. 하지만 팀이 분명하게 전했어요. 당신이 원하던 대로 그 어떤 특별 대접이나 개인적인 시사회 따위는 없을 거라고 했죠.」

「좋아. 한 사람이라도 예외를 둔다면, 모두 그걸 요구하게 될 거야. 난 편안하게 신혼생활을 즐기고 싶다구.」

「그렇긴 하지만, 왠지 평화와 챈스 워커는 굉장히 상반된 개념처럼 들리는걸요.」

전화선 너머로 레바가 미소짓는 게 보이지 않았지만, 지나의 목소리는 조금 부드럽게 젖어 있었다.

「그렇지만도 않아.」

챈스의 강한 품에 안겨 잠이 드는 게 얼마나 평화로운지를 되새기며 레바는 중얼거렸다.

「그도 굉장히 부드러울 수 있는 사람이라고.」

갑자기 지나의 뒤쪽으로 시끄러운 소동이 일어나며 모르는 여자의 목소리와 팀의 목소리가 뒤섞여 들려왔다.

「잠깐 기다려요, 레바.」

전화기 너머로 들려오는 여러 가지 소음이 좋든 싫든 간에 레바로 하여금 계속 수화기를 들고 있게 만들었다. 아무래도 지나의 안내가 필요한 귀찮은 손님이 온 거라고 추측하며 조금은 짜증스럽게 기다렸다.

「레바?」

팀이었다.

「아직 안 끊었군요.」

레바는 한숨을 내쉬었다.

「이번에는 또 무슨 소동이야?」

「아무것도 아니에요. 챈스의 누나라는 사람이 여기에 와서 그를 찾고 있어요.」

「뭐라고? 글로리가 거기에 와 있다고?」

「정말 그런 이름이에요?」

웃음을 참으려는 듯한 어조로 팀이 되물었다. 그가 수화기를 막고 헛기침을 하는 게 들려왔다.

「미안합니다, 데이 부인. 당신의 이름이 제게 강한 인상을 주어서요. 음, 좀 특이하군요. 더군다나 요즘 제레미 싱클레어의 수집품과 그와 관련된 일들 때문에 여기저기 쑤시고 다니는 사람이 좀 많았거든요.」

레바는 수화기 건너에서 들려오는 소리를 듣고 있었다.

여인의 목소리에는 오스트레일리아식 억양이 분명하게 드러났다. 챈스와 달리, 글로리는 고향의 흔적을 모두 지워버리고 자신이 선택한 나라의 억양만을 사용하고 있었다.

「챈스? 마침내 널 찾아냈구나.」

「아직은요…… 전 레바예요.」

「챈스의 여자…….」

묘한 음색 속에는 만족의 기색이 숨겨져 있었다.

「그렇다면 멀리 있지는 않겠군요. 그는 당신을 참으로 오래 찾아다녔어요, 레바 파렐. 그와 잠시 이야기를 나눌 수 있을까요?」

「그이는 서류를 준비하러 나갔는데요.」

「젠장할.」

글로리가 중얼거렸다.

「좋아요. 그럼 호텔로 가서 기다려야겠군요.」

「챈스는 호텔로 돌아가지 않을 거예요. 그가 언제쯤 이리로 돌아올지도 확실히 모르겠구요. 이쪽으로 오시는 게 어떻겠어요? 팀에게 운전을 부탁할게요. 우리 둘이서 함께 기다리죠.」

「난 좋아요.」

글로리는 웃음을 터뜨리며 말했다. 낮게 속삭이는 듯한 웃음소리가 챈스와 많이 닮아 있었다.

「당신에 대한 호기심이 많아요, 레바. 많은 아가씨들이 챈스를 낚아채려고 별 짓을 다했지만, 단단한 돌덩어리와 상사병 외에는 얻어낸 사람은 없었거든요.」

「전 아주 평범해요.」

레바가 가볍게 대답했다.

글로리가 팀에게 수화기를 돌려주자, 레바는 그에게 그녀가 챈스의 누나가 맞다는 사실을 확인시켜준 뒤, 그녀를 집에까지 데려다달라고 부탁했다. 레바는 전화를 끊고 재빨리 옷을 갈아있었다. 검정색 캐시미어 스웨터를 뒤집어쓰고 부드러운 울 바지를 입은 뒤, 그 위에 떨어진 몇 가닥의 황금색 머리카락을 떼어냈다. 그리고 부엌으로 가 커피를 준비했다. 자신의 경험상, 글로리가 오스트레일리아에서 비행기로 날아오느라 녹초가 되어 있을 것이고, 시차로 고생하고 있을 게 뻔했다.

게다가 날씨 또한 다시 추워지면서 구름까지 낀, 로스앤젤레스 특유의 변덕스러운 날씨를 보여주고 있었다. 어제만 해도 25도가 넘어서던 기온이 오늘은 10도로 뚝 떨어져 있었다. 뜨거운 커피와 캐시미어 셔츠는 오늘 같은 날씨에 제격이었다. 특히나 바닷바람이 그녀의 창문을 뒤흔들고 있을 때는 더더욱 그랬다.

레바는 포도주 색의 깔개 위를 맨발로 밟으며, 따스하고 폭신거리는 느낌을 즐겼다. 길고 낮은 카우치(소파보다 등이 낮고 팔걸이가 한쪽에만 달린 침상 겸용 의자) 위에는 크림색과 포도주색 그리고 짙은 감색이 뒤섞인, 동양적인 무늬의 두꺼운 견직물이 덮여 있었고, 그 위에는 똑같은 색의 커다란 베개들이 놓여져 있었다. 스웨이드(무두질한 송아지 가죽)와 캐시미어 그리고 비단의 촉감이, 자꾸만 보는 이의 손길이 가게 만들고 있었다. 희미하게 윤기가 흐르는 크림색 벽지는 방안을 더 넓어 보이게 하는 동시에 편안한 분위기를 만들고 있었다.

마룻바닥과 붙어 있는 커다란 유리벽 너머로 바람이 몰아치며 마음껏 집들과 풀들을 흔들고 있는 모습이 보였다. 남캘리포니아에는 서풍이 부는 경우가 드물었지만, 가끔 한번씩 맹렬하게 불어닥칠 때가 있었다.

절벽 위에 세워진 그녀의 집에서는, 수평선에서 해변가로 흰 물결을 밀고 들어와 은색으로 부서지는 파도를 볼 수 있었다. 오늘따라 바다 위에는 배가 한 척도 보이지 않았고, 태평양은 아마추어나 작은 어선들을 허락하지 않겠다는 듯 그 위엄을 과시하고 있었다.

벨이 울려 글로리의 도착을 알릴 때까지, 레바는 카우치에 앉아 거친 바다를 바라보았다. 그녀는 재빨리 현관으로 가서 문을 열었다. 그리고 잠시 동안, 그녀와 글로리는 똑같은 호기심을 드러내며 서로를 유심히 살펴보았다.

챈스의 누이는 레바보다 약 열 다섯 살 정도 많아 보였고, 호리호리하지도 그렇다고 키가 크지도 않았다. 햇빛에 그을린 얼굴 위로 짧게 자른 검정색 머리카락이 말끔하게 빗겨져 넘어가 있었다. 검은 머리카락은 약간씩 회색으로 물들어 있었고, 귀밑머리는 하얗게 변해 있었다. 그리고 입술 위에는 커다란 미소가 매달려 있었다. 투명한 녹색의 눈동자 속에는, 동생과 같은 은색 반짝임은 보이지 않았다. 웃음 때문에 생긴 눈가의 주름과 눈동자 속에 보이는 슬픔과 강인함이, 그녀의 얼굴에 아름다움과 침착함을 동시에 보여주고 있었다.

아무런 생각 없이 레바는 미소를 짓고 두 팔을 뻗어, 마치 챈스에게 하듯 그녀를 끌어안았다. 글로리의 표정이 안도감과 즐거움을 넘어서 숨막히는 듯한 행복으로 변해 갔다.

「하나님, 감사합니다.」

레바를 마주 끌어안고 거세게 포옹하며 글로리가 덧붙였다.

「머릿속에 한 움큼의 돌만 들어 있는 도시 아가씨와 챈스가 정착을 하면 어쩌나 걱정했어요.」

「전 챈스의 아주 특별한 누나가, 남동생이 좋아하는 여자는 무조건 싫어하는 분이면 어떡하나 두려웠는걸요.」

「'아주 특별한'이라고요?」

레바가 이끄는 대로 카우치에 편안하게 몸을 묻으면서 글로리가 물었다.

「내게 있어 특별한 거라고는, 귀밑머리에 허옇게 일어나는 이 빌어먹을 흰머리밖에 없어요.」

「분명 그 이상의 무언가가 있을 거예요. 분명하게 말할 수 있는 건, 당신이 이 세상에서 챈스가 사랑하는 몇 안 되는 사람들 중 하나라는 거죠.」

「챈스가 그렇게 말하던가요?」

놀란 목소리로 글로리가 물었다.

「그렇게 많은 말은 하지 않았어요. 하지만 당신에 대해 말하는 그의 눈동자 속에 그리고 그이의 목소리 속에는 사랑이 담겨져 있었어요.」

글로리가 한숨을 내쉬었다.

「챈스는 사랑이라는 말을 쓰지 않아요, 단 한번도요.」

「알아요.」

레바의 목소리는 조용하면서도 담담했다. 비록 챈스의 아내가 된다고 해도, 사랑한다는 말을 해주지 않는 그에 대한 아쉬움과 상처가 사라진 것은 아니었다.

「하지만 그는 다른 방법으로 보여주잖아요.」

레바는 단호하게 말했다.

「그 애가 그 말을 할 수 있다면, 세상이나 그 애나 조금은 더 나아질 텐데.」

대답을 하는 글로리의 눈동자가 슬픔으로 흐려져 있었다.

「하지만 그런 일은 절대로 없을 거예요. 그런데 그렇게 살 수 있을 거 같아요?」

투명한 눈동자가 레바를 똑바로 바라보며 물었다.

「내게는 다른 선택이 없어요. 그를 사랑하니까요.」

글로리는 한숨을 내쉬며 눈을 감고 피곤한 듯 카우치에 등을 기대고 누웠다.

「그 애가 당신을 사랑한다는 건 알아요. 당신은 그 애가 유일하게 결혼하고 싶어한 여성이니까요. 내가 일주일만 기다려달라고 아무리

애원을 해도 무시하더군요. 당신을 워커로 만들고 싶어 무지막지하게 서두르더군요. 그 덕분에 나는 하늘과 땅 그리고 내 남편을 지구 반대편에 버려두고 이렇게 여기에 와 있잖아요.」

글로리가 하품을 하며 말했다.

「34시간 전에 챈스가 전화한 후로 계속 깨어 있는 거예요. 여기 와서 날 보고 깜짝 놀라는 것을 보고 싶은데…….」

그녀는 지친 듯한 미소를 지었다.

「내가 사랑하는 남동생에게 주는 최고의 선물이 될 거예요.」

「그리고 가장 소중한 선물이기도 하고요.」

레바는 미소를 지으며 말을 이었다.

「챈스가 놀라는 모습이 너무나 보고 싶어요. 그이는 너무 조용하게 다니기 때문에 항상 나만 놀란다구요.」

그녀의 웃음소리와 함께 글로리의 하품소리도 커졌다.

「그렇게 숨죽이고 기대하지는 말아요. 열 네 살 때 이후로 챈스를 놀라게 한 사람은 아무도 없으니까요.」

「럭이 죽었을 때 말인가요?」

일순, 글로리의 녹색 눈동자가 커지면서 상황을 가늠하듯 레바를 살펴보았다.

「그 애가 그 일에 대해서 이야기를 해주던가요?」

「조금요. 그 일로 인해 얼마나 상처받았는지, 그리고 아직도 아파하고 있다고 하더군요. 자신이 럭의 죽음을 막았어야 했다고요. 물론 열 네 살짜리 소년이 그 사실을 알았다고 한들 무슨 일을 할 수 있었을까요?」

「그 누구도 예상하지 못한 일이었죠. 그런 일이 일어날 거라고는 아무도 알지 못했어요.」

글로리는 레바를 조심스럽게 바라보며 덧붙였다.

「그날 일어났던 일에 대해 챈스가 말하던가요?」

「자신이 너무 늦었다구요. 럭은 이미 죽었다구요. 그리고 그는 럭을 죽인 광부를 찾아다녔다고 했어요.」

「그리고요?」

레바는 머리를 흔들며 재촉했다.

「그 이상은 말하지 않았어요. 하지만 내 생각에…….」

그녀는 광산에서 만났던 남자들과 챈스의 재빠르고 가차없던 움직임을 기억하며 덧붙였다.

「그때 챈스가 조금만 더 나이를 먹었다면, 아마 그 광부는 죽임을 당했을 거예요.」

「반쯤은 맞았어요.」

대답하는 글로리의 눈동자가 고통으로 젖어 있었다.

「물론 열 네 살짜리 어린아이기는 했지만…… 그 애는 그 광부를 죽였어요. 챈스에게 덩치 따위는 문제가 되지 않았죠.」

「오, 하나님.」

레바의 목소리가 천천히 사라져 갔다.

「만일 럭의 시체를 보았다면…….」

글로리가 씁쓸하게 말을 이었다.

「그 누구도 챈스를 비난할 수 없을 거예요. 나 또한 총을 훔쳐서 그 빌어먹을 광부를 찾아 나섰죠. 하지만 챈스가 먼저 발견했어요. 놈은 칼을 가지고 있었죠. 물론, 소용이 없었지만. 챈스는 그것을 빼앗아버리고 그놈을 맨 손으로 죽였어요.」

글로리는 머리를 흔들었다.

「하나님! 그렇게 오랜 시간이 흘렀는데도, 모든 게 너무나 생생하게 기억나요. 왜 챈스가 럭의 죽음에 대해 그렇게 미친 듯이 행동했는지 지금도 이해가 되지 않아요.」

「그 전에 한번…….」

레바가 천천히 입을 열었다.

「광산 안에서 당신의 아버지가 아무런 예고도 없이 불을 끈 적이 있었대요. 그러자 챈스는 마구 비명을 질러댔고, 럭이 그이를 끌어 안아주면서, 당신의 아버지가 다시 불을 켤 때까지 마구 욕을 퍼부었대요.」

글로리가 새삼스럽게 레바를 살펴보며 물었다.

「그게 언제 적 일이죠?」

「당신의 어머님께서 돌아가시고 얼마 지나지 않아서라고 했어요. 챈스는 늘 럭이 자신에게 도움을 주었던 만큼 그를 도와줄 수 있기를 원했대요.」

「내게는 그런 말을 하지 않았어요. 단 한번도요. 심지어 럭이 죽은 뒤에도요…….」

글로리는 생각에 잠긴 듯하더니 이내 말을 이었다.

「그 일이 많은 것들을 설명해주는군요. 아버지는 챈스에게 별로 해준 것이 없었어요. 아주 어렸을 때부터 챈스는 독립적인 아이였죠. 그 애가 유일하게 화를 낸 건, 엄마에 관한 일들뿐이었어요. 하지만 럭은 달랐어요. 오빠는 아버지를 너무나 많이 닮았죠. 그리고 럭은 챈스를 사랑했어요. 그 두 사람이 함께 있는 모습은 참 기묘했죠. 함께 있는 일조차 드물었고, 일상적인 이야기를 나누는 일도 별로 없었으니까요. 비록 매력적인 남자였지만, 난 한번도 오빠를 진심으로 좋아했던 적이 없어요. 하지만 챈스는 달랐죠. 떠오르는 햇살처럼 밝은 미소를 지닌, 작고 성마른 꼬마 건달이었어요.」

글로리는 다시 하품을 하며 사과했다.

「손님으로는 영 꽝이죠? 방으로 들어가 잠을 자야겠어요.」

「괜찮아요. 저도 시차로 고생할 때는 언제나 산에서 굴러 떨어진 듯이 괴롭거든요. 커피를 드실래요? 아니면 좀 주무시겠어요?」

레바가 물었다.

「커피요.」

글로리는 재빨리 대답했다.

레바는 부엌으로 가 김이 모락모락 나는 커피가 담긴 두꺼운 머그 잔을 들고 돌아왔다.

「크림이나 설탕은요?」

「괜찮아요. 아직 미국적인 면이 많이 남아 있어요.」

글로리는 살짝 미소를 짓고, 검은색 음료를 홀짝이며 한숨을 내쉬 었다.

「좋군요, 레바. 너무 좋아요. 이름이 예쁘군요. 어떤 이름을 줄인 거예요?」

「레베카요.」

글로리는 머그잔 너머로 그녀를 바라보았다.

「혹시 '서니브룩 농장(Rebecca of Sunnybrook Farm, Kate Douglas Wiggin의 작품. 열 살짜리 말괄량이이자 철부지인 레베카가 먼 친척에게 입양되어 차분한 요조숙녀로 성장한다는 소설)'에 나오는 그 레베카?」

「단지 내 어머니의 환상일 뿐이었어요. 나는 너무나 큰 실패작이 었죠.」

「부모들이란 늘 그런 고통을 겪기 마련이에요.」

글로리는 담담하게 덧붙였다.

「그런데 베키라고 부르지 않는군요. 그렇죠?」

「그게 또한 내 전남편을 실망시켰죠.」

눈을 깜박거리던 글로리는 가볍게 웃음을 터뜨렸다.

「그리 인생을 쉽게 살지는 못했군요, 안 그래요?」

「다른 사람들이라고 다르겠어요?」

글로리는 한숨을 내쉰 다음 한참 동안 눈을 감고 있었다. 레바는 그녀가 잠이 든 게 아닌가 생각했다.

「이제부터는 그럴 거예요, 레바 파렐. 앞으로는 좋은 일만 있을 거예요. 난 하나님께 감사드려요. 누군가 당신의 평화를 깨뜨리려는 사람이 있다면, 챈스가 가만두지 않을 테니까요.」

비록 피로가 가득하기는 했지만, 글로리의 눈동자는 선명한 녹색 빛을 뿜고 있었다. 그녀는 레바를 바라보며 말을 이었다.

「혹시 당신이 전설과 결혼한다는 걸 알고 있나요? 모르죠?」

레바는 깜짝 놀랐다.

「모…… 몰라요.」

「챈스 워커. 사람들은 그 애를 보고, 하나님이 보물을 숨긴 장소를 아는 남자라고, 악마가 숨겨놓은 뜨거운 여인의 열정을 발견하는 남자라고들 하죠. 챈스는 버려진 광산이나 다 캐냈다고 포기한 광산에서, 평범한 광부들이 50여 년이 넘게 걸려서야 모을 만큼의 보석을 찾아냈죠. 그 애는 허접쓰레기라고 생각했던 곳에서 수많은 대박을 터뜨렸죠. 그런 이유로 남자들은 늘 챈스에게 투자하려 했고, 여자들은 뭔가를 얻어보려는 속셈에 그 애의 뒤를 쫓아다녔죠. 챈스는 여자들에게서 원하는 건 뭐든지 얻을 수 있었어요. 그리고 남자들에게는…….」

그녀는 어깨를 한번 으쓱해 보이며 덧붙였다.

「챈스는 다른 사람들을 위해 상상하지도 못할 만큼의 돈을 벌어다 줬죠. 그리고 작은 이익만을 가졌어요.」

글로리는 레바를 날카롭게 살펴보았다.

「날더러 잘못 알고 있다고 하지 말아요. 내 동생은 바보도 아니고 그렇다고 가난뱅이는 더더욱 아니에요. 그 애는 단지 뼛속까지 탐광꾼일 뿐이에요. 보물 사냥에 중독되었죠. 만일 온몸이 너무나 간지러운데 긁을 수가 없다면, 어떤 기분이 들지 한번 생각해봤죠. 그렇다면 분명 나는 미쳐버릴 거예요.」

그녀는 머리를 흔들며 덧붙였다.

「그런 보물 탐사는 말라리아보다 더 지독한 병이죠.」

「챈스도 그런 말을 했어요. 그리고 당신은 그 나쁜 병에서 살아남았다고. 심지어 당신은 주변의 환경마저 좋게 만들었다고요.」

글로리는 따스한 웃음을 머금었다.

「당신을 올케로 맞이하게 되어 기뻐요, 레바. 당신은 챈스와 같은 남자를 다시 돌아오게 만드는 힘이 있어요. 역시 하나님은 이상한 방식으로 일을 하신다니까요. 낡아빠진 투어말린 광산이, 챈스에게 사랑하는 여인이 있는 곳으로 안내해줄 거라고 누가 상상이나 했겠어요.」

「그가 당신에게 광산에 대해 말을 했나요?」

어색하게 미소를 지으며 레바가 물었다.

「그 애는 그런 일에 대해 아무런 말도 하지 않아요. 실비어가 포커판에서 챈스에게 차이나 퀸의 반을 잃었을 때, 당신 숙모는 미쳐버렸어요. 아웃백에 사는 사람들 모두 그녀의 고함소리를 들을 수 있었으니까. 고함소리를 듣지 못했다 하더라도 울부짖는 소리는 분명히 들었을 거예요. 광산을 돌려 받을 생각으로 챈스의 침대에 기어들어간 그녀를 그 애가 거절하고 무자비하게 내쫓아버리자, 마치 줄톱처럼 찢어지는 듯한 고함을 질러댔으니까.」

글로리는 코방귀를 꼈다. 그리고 다소 어색한 미소를 지으며 덧붙였다.

「챈스는 성인이 된 다음부터 자신의 여인들에는 진짜로 특별 대접을 해줬죠. 그리고 실비어는…… 어쨌든 그 아가씨는 자신의 남자들에게 그렇게 하지 못했지만.」

레바의 귀에는 아무 소리도 들리지 않았다. 그녀는 자신의 머그잔을 조심스럽게 테이블 위에 올려놓고, 글로리의 말에 대한 자신의 반응을 숨기려고 애썼다.

'챈스는 레바를 만나기 전에 차이나 퀸에 대해 알고 있었다.'

너무나 단순한 진실이 마치 커다란 충격파처럼 레바를 내리치며 파괴시켰다.

글로리는 들이킨 커피에도 불구하고 또다시 하품을 했다.

「오, 맙소사. 완전히 지쳤나봐요. 지구 반 바퀴를 돌아다니기에 이젠 너무 늙었나봐요. 이렇게 불쑥 방문해놓고, 다시 호텔로 돌아가서 챈스가 돌아올 때까지 잠을 좀 자고 싶다면 예의가 아니겠죠?」

「여기서 주무세요.」

레바는 무의식적으로 예의상 대답을 내뱉었다. 하지만 그녀의 머릿속은 글로리가 당연하다는 듯이 밝힌 끔찍한 진실로 뒤엉켜 있었다. 챈스는 레바를 원한 게 아니라 차이나 퀸을 원했던 거였다.

「고마워요. 하지만 내 짐이 모두 호텔에 있어요.」

또다시 하품을 하며 글로리가 말했다.

「그럼, 거기까지 모셔다드릴게요.」

「아가씨도 낮잠을 좀 자야 할 것 같은 얼굴인데요, 뭘. 싫지만 않다면 내 말대로 해요.」

「그렇게 할게요. 요즘 통 잠을 못 잤거든요. 죄송해요. 대신 전화로 택시를 불러드릴게요.」

억양 없는 어조로 레바는 대답했다.

레바는 택시가 글로리를 태우고 떠날 때까지, 그녀가 무슨 말을 했는지 그리고 자신이 어떤 대답을 했는지 전혀 기억할 수가 없었다. 챈스의 누나를 보내고 문을 닫은 레바는, 한참 동안 거실 한가운데 서서 거친 은녹색 바다를 바라보며 아무것도 생각하지 않으려고 노력했다. 순간, 레바는 자신이 생각을 하고 있다는 걸, 그녀의 인생에서 가장 심각하게 생각하고 있음을 깨달았다.

챈스가 차이나 퀸의 반을 소유하고 있다. 그녀는 챈스에게 절대로 퀸의 소유권을 팔지 않겠노라고 말한 적이 있었다. 그럼, 챈스가 나머지 반을 가질 수 있는 유일한 방법은 결혼뿐이었다.

그렇기 때문에 그는 그렇게 행동을 취한 것이리라.

레바는 버려지고 채산성 없는 투어말린 광산이, 결혼을 통해서까지 소유하려 할 만한 가치가 없다고 스스로에게 되뇌었다. 하지만 글로리의 말이 자꾸만 그녀의 머릿속에 맴돌고 있었다.

챈스는 버려진 광산에 대한 전문가이자 전설이었다. 그는 평생 다른 사람들을 위해 광석을 찾아내 돈을 벌어주는 일을 했고, 이제야 드디어 자신의 차례가 온 셈이었다.

챈스가 뭐라고 말했었지?

그 어떤 커다란 희생을 감수하더라도 대박이 터진다면, 그에 대한 보상이 되는 거라고 했던가.

게다가 결혼이라는 건, 단지 일시적인 사건에 지나지 않았다. 전남편을 통해 레바는 그 사실을 뼈아프게 배웠었다.

레바의 일부분은 절대로 그럴 리가 없다고 소리 없는 비명을 지르고 있었다. 챈스가 그렇게 부정직한 사람일 리가 없다고. 하지만 그녀의 다른 부분은, 두 사람 사이에 있었던 대화들을 그리고 차이나 퀸에 대해 언급했을 때마다 거칠고 야만스럽게 반응을 보였던 챈스의 모습을 되새기고 있었다. 뭔가 꺼림칙한 구석이 있는 사람처럼 행동하던 일을. 거짓말을 하는 것처럼, 냉혹한 피가 흐르는 악당처럼. 그가 정말 그랬었나?

심각하게 생각을 해봐야 해. 챈스가 한번이라도 거짓말을 한 적이 있었나?

레바는 스스로에게 물었다.

데스 계곡에서 만났을 때, 그녀가 누군지 모른다는 말을 하지 않았다. 그리고 사촌을 모른다는 말도 하지 않았었다. 아니, 차이나 퀸에 대해 처음 들어본다는 말도 없었다.

아니…… 그는 그런 말은 한마디도 하지 않았다. 단지 그렇게 믿게 만들었을 뿐이었지, 거짓말은 하지 않았다.

하지만 진실과도 거리가 멀었다.

무언가 이유가 있는 게 분명했다. 레바에게서 원하는 게, 단지 빌어먹을 반쪽자리 광산밖에 없는, 냉혹하고 자기밖에 모르는 이기적인 남자와 사랑에 빠질 만큼 그녀가 그렇게 어리석을 리가 없었다. 차이나 퀸이라 불리는 땅덩어리 위에 존재하고 있는 그 빌어먹을 동굴 때문이 아니더라도 그녀는 충분히 사랑 받을 가치가 있는 여자였다.

「챈스!」

레바는 텅 빈 방안에 울려 퍼지는 고통스러운 신음 소리를 들을 때까지, 자신이 그의 이름을 불렀다는 사실조차 깨닫지 못했다. 그녀는 몸을 떨며 칼로 온 신경을 도려내는 듯한 고통을 무시한 채 억지로 심호흡을 했다. 지금 안절부절 해봤자 별다른 소용이 없었다. 어떤 이유가 있는 게 분명했다. 그녀는 그런 바보가 아니었다. 그녀는 남자의 사랑을 받을 가치가 있는 여자였다.

하지만 만일 그녀가 틀렸다면…… 만일 그녀가 어리석고 가치가 없는 여자라면…… 만일 아무런 이유도 없다면…….

그녀는 창문에서 몸을 돌려 재빨리 전화기 쪽으로 걸음을 옮겼다. 장례식 날 제레미의 변호사는 뭔가 필요한 일이 있다면 언제든지 전화해도 된다고 말했었다. 그러면 그녀에게 필요한 충고를 해줄 수 있으리라. 지금 당장 전화를 해야지.

변호사가 전화를 받자, 그녀는 퉁명스럽게 질문을 던지고는 그의 대답을 들었다. 그리고 그가 다른 질문을 던지기 전에 재빨리 수화기를 내려놓은 다음 책상으로 가서 뭔가를 쓰기 시작했다. 일을 마치자 금고로 가서 커다란 봉투에 들어 있는, 오래된 법률서류를 꺼내어 자신이 쓴 종이를 집어넣었다. 그리고 평평한 봉투의 맨 위에 침착하게 챈스의 이름을 적었다.

레바는 다시 창 옆에 서서 바다를 바라보며, 자신에게 단 한번도 사랑한다는 말을 해주지 않았던 남자를 기다렸다.

챈스가 돌아왔을 때, 바다 위로 황혼이 물들며 진주홍색 불빛이 어두운 회색 물결 아래로 스며들고 있었다. 레바는 그 불빛이 멀리 수평선 너머 외따로 떠 있는 쪽빛 섬처럼 너무나 멀고 허망하게만 느껴졌다. 이제 현실을 대면하고 처리하면서, 결국 받아들일 건 받아들일 수밖에 없었다. 더 이상의 선택은 없었다.

앞문이 조용히 열렸다.

「레바?」

챈스의 목소리가 저물어 가는 저녁처럼 나직하게 들려왔다.

「불도 켜지 않은 채 그렇게 서서 뭘 하는 거요?」

「절대로 물어보지 못한 16개의 질문을 생각하고 있었어요.」

「뭐라구? 아, 스무고개.」

거실의 불이 켜지면서 황금색의 따스한 불빛이, 마루까지 이어진 커다란 유리벽 거울처럼 사물을 비추어주었다. 레바는 자신을 향해 걸어오는 챈스의 모습을 바라보았다. 차가운 지구 표면 아래에서 녹아버린 바위들이 들끓듯, 그녀의 냉정한 표정 아래 숨어 있는 무엇인가가 뜨겁고 불안정하게 흔들리고 있었다. 순간, 레바는 잠시라도 침착하고 위엄 있는 태도를 유지하기 위해선 챈스의 손길을 허락해서는 안 된다는 것을 깨달았다.

「네, 스무고개요.」

레바는 터져 나갈 듯한 심장을 억누르며 편안하게 대답하고 어깨 너머로 챈스를 바라보았다. 하지만 그의 단순한 눈빛마저도 그녀에게는 위험하다는 것을 잘 알고 있었다.

「커피 드릴까요?」

그의 옆을 스쳐 부엌으로 향하며 레바가 물었다.

챈스는 방 한가운데 서서, 갑자기 조심스러운 눈동자로 그녀를 바라보았다.

「그것도 16개의 질문 중 하나인가?」

비록 태평스럽게 물었지만, 챈스의 가늘어진 눈동자는 신중함으로 가득 차 있었다.

「그래요.」

「차라리 키스가 더 나을 거 같소.」

「어떤 사람에게는 작은 빗방울도 폭포처럼 느껴지기도 하죠.」

레바는 불쑥 종잡을 수 없는 말을 던졌다.

「당신의 경우에는요…… 아, 커피를 마시겠다구요? 광부의 마음처럼 새까만 블랙으로요, 그렇죠?」

「레바, 무슨 일이오?」

「그건 규칙에서 벗어난 질문이에요. 내가 질문을 던지고 당신이 대답을 하는 거죠. 스무고개 게임은 그렇게 하는 거예요.」

커피를 따르며 레바가 대답했다.

「난 규칙대로 게임을 하지 않소.」

「내가 모르는 걸 말해줘요.」

말투에 담긴 쓸쓸함을 없애려 노력하며 레바가 물었다. 그리고 챈스의 시선을 피하며 커피잔을 건넸다. 그리고 다시 몸을 돌려 창가로 걸어갔다. 그의 영상이 너무 가까이 보여, 그녀는 그가 가까이 있는 것처럼 불안하기만 했다.

「우연의 일치라는 건 참으로 불확실한 거예요.」

두 손으로 꼭 쥐고 있는, 김이 모락모락 나는 커피를 무시한 채 색채가 사라진 바다를 응시하며 그녀가 덧붙였다.

「만일 우리 두 사람이 동시에 데스 계곡의 양편에서 마주보고 서 있지 않았다면, 서로를 만나는 일이 없었겠죠. 그리고 착한 토드 싱클레어도 그렇고요. 아무래도 그에게 빚을 진 것 같아요.」

레바가 잠시 입을 다물었지만, 챈스는 아무런 말도 하지 않았다.

「대답은요?」

그녀가 중얼거렸다.

「그게 질문이었소?」

챈스가 되물었다. 그의 목소리가 긴장으로 굳어져 있었다.

창문에 비친 챈스의 모습을 바라보자니, 자신감이 가득 찬 모습으로 어깨에 윤기가 흐르는 황금 화살을 매고 악마를 사냥하러 갈 준비를 하는 '호랑이 신'을 보고 있는 듯했다. 그는 모든 면에서 그녀보다 강했다. 그리고 모든 대답을 쥐고 있는 사람 또한 그였다. 그녀는 단지 질문을 던질 뿐이었고, 그에게서 모든 것을 알아내야만 했다. 그가 이제껏 그녀에게 준 것은…… 절반의 진실과 둘러대는 말들뿐이었다. 과연 이번에는 어떻게 대답을 할까?

'만일 뭔가 당신에게 이득을 줄 만한 것을 손에 쥐게 된다면, 그것을 꼭 움켜쥐고 놓지 말아야 할 거요.'

분명 챈스도 그녀에게 미리 경고를 하고 싶었으리라.

「그리고 또 다른 우연도 있었어요.」

혓바닥이 데일 정도로 뜨겁다는 사실조차 인식하지 못한 채, 그녀는 커피를 홀짝이며 말했다.

「난 별로 가치가 없는 투어말린 광산의 반을 소유하고 있고, 당신은 다른 사람들이 포기해버린 광산에서 보물들을 발견할 줄 아는 사람으로 유명하더군요.」

챈스의 태도가 미묘하게 변하면서 순식간에 야생동물처럼 기민하게 움직이는 모습이, 지금 그녀가 던지는 질문의 방향이 어느 쪽으로 흘러가는지를 그가 이해했음을 분명하게 말해주고 있었다. 레바는 잠시 기다렸다. 하지만 그는 아무런 말도, 아무런 설명도, 그 어떤 변명도 하지 않았다. 단지 기다리고만 있었다.

「대답하지 않을 건가요?」

「질문을 받은 것 같지는 않은걸?」

억눌린 듯 담담한 어조로 챈스가 말했다.

「그럼, 이렇게 물어볼까요? 오스트레일리아에 사는 내 사촌을 알고 있나요? 그래요?」

「그렇소.」

「당신이 차이나 퀸의 또 다른 소유자인가요? 그래요?」

「그렇소.」

「그럼, 광산을 위해 대출을 받기 위해서는 나머지 반도 필요하겠군요.」

「그렇소.」

챈스는 잠시 주저하더니 어깨를 으쓱해 보이며 대답했다.

「그렇다구요.」

레바는 희미한 빛만이 남아 있는 바다를 보며, 아무런 감정도 섞이지 않은 목소리로 되풀이했다. 그녀는 자신의 주위에 쳐놓은 차가운 울타리가 너무나 고마웠다. 그것만이 지금의 그녀를 지탱해주는 끈이었다.

「그렇다구요, 다 그렇다구요.」

「레바…….」

「아니에요. 아직은 내 차례예요, 챈스. 이번에는 당신 또한 규칙대로 게임을 해야 할 거예요.」

그녀의 목소리는 멀리 보이는 바다처럼 차갑게 들렸다. 레바는 우아하게 몸을 돌려 낮은 테이블 위에 커피잔을 내려놓고 커다란 봉투를 집어들었다. 챈스의 이름이 눈에 들어왔다. 또박또박 써놓았던 그의 이름이 레바에게 침착하게 행동할 수 있는 힘이 되어주었다. 그녀는 봉투를 챈스에게 건네주었다.

「생일 축하해요.」

「오늘은 내 생일이 아니오.」

그녀는 어깨를 으쓱해 보였다.

「언젠가는 그렇게 되겠죠, 안 그래요? 그러니까 가져요.」

챈스는 봉투를 받아 레바가 손수 적어놓은 법적인 서류들과 오래된 서류들을 읽었다. 지금 이 순간부터 챈스 워커는 차이나 퀸의 백 퍼센트를 소유하게 되는 셈이었다.

「왜 이러는 거요?」

그의 표정은 차분했고, 눈동자는 빛을 받아 진한 녹색으로 변해 있었다.

「우리가 결혼을 하면 차이나 퀸은 우리들의 것이 되는 거요.」

「우린 결혼하지 않아요.」

챈스의 눈동자가 가늘어졌다.

「왜 안 한다는 거요? 아무것도 변한 게 없소. 그리고…….」

그는 퉁명스럽게 덧붙였다.

「당신은 날 사랑한다고 했잖소. 기억하오? 난 기억하고 있소.」

「그리고 당신은 날 사랑한다는 말 따위는 한번도 하지 않았죠. 기억해요? 난 기억해요. 적어도 그 부분에 대해서만은 당신은 완벽하리만큼 정직했죠.」

레바는 스스로를 억누른 채, 고통으로 얼룩진 눈동자를 들어 그를 바라보았다. 그리고 두려움에 싸인 채, 최악의 상상이 현실로 드러나는 순간을 숨죽여 기다렸다.

「당신에게 말했잖소. 난 말로 표현할 만큼 사랑에 대해 아는 게 없다고.」

챈스가 부드럽게 말했다.

「당신을 믿어요.」

태양이 진 바다 위의 어둠처럼, 인생의 빛을 잃어버리게 되었음에 절망을 느끼며 레바는 속삭였다. 손톱이 손바닥 안으로 파고드는 게 느껴졌다.

「오래된 중국 저주 중에 이런 말이 있죠. '당신에게 있어 가장 원하는 소원이 이루어지길…….' 내 전 생애에 있어서 가장 원했던 것은 사랑을 해보는 거였어요. 진짜 사랑을요.」

레바는 묘한 미소를 지으며 덧붙였다.

「하지만 소원을 잘못 빌었던 거예요, 안 그래요? 난 사랑 받게 해달라고 빌었어야 했어요.」

「채튼…….」

「너무 돌려 말했나요?」

뼈저린 아픔을 참으며 레바는 냉담하게 입을 열었다.

「아니, 더 이상 아무 말도 하지 말아요. 이미 내가 알고 싶은 것에 대해서는 다 말했어요. 퀸에서 행운이 있기를 빌게요, 챈스.」

그 말과 함께 레바는 그의 영상에서 시선을 떼고 몸을 돌려 그녀만의 호랑이 신에게서 벗어나려 했다.

「아, 당신이 가장 원하는 소원이 이루어지기를 바랄게요.」

챈스는 긴 보폭으로 재빨리 그녀를 따라와 앞을 가로막았다. 레바는 그의 존재를 느끼고, 그가 자신을 만지기 전에 몸을 돌렸다.

「아니오.」

레바가 미처 입을 열기도 전에 챈스는 퉁명스럽게 말을 잘랐다.

「이제는 내 차례요. 아무것도 달라지는 건 없소, 레바. 나에 대한 당신의 감정이나 당신에 대한 내 감정도. 우리는 예정대로 내일 결혼할 거요.」

「결혼할 이유가 없잖아요.」

처음으로 그의 시선을 마주보며 레바는 말했다. 그리고 챈스의 손에 들려 있는 봉투를 손톱으로 쿡쿡 찌르며 말을 이었다.

「당신이 원하는 것을 가졌잖아요.」

「난 당신을 원하오.」

「그래요?」

레바는 조심스러운 표정 아래로 흔들리고 있는 감정을 다잡으며 침착하게 물었다.

「정말 그래요? 그렇다면 그 빌어먹을 광산을 지금 당장 없애버려요. 지금 거리로 나가 처음 만나는 사람에게 그걸 줘버리라구요.」

「그런다고 뭐가 달라지는 거요?」

레바는 대답 대신 씁쓸하게 미소를 지었다.

「당신이 그런 질문을 한다면, 난 세상 어떤 말로도 대답할 수 없어요.」

「당신은 지금 전혀 이성적이지가 못하군.」

챈스는 거칠게 말했다.

「물론 당신에게 말했어야 한다는 건 알고 있소. 내가 당신에게 말하려 했다는 건 하나님도 아실 거요.」

그는 냉혹하게 욕설을 중얼거렸다.

「젠장, 다 지옥으로나 가라지. 그건 이미 일어난 일이고 되돌릴 수 없소. 퀸을 없앤다고 해도 변하는 건 아무것도 없단 말이오.」

챈스가 그녀를 향해 손을 뻗었다.

「채튼…….」

「그녀는 더 이상 여기에 존재하지 않아요.」

뒤로 물러서며 레바는 물어뜯듯이 대답했다. 하지만 챈스가 그녀보다 훨씬 동작이 빨랐다. 그는 언제나 그랬다. 챈스의 손이 그녀의 팔을 움켜쥐고 잡아당긴 다음, 그의 손바닥이 그녀의 두 뺨을 어루만졌다.

「내게 시간을 주시오, 상냥한 나의 레바. 내가 그 말을 했건 안했건 그런 건 아무런 문제도 되지 않소. 중요한 건 이것뿐이오.」

그렇게 중얼거린 다음 챈스는 그녀에게 키스를 하기 위해 몸을 숙였다.

「아니에요!」

레바는 거친 목소리로 말하고, 모든 힘을 다해 그를 밀어냈다.

「광산은 이제 당신의 거예요. 하지만 난 아니에요.」

그녀의 말이나 행동은 아무런 소용이 없었다. 도망가려는 노력은 챈스의 힘에 눌려 아무런 효과도 보지 못했다. 일단 다시 차분한 모습을 보이고 상황이 진정되고 나면, 모든 문제를 이성적이고 제대로 된 방법으로 사건을 해결할 수 있으리라. 하지만 그의 입술이 그녀의 입술을 덮자, 간신히 억누르고 있던 분노가 간단하게 폭발하고 말았다. 발로 차고 몸을 비틀고 할퀴어대고 사랑을 나눌 때처럼 격렬하게 그에 대한 분노를 토해내며, 그의 손아귀에서 빠져나오기 위해 레바는 미친 듯이 아우성을 쳤다.

갑작스러운 충격에서 벗어난 챈스는 발버둥치는 레바의 다리를 잡고 바닥에 눕히며 자신의 힘과 온몸으로 억눌러 진정시켰다. 그는 레바가 자신에게서 벗어나려는 쓸데없는 저항을 버리고 분노를 가라앉힐 수 있도록 잠시 동안 기다렸다.

몸을 부들부들 떨던 레바는 마침내 자제력을 되찾을 수 있었다.

그녀는 눈을 꼭 감고 숨을 천천히 깊게 내쉬었다. 하지만 그 이상의 다른 움직임은 보이지 않았다. 챈스는 너무나 무겁고 압도적이었다. 레바는 그의 아래에 못 박힌 듯이 눌려 자신의 피부 위로 와 닿는 그의 숨결을 느꼈다. 그는 살아 있는 담요처럼 부드럽게 그녀를 덮고 있었다. 그녀는 자신을 누르고 있는 무거운 체중에 희미하게 일어나는 열기를 느꼈고, 신경들이 뜨겁게 달아오르며 분노와 함께 조금씩 흥분이 일어나는 것을 느끼며 몸을 떨었다.

뜨거운 열기와 딱딱해진 육체를 통해 챈스 또한 자신을 원하고 있음을 깨달았다.

「당신을 원하오.」

그녀의 생각을 대신 말하는 듯, 레바의 목에 대고 그가 내뱉었다.

레바의 몸이 딱딱하게 굳어져 갔다. 하지만 그녀는 아무런 말도 할 수가 없었다.

「당신이 날 원하도록 만들 수도 있소.」

챈스가 조용히 말한 다음, 콧수염으로 그녀의 입술과 목 부분을 부드러운 빗처럼 쓸고 지나가자, 레바는 살짝 몸을 떨었다.

여전히 레바는 아무런 말도 하지 않았다.

「그 끔찍했던 퀸에서 빠져나와 온천에서 서로를 목욕시켜주었을 때 내가 한 말이 있을 거요.」

챈스의 목소리는 단호하면서도 거칠었다.

「당신은 내 것이오, 레바. 말이라는 건 아무런 상관이 없소. 아직도 그걸 모르겠소?」

그의 손가락이 스웨터 위로 볼록하게 올라온 젖가슴의 윤곽을 따라, 부드러우면서도 단호하게 움직였다.

「지금 당장이라도 당신이 쾌락에 비명을 지르게 만들 수도 있고, 당신을 가질 수도 있소. 안 그렇소, 채튼?」

자신이 불태우고 있는 욕정과 싸우고 있는 레바를 바라보며 챈스가 말했다.

여전히 그녀는 아무 말도 하지 않았다.

「대답하시오.」

챈스는 그녀의 스웨터 속으로, 거의 야만스러울 정도로 재빨리 손을 집어넣으며 재촉했다.

「그래요.」

분노와 수치심과 핏줄을 타고 흐르는, 뜨거운 열정이 드러나는 성마른 목소리로 레바는 거칠게 대답했다.

오랫동안 상처 입은 황갈색 눈동자를 바라보던 챈스는, 자신의 욕구를 알리듯 그녀를 꼭 끌어안아 몸을 비빈 뒤, 한숨을 쉬며 손가락으로 그녀의 입술 곡선을 따라 선을 그렸다.

「하지만 그렇게 하지 않을 거요. 그렇게 되면 당신은 오랫동안 우리 둘을 용서하려 하지 않을 거요」

「영원히 그럴 거예요.」

「광산 때문에 당신과 결혼한 게 아니오.」

그의 목소리에는 분노와 슬픔이 담겨져 있었다.

「내 말을 듣고 있는 거요, 이 어리석은 아가씨?」

레바는 타오르는 분노와 수치심과 희망을 가라앉히기 위해 씁쓸하고 거친 웃음을 터뜨렸다.

「당신은 아직 나와 결혼하지 않았어요.」

아무런 감정이 들어 있지 않은 그녀의 목소리는 차갑기만 했고, 눈동자는 탁해져 있었다. 레바는 마치 그가 창가에 비치는 그림자인 것처럼 그의 뒤쪽을 멍하니 바라보고 있었다.

「당신이 나와 결혼을 했건 안 했건, 당신은 내 것이오. 하지만 오늘밤에는 그 사실을 인정하고 싶은 기분이 아닐 거요. 또한 이성적이거나 논리적이지도 못할 거고. 분명 당신은 지금 날 증오한다고 생각하고 있을 거요, 안 그렇소?」

챈스는 퉁명스럽게 말했다. 가늘게 뜬 은색 눈동자가 그의 미소처럼 어색해 보였다.

「당신이 눈을 뜨기 전에, 내일 아침 일찍 여기에 와 있겠소. 그때 당신의 감정이 사랑인지 증오인지 다시 한 번 얘기해봅시다. 잠에서 깨어난 당신은 날 보고 미소를 지어줄 거요, 채튼. 내 약속하지.」

관능적으로 그녀의 위에서 몸을 움직이며 챈스는 말을 이었다.

「그리고 사랑과 차이나 퀸에 대한 이 쓸데없는 소동도 끝을 맺을 수 있을 거요.」

레바가 자신이 풀려났다는 사실을 미처 깨닫기도 전에, 챈스는 자리에서 일어나 문밖으로 나가버렸다. 한참 동안 자신의 몸에 각인되어 있는 그의 열기와 딱딱함과 힘을 느낀 레바는, 비명을 질러야 할지 웃음을 터뜨려야 할지 고민하며 바닥 위에 누워 있었다. 한 가지 사실을 분명히 되새기며, 그녀는 천천히 자리에서 일어났다. 아침에 챈스가 왔을 때에는 그녀는 이곳에 없을 것이다. 그녀는 다시 '호랑이 신'의 품안에서 눈을 떴을 때, 자신이 어떤 반응을 보이게 될지 절대로 알고 싶지 않았다.

그를 사랑하는 것만으로 충분했다. 챈스를 증오한다는 건 그녀를 파괴시키는 일이었다.

「젠장, 어디에 있는 거예요?」

팀이 물었다.

레바는 수화기를 귀에서 멀찍이 떼며 오래곤 주의 작은 쇼핑몰의 주차장을 둘러보았다.

「그냥 주 밖으로 나왔어.」

그녀는 불분명하게 대답했다.

수화기 너머로 잠시 침묵이 흘렀다.

「오늘이 당신 결혼식이라고 알고 있었는데요.」

마침내 팀이 입을 열었다.

「그래서 옛말에, 얻기 쉬운 건 잃기도 쉽대잖아.」

「레바…….」

「아니.」

마음 상태를 드러내듯 차갑고 딱딱하며, 분명하면서도 담담한 말투로 레바는 말을 잘랐다.

「예의상 전화한 거야, 팀. 그 이상도 그 이하도…… 지금은 아무것도 필요 없어.」

폭발이라도 하듯 팀은 한숨을 내쉬었다.

「미안해요, 보스. 챈스가 지금 절 잡아먹고 싶은 호랑이 마냥 제 주변을 배회하고 있다구요.」

「그래서 내가 어디에 있는지 말하지 않는 거야.」

「정말 괜찮은 거예요?」

팀이 주저하듯 물었다.

순간, 레바는 웃음을 터뜨렸다. 하지만 웃음 속에는 따스함이나 유머는 담겨 있지 않았다.

「지금 당장, 오브제 다르에 내가 신경을 써야 하는 급한 일이 있어?」

「몇 개의 소포하고 보증서 양식에 보스의 서명이 필요해요.」

「그럼, 내 걸 위조해.」

「언제 돌아올 건데요?」

「나도 잘 몰라.」

「돌아오긴 할 건가요?」

「누가 묻는 거야? 팀, 너야? 아니면 챈스야?」

「우리 둘 다요.」

팀이 인정했다.

「아침에 여기 도착한 이후부터 그가 내 그림자를 밟고 서 있단 말이에요. 그와 이야기를 해볼래요?」

「그가 아직도 차이나 퀸을 가지고 있대?」

잠시 침묵이 흐르더니 곧 낮은 목소리가 들려왔다.

「채튼…….」

「아직 차이나 퀸을 가지고 있나요?」

수화기를 떨어뜨릴 것처럼 부들부들 떨리는 손과 자신의 나약한 마음을 무시한 채, 레바는 차갑게 그의 말을 끊었다. 그의 목소리를 듣는 것만으로 데스 계곡에서 그랬던 것처럼, 그의 품안으로 파고들어 온몸을 괴롭히는 이 차가움과 고통이 사라질 때까지 울고 싶은 충동이 마구 치솟아 오르고 있었다. 하지만 지금 그녀에게 상처를 주고 있는 사람은 바로 그였다.

「거짓말도 하지 말고 얼버무리지도 말아요. 단지 그렇다, 아니다로 대답해줘요. 아직도 퀸을 가지고 있나요?」

「그렇소.」

「잘 있어요, 챈스.」

매우 조심스럽게 레바는 수화기를 내려놓았다.

11

잠시 후 손가락의 떨림이 진정되자, 레바는 오브제 다르에서 집어 온 작은 가죽수첩을 꺼내 전화번호를 살펴보았다. 비록 숫자를 외우는 데 재능이 있다고 자부했지만, 지금의 그녀는 자신의 기억력을 완전히 신뢰할 수가 없었다.

「짐 니콜스씨? 레바 파렐이에요. 너무 갑작스러운 요청이겠지만, 예상치 못하게 오레곤에 들를 일이 생겼거든요. 혹시 시간이 나신다면, 전에 말씀하셨던 에스키모 키키툭(북서부 알래스카 샤먼들이 사용하는 나무나 상아로 만든 마법 도구. 사악한 주술을 걸거나 액땜을 할 때 주로 사용함)을 보여주실 수 있으신가 해서요.」

레바는 그의 집으로 향하는 약도를 받아 적고 전화를 끊은 뒤, 렌터카를 향해 걸어갔다. 그녀는 지난번 제레미와 함께 서부 해안에 사는 수집가들을 만나기 위해 방문했던 일을 기억해내지 않기 위해

빠른 속력으로 차를 몰며 눈앞의 도로에 신경을 집중시켰다. 자꾸만 과거만을 되새기다 보면, 지금의 홀로 서기를 실패할 수도 있었다. 그렇다고 자꾸 챈스에 대한 생각만 하다 보면, 얼마 지나지 않아 무자비하게 떨어져 깨져버린 돌멩이처럼 산산조각이 날 게 분명했다. 레바는 전 세계의 골동품들을 모아온 수집가들을 만나는 일에만 신경 쓰려고 노력했다. 짐 니콜스의 키키툭은, 어쩌면 부유한 뉴질랜드의 수집가가 구하고 있는, 상아로 만든 골동품에 딱 맞는 물건일지도 몰랐다.

현관문을 노크하면서 레바는 다른 수집가의 보물을 보기 위해 방문할 때면 늘 그랬던 것처럼, 흥분으로 가슴이 울렁거리는 것을 느꼈다. 단지 니콜스의 키키툭이 그녀의 관심을 끌어서가 아니었다. 다른 수집가들처럼, 그 또한 평생 전 세계에 퍼져 있는 사람들과 교역을 하며 살아왔다. 대부분의 경우, 교역은 현금이 아니라 물물교환이 기본이었다. 그 결과 수집가들은 교역을 하기 위해 희귀하고 아름다운, 가끔은 기괴하기까지 한 물건들을 항상 소장하고 있었다. 말 그대로, 레바는 짐 니콜스의 집에서 어쩌면 지상에서 희귀한 무언가를 발견하게 될지도 모른다는 사실을 분명히 인식하고 있었다.

「니콜스씨?」

레바는 손을 내밀며 말했다.

「짐이라고 부르게.」

바싹 마르고 관절이 튀어나온 손으로 그녀의 손을 마주잡으며 그가 대답했다. 평생을 저 멀리, 북쪽 지방에서의 탐험과 고생으로 늙은 프랑스계 캐나다 인의 얼굴에는 세월의 흔적이 그대로 남아 있었다. 부어오른 관절들과 뻣뻣한 무릎은, 그가 관절염 때문에 어쩔 수 없이 따뜻한 남쪽으로 내려오게 되었음을 일깨워주었다.

「제레미가 살아 있을 땐, 날 짐이라고 불렀잖나.」

「짐.」

제레미의 죽음이 너무나 당연하게 언급된다는 사실에 레바는 고통을 숨기기 위해 안간힘을 썼다. 하지만 어쩔 수 없이 잠깐 동안 그녀의 눈에 눈물이 고이고 말았다.

「그렇게 풀이 죽은 표정 짓지 말게, 아가씨. 나나 제레미만큼 늙어보게. 죽음이라는 게 오히려 친근하게만 느껴지니까.」

담배와 위스키에 절은 목소리로 짐이 말했다. 그리고 상처가 난 플라스틱 탁자에 레바를 앉힌 뒤, 커피를 건네고 자신 또한 금이 간 머그잔을 한 손에 움켜쥐고 그녀 옆에 앉았다. 레바는 잔에 든 것이 커피라기보다는 스카치 위스키에 가깝다는 사실을 깨달았다.

「세상에서 제일 효과 있는 관절염 약이라네. 더군다나 쓰라린 기억들이 술술 새어나가게 만들지. 좋은 것들만을 남겨둔 채 말일세.」

쉬어서 갈라진 목소리로 짐이 말했다.

레바는 다소 새로운 시각으로 스카치를 내려다보았다.

「정말요? 그렇다면 맛을 좀 봐야겠어요.」

그녀가 중얼거렸다.

「적어도 몇 년은 더 기다리게.」

짐이 냉소적으로 충고했다. 그리고 주름진 손으로 레바의 손을 다독거렸다.

「잠시 자리에 앉아 있게나.」

짐은 방을 떠났다가 키키툭이 담겨 있는 나무상자를 들고 돌아와 능숙한 솜씨로, 평생을 모아온 소중한 보물들을 다루었다. 짐은 조각품들을 꺼내 흠이 난 탁자 위에 한 줄로 늘어놓았다. 그리고 늘 그랬듯, 상아에 새겨진 무늬를 가리키며 그는 각각의 작품에 대한 찬사를 늘어놓았다.

작품들을 지켜보고 있던 레바도 전율을 억누를 수가 없었다. 서로 다른 크기의 키키툭들은 대부분 그녀의 손바닥보다 작았고, 그보다 더 큰 물건은 별로 보이지 않았다. 상아색으로 반짝이는 조각품들은 빛과 함께 세상에 대한 증오를 뿜어내고 있었다. 하마의 어금니 위에 기다랗게 새겨진 키키툭들이 입을 크게 벌리고 그녀를 노려보고 있는 듯했다.

「이것들에 관한 전설을 아나?」

마지막 키키툭을 상자에서 꺼내며 짐이 물었다.

「네. 키키툭을 적에게 주면, 그것이 적들의 영혼을 잡아먹는다면서요.」

갑자기 퀸의 어두웠던 입구가 그녀의 머릿속에 떠올랐다. 마치 누군가의 영혼을 삼켜버리기 위해 산에 새겨진 키키툭과 같다는 생각이 들었다.

「이것들을 그리 좋아하지 않는군, 안 그런가?」

「이것들을 좋아할 만한 수집가를 알아요.」

레바는 차분하고 솔직하게 대답했다.

「그는 코끼리 어금니에 새겨진 아프리카의 악마 조각을 모으고 있는데, 그걸 볼 때마다 온몸의 피가 얼어붙는 듯한 느낌이 들어요. 거기라면 키키툭들도 제대로 집을 찾는 셈이에요.」

짐은 껄껄 웃음을 터뜨렸다.

「나 자신도 이 작은 악마들을 그리 좋아하지는 않았지. 하지만 이 조각품들은 예술이고, 상아 또한 최고급이야. 남자들이란 자신들의 복수에 관해서 만큼은 굉장히 철저한 면이 있거든.」

정신이 흐릿해지는 가운데, 레바는 차이나 퀸의 무시무시한 영상을 지워버리려 노력하며 키키툭의 가격을 흥정했다.

챈스가 혼자 퀸 안으로 들어갔을까? 다시 땅이 흔들려 혼자 영원히 어둠 속에 갇혀버린 건 아닐까?

떨리는 손으로 레바는 수표를 써서 짐에게 건네주는 것으로 매매를 끝냈다.

「자네가 그린 스위트를 갖기로 결정했다고 들었네.」

「네.」

레바의 목소리에는 복잡한 감정이 드러나 있었다.

「잠시 앉아 있게나.」

짐이 다시 자리에서 일어났다가 이번에는 갈색 종이가방을 손에 들고 돌아왔다.

「몇 달 전에 이걸 샀지.」

그는 가방 안으로 손을 집어넣으며 입을 열었다.

「제레미에게 한번 방문하려 했었는데…….」

레바의 앞으로 짐이 광물 표본 하나를 끄집어내며 말했다. 정체를 알 수 없는 바윗덩어리 속에 박혀 있는 것은, 챈스의 눈동자처럼 희귀한 빛을 가진 은녹색의 수정이었다. 순간, 레바의 호흡이 가빠졌다. 그녀는 믿을 수 없는 색을 내뿜는 팔면체의 결정을 한참 동안 멍하니 바라보았다. 그런 다음 눈을 감고 머리를 흔들었다. 불가능한 일이었다. 광물에 박혀 있는 다이아몬드 원석은 수집가들조차 보기 힘든 가장 드문 보석 중 하나였다. 거기에 독특한 색까지 뒤섞여, 광석 표본은 그야말로 값을 매기지 못할 만큼 귀중한 물건이었다.

「이걸 판 사람은 내게 가공되지 않은 다이아몬드라고 하더군. 상아라면 50발자국 떨어진 곳에서도 진위 여부를 판별할 수 있지만, 다이아몬드는…….」

그는 어깨를 으쓱해 보이며 덧붙였다.

「제레미였다면 제대로 알아봤겠지.」

「제가 좀 봐도 될까요?」

손을 내밀면서 레바는 조심스럽게 제안했다.

「그렇게 하게.」

짐은 심장이 떨어질 만큼 부주의하게 그녀의 손바닥 위로 표본을 툭 집어던졌다.

레바는 지갑 속에서 보석감정용 루페(보석상, 시계 수선공 등이 사용하는 소형 확대경)를 꺼낸 뒤, 빛이 가장 밝게 들어오는 곳을 찾아 자리를 잡았다. 그리고 표본을 조심스럽게 살펴보았다. 원석이나 결정 그 어디에도 접착제나 아교로 붙인 흔적은 보이지 않았다. 결정의 자연적인 면들은 세공되었거나 연장으로 깎아 내린 흔적도 없었다. 심지어 깨어진 흔적이나 미세한 금도 눈에 띄지 않았다. 어림짐작만으로도 3캐럿이 넘는 진짜 다이아몬드 원석이 분명했다.

그녀는 탁자로 돌아왔다.

「정확히 알기 위해서는 몇 가지 실험을 해봐야 해요. 하지만 제가 보기에는 진짜 같아요. 이 표본은 얼마 정도로 생각하고 계세요?」

「이것도 다른 수집가에게 넘길 건가?」

레바는 자신도 모르게, 챈스 워커의 눈동자와 똑같은 색을 띤 결정을 쥔 손에 힘을 주었다.

「아니에요, 이건 제가 가질 거예요.」

짐이 그녀의 손을 부드럽게 다독였다.

「그럼, 선물이네.」

「니콜스씨, 그럴 수는…… 이건 가격을 따질 수 없을 만큼 희귀한 물건이에요.」

「그러니까 정당한 거래인 거야.」

짐은 단지 그렇게 말했다.

「전 이해할 수가 없어요.」

「우리가 아직 도시를 뒤흔들 만큼의 기력이 남아 있었을 때만 해도, 제레미와 난 자주 함께 술을 마셨네. 가끔 만나면 온 도시를 홈

빽 잠기게 할 만큼 많은 양의 포도주를 마셔대곤 했지. 그가 나를 찾아올 때면 가끔 그렇게 했어. 한번은 제레미가 죽음에 대한 이야기를 꺼내더군. 그가 하는 말이…… 만일 자신이 죽었을 때 누군가가 자신을 위해 진심으로 울어주는 사람이 있다면, 자신이 가진 모든 것을 주고 싶다는 말을 했었지. 난 그 말을 절대로 잊을 수가 없었네.」

짐의 늙고 충혈된 두 눈이 레바의 얼굴을 바라보았다.

「제레미의 혈육이 춤이라도 추고 싶다는 얼굴로 그의 무덤 앞에 서 있는 동안, 자네는 제레미를 위해 눈물을 흘리더군. 그런 사랑은 값으로 따질 수 없는 거라네. 그 물건이 유리든 석영이든 아니면 진짜 다이아몬드 건 이제 그 돌덩이는 자네 것일세.」

너무나 부드러운 모텔의 침대 위에서 기지개를 켠 뒤, 레바는 힘없이 눈을 비볐다. 그녀는 이제 또 다른 도시, 또 다른 수집가를 방문하며 삶을 계속해야 한다는 걸 알고 있었다. 하지만 그녀는 그렇게 할 수가 없었다. 하루가 마치 일주일처럼 길었고, 밤은 결코 끝이 없는 것처럼 느껴졌다. 그녀의 마음과 감정은 너무나 혼란스러웠다. 그리고 고독과 분노, 희망과 절망 속에서 갈팡질팡하고 있었다. 꿈에서는 차이나 퀸이 그녀를 괴롭히고, 사악한 키키툭이 그녀를 노려보며 검은 어금니로 챈스의 영혼을 짓이기려 하고 있었다.

레바는 지난 5일 동안 팀에게 단 한 통의 전화도 할 수가 없었다. 그가 걱정하고 있을 거란 사실을 알고 있었지만, 전화를 해도 될 만큼 스스로를 믿을 수가 없었다. 만일 챈스가 아직도 그곳에 있다면, 만일 다시 그의 목소리를 듣게 된다면, 그녀는 그의 꾸밈없는 미소를 보기 위해 그리고 햇빛에 그을린 그의 품안에서 따스함을 느끼기 위해 그를 향해 달려가고 싶은 마음을 억누를 자신이 없었다.

그때 누군가가 모텔 문을 가볍게 두드렸다. 순간, 레바의 심장이 세차게 뛰기 시작했다. 하지만 챈스일 리 없다는 걸 그녀도 알고 있었다. 그녀가 있는 장소를 그가 알아낼 방법이 없었다.

「누구세요?」

　밀려드는 경계심을 느끼며 레바는 소리쳤다. 방안에도 상자에 넣어 포장한 골동품이 쌓여 있었고, 렌터카의 트렁크에도 몇 개가 들어 있었다. 그녀는 제레미가 그랬던 것처럼 경호원들을 데리고 여행을 했어야 했다고 후회했다.

「글로리예요, 레바.」

　레바는 재빨리 침대에서 빠져나와 생각할 겨를도 없이 문으로 달려갔다.

「챈스도 함께 왔나요?」

　순식간에 문을 열어제치며 레바는 숨가쁘게 질문을 던졌다. 그녀의 눈동자가 희망적으로 반짝이고 있었다.

　글로리의 표정이 바뀌면서, 갑자기 더 늙어 보이고 누적된 피로가 확연히 드러나 보였다.

「나도 당신에게 같은 질문을 하려던 중이에요.」

「무슨 의미죠?」

「챈스가 사라졌어요.」

　글로리는 차분히 말했다.

「들어가도 될까요? 죽을 것만 같아요.」

　레바는 글로리를 안으로 잡아당긴 뒤 문을 닫았다. 기계적으로 레바는 보온병에 남아 있는 커피를 플라스틱 컵에 따라 글로리에게 건네주었다. 나이든 여인은 미적지근한 음료를 몇 모금만에 모두 삼킨 뒤 컵을 돌려주었다.

「고마워요. 이제 좀 살 것 같군요.」

흉한 모습을 하고 있는 플라스틱 의자에 몸을 묻으며 글로리는 한숨을 내쉬었다. 그런 다음 선명한 녹색 눈동자로 레바를 바라보았다.

「도대체 챈스와 당신 사이에 무슨 일이 있었던 거죠?」

글로리는 단도직입적으로 물었다.

「그는 차이나 퀸을 원했어요.」

온몸 깊숙이 파고드는, 살을 저미는 듯한 실망감에 두려움을 느끼며 레바는 무감각하게 말했다. 그녀는 자신이 그랬던 것처럼 챈스도 자신을 그리워할 거라고, 그래서 어느 순간 미친 듯이 그녀를 찾아 뛰어올지도 모른다고 상상하고 있었다. 하지만 그는 그러지 않았다. 아니, 그는 그녀를 찾아보려는 노력조차 하지 않았다.

「그래서 그걸 주었어요.」

「왜 당신이 전부 다 말한 게 아니라는 기분이 드는 거죠?」

눈동자를 가늘게 뜬 채 글로리가 물었다.

「이봐요, 난 이렇게 찜찜한 기분으로는 떠날 수 없다구요. 난 6일 전에 너무나 따스하고 감상적인 기분으로 잠에서 깨어났어요. 마침내 내 남동생이 사랑에 빠지는 행운을 잡았기 때문에요. 그런데 챈스가 내 방에 들어와 있더라구요. 그는 미쳐 죽으려 하더군요. 그런 모습을 한번도 본 적이 없었어요. 절대로요. 심지어 럭이 죽었을 때도…….」

글로리는 단호한 목소리로 덧붙였다.

「오, 하나님. 레바, 그에게 무슨 짓을 한 거죠?」

「왜 그가 내게 무슨 짓을 한 건지 묻지는 않죠?」

레바의 목소리는 날카롭고 거칠었다. 그리고 그녀의 눈동자는 분노와 부끄러움으로 번들거리고 있었다.

「지금 묻고 있잖아요.」

「그는 나보다 차이나 퀸을 더 원했어요. 그래서 난 그가 원하는 걸 주었죠. 차이나 퀸을 말이에요.」

「그리고요?」

「난 그에게 선택을 하라고 했어요. 나인지 아니면 퀸인지. 그가 어떤 것을 선택했을 거 같아요?」

글로리는 다시 눈을 감았다.

「오, 하나님. 도대체 챈스가 무슨 짓을 했기에 이토록 그를 증오하는 거죠?」

「그를 증오하지 않아요.」

어색한 목소리로 레바는 말했다.

글로리가 기묘한 웃음을 터뜨렸다.

「그걸 내게 증명하려 하지는 말아요.」

그녀는 가늘게 뜬눈으로 자신 앞에 서 있는 젊은 여인을 바라보았다.

「챈스에게 차이나 퀸은, 그 애가 평생을 찾아 헤매던 모든 것을 의미해요. 그리고…….」

글로리는 어깨를 으쓱해 보였다.

「당신은 그 애가 평생을 찾아다니던 여인이고요. 그런데 당신은 거기 그렇게 여왕처럼 서서, 그가 둘 중 하나만을 선택해야 한다고 말하는군요. 당신은 광산이 마치 다른 여자인 것처럼 행동하고 있어요. 도대체 당신이 뭐라고 생각하는 거예요?」

「아무런 가치도 없는 하찮은 여자요.」

레바의 목소리가 흔들리고 있었다.

「그게 문제였어요. 난 아무것도 아니었다고요. 하지만 당신은 그 사실을 이해하지 못하겠죠? 당신은 당신이 가진 것 때문이 아니라 그저 당신만을 원하는 남자가 있잖아요. 당신이 와서 그 사람에게 저 빌어먹을 광산의 소유권의 반이 있다는 말을 하기 전까지 나 또한 그런 존재라고 생각했어요.」

「오, 안 돼.」

마침내 상황을 이해한 글로리가 가쁘게 숨을 내쉬었다.

「챈스가 날 죽이지 않은 게 놀랍군요.」

그녀는 자리에서 일어나 레바를 끌어안았다.

「아직도 그를 사랑하는군요, 그렇죠?」

아무런 말도 할 수가 없어 레바는 고개만 끄덕였다.

「그렇다면 그 애가 뭔가 엄청난 일을 저지르기 전에, 그 애를 찾아낼 수 있도록 도와줘요. 생각나는 사람들에게는 모두 연락을 해봤어요. 하지만 그 애를 본 사람은 아무도 없더군요. 그 애는 친구들에게도 연락하지 않았어요. 그리고 호텔에도 없구요. 로스앤젤레스에서 흔적도 없이 사라졌다고요.」

「당신은 날 찾아냈잖아요. 그러니까 그이도 찾아낼 수 있을 거예요.」

레바가 지적했다.

「당신은 수표와 그리고 모텔에서의 사인과 같은 흔적을 남겼잖아요. 그것만 있으면 장님도 찾아올 수 있다구요. 하지만 챈스는 땅 속으로 숨었어요.」

차가운 냉기가 레바를 짓눌렀다.

「차이나 퀸…… 아니 그럴 리가 없어요. 거긴 너무나 위험해요. 지난번에도 우리 둘 다 죽이려 했다고요.」

스멀스멀 밀려드는 냉기를 무시하며 레바는 전화기로 손을 뻗었다. 잠시 후 그녀는 팀과 통화할 수 있었다.

「어디에 있는 거예요? 챈스도 함께 있는 거예요?」

「아니, 그가 전화했었어?」

「농담해요? 당신이 전화를 끊은 뒤의 챈스를 봤어야 했는데. 그런 사람은 한번도 본 적이 없어요. 뭐랄까…… 꼭 야생동물 같았다구요. 그때 생각만 하면, 지나는 여전히 머리를 설레설레 흔들어요. 솔직히 말하면 저도 그렇구요.」

「그가 무슨 일을 저지른 거야? 누가 다치기라도 했어?」

힘과 야만성을 드러낸 챈스의 위협적인 모습을 기억하고 레바는 깜짝 놀라 물었다. 다른 사람이 아니라 챈스에 대한 걱정과 두려움으로 그녀의 목소리가 떨리고 있었다.

「그런 건 아니에요. 그는 무서우리만큼 냉정했어요. 그리고 지나에게 한마디 한 것을 빼고는 아무런 말도 하지 않았어요. 지나가 당신이 크리스마스 선물로 준 십자가 목걸이를 하고 있었거든요. 챈스가 갑자기 지나의 앞에서 걸음을 멈추더니 십자가를 건드리면서 '내가 가져가도 괜찮겠소? 지금 가려는 곳에 꼭 필요한 거요'라고 말하더군요. 그러더니 무슨 낡은 실이라도 되는 것처럼 목걸이 줄을 뚝 끊어내고는 목걸이만 가지고 떠났어요.」

「차이나 퀸으로 갔어요.」

레바는 무감각하게 말했다.

챈스의 선택은 그녀가 아니었다. 그녀가 퀸을 건네주자마자 그는 뒤도 돌아보지 않고 떠난 거였다. 선택의 여지도 없이…….

멍하니 레바는 팀에게 자신이 있는 곳을 알려주고 전화를 끊었다.

「뭐래요?」

글로리가 물었다.

「남동생 분은 의심할 여지없이 자신의 광산으로 갔대요.」

「안전한가요?」

「전혀 안전하지 않아요.」

레바가 속삭였다.

「그럼, 거기서 끄집어내야죠.」

짙은 속눈썹 사이에 매달린 눈물과는 달리 레바는 웃음을 터뜨렸다.

「내가 어떻게 그렇게 할 수 있죠, 글로리?」

레바는 갑자기 솟아오르는 분노를 드러내며 나이든 여인을 향해 몸을 돌렸다.

「이해하지 못해요? 그는 날 원하지 않아요. 그가 차이나 퀸을 가지고 떠났다고요.」

글로리는 레바가 둘러싸고 있는 껍질을 뚫고 해줄 수 있는 말이 아무것도 없었다.

그녀와 레바는 함께 로스앤젤레스로 돌아왔다. 레바는 단 한 차례…… 차이나 퀸이 있는 곳을 알려주기 위해 입을 열었을 뿐 아무런 말도 하지 않았다. 그리고 퀸으로 함께 가자는 글로리의 제안을 거절했다. 챈스가 이미 선택을 마쳤으니, 이제 더 이상 할 말이 없었다. 레바는 눈을 감고 꼿꼿이 등을 편 채 비행기 안의 좌석에 앉아, 잔인하고 무서운 땅을 선택한 남자를 계속해서 떠올렸다.

며칠이 지나자, 레바의 분노는 완전히 사그라졌다. 하지만 얼음 껍질은 여전히 남아 있었다. 델 코로나도에 제레미의 수집품을 진열하는 작업으로 낮 동안에는 다른 잡념 없이 보낼 수가 있었다. 하지만 매일 밤 제레미의 수집품을 찍은 사진들을 정리하는 그녀의 머릿속에는, 데스 계곡에서의 기억들과 그녀가 사랑했던 두 남자, 그리고 결국은 그녀의 곁을 떠나버린 두 남자에 대한 생각으로 가득했다. 기억하는 것조차 고통스러웠지만, 비명처럼 챈스의 이름을 부르며 잠에서 깨어나는 것보다는 나았다. 그녀는 매번 꿈에서 적의로 가득 찬, 핑크색 투어말린 눈동자를 번쩍이는 사악한 키키툭들이 챈스를 공격하는 것을 막으려고 고함을 질렀다.

2주일 전 공항에서 헤어진 이후, 글로리에게서 단 한 차례 전화가 왔다. 그녀는 레바가 추측하고 있는 사실을 확인시켜주었다. 챈스는 차이나 퀸에 머물고 있다고……. 세상에서 가장 값비싼 팔라의 분홍색 투어말린을 찾아서 어둠 속을 파헤치고 있다고. 끝없이 이어지는 어두운 지하 동굴 속에 챈스 혼자 있다는 사실을, 그리고 지진이나 지표면의 흔들림을 견디지 못할 만큼 약한 대지를 생각할 때마다 그의 생명에 대한 두려움으로 온몸의 피가 마르는 듯했다.

레바는 델 코로나도 호텔로 짐을 옮기는 등의 복잡한 일들이 마무리되는 동안, 냉정한 표정을 지으며 흔들리는 마음이 진정되기를 기다렸다. 하지만 제레미의 수집품들이 경매되는 과정을 지켜보고 있자니, 마치 그녀의 삶 일부분이 끝나는 걸 보는 듯했다. 슬픔과 동경 그리고 그녀가 사랑 받을 만한 가치가 있는 사람이라는 걸 어떻게 이 친절한 노인만이 알아볼 수 있었는지에 대한 궁금증과 아쉬움을 느끼며, 레바는 모든 일을 순조롭게 마무리지었다. 하지만 그 어떤 감정도, 챈스로 인한 두려움과 분노보다 더 깊지 않았다. 한참을 미동도 하지 않은 채 자리에 앉은 그녀는, 손톱으로 손바닥을 꾹꾹 누르며 데스 계곡과 차이나 퀸, 그리고 챈스라 불리는 남자에 대해 생각했다.

노크소리에 깜짝 놀라 상념에서 깨어난 레바는 눈을 깜빡이고 방 안을 둘러보며, 잠시 자신을 둘러싸고 있는 낯선 풍경에 의구심을 느꼈다. 금색이 뒤섞인 벽지와 오래된 가구들이 놓여 있는 커다란 스위트룸을 본 순간, 그녀는 자신이 있는 곳을 기억해냈다.

샌디에이고 주 델 코로나도 호텔. 제레미의 수집품. 경매.

경매는 성공적으로 끝났다. 입찰 과정은 그야말로 장관이었고, 물건들은 모두 다 팔렸다. 실망한 입찰자들은 레바에게 그들이 원하는 물건들이 적힌 목록을 건네주며, 제레미의 수집품으로 인한 이득보다 더 많은 수입을 보장해주었다.

　노크소리가 다시 울려왔다.

「레바? 준비되었어요?」

　팀이었다.

　아니…….

　하지만 그렇게 말할 수는 없었다. 비록 챈스가 아닌 다른 사람의 손길이 닿는다는 생각만으로도 온몸에 소름이 돋았지만, 이제 자리에서 일어나 침착하고 전문적이며 절제된 태도로 아래층으로 내려가 낯선 사람들과 춤을 추어야만 했다. 물론 챈스는 더 이상 그녀를 만지려 하지 않겠지만……. 그가 원하는 건 단지 차이나 퀸뿐이었다. 냉혹하고 차갑고 어두운 동굴 속에서, 따스하고 생생하게 살아 있는 여인의 사랑보다도 더 소중한 무엇인가를 발견할 수 있을 거라 생각했던 것일까? 어쩌면 차갑기 그지없는 퀸의 품안에서 시간을 보내고 나면, 얼마나 레바가 그를 사랑했는지를 이해하게 되리라.

　레바는 자리에서 일어나 걸음을 옮겨 문을 열었다. 재빨리 방안으로 들어온 팀은 잠시 걸음을 멈추고는, 그녀를 바라보며 칭찬하는 듯한 휘파람을 불었다.

　실크를 비스듬하게 재단해 만든 황금색 드레스는 부드러운 곡선을 따라 치맛자락이 소용돌이치듯 흘러내리고 있었다. 맨 살이 그대로 드러나는 오른쪽 어깨와는 달리 왼쪽 어깨에서부터 흔들리듯 내려오는 우아하고 감각적인 실크는, 그녀의 작은 움직임에도 사각거리는 소리를 내며 유혹적인 빛을 발하고 있었다. 왼쪽 어깨 앞쪽에 달려 있는 드레스의 유일한 여밈 부분에는 단추 대신 눈물 방울 모양의 다이아몬드 세 개가 나란히 매달려 있었다. 그리고 그와 어울리는 다이아몬드 귀고리가 그녀의 귓불에서 달랑거렸다. 숱이 많은 벌꿀색 머리카락은 매끄럽게 틀어 올려 황금색 핀으로 정수리 부분에 교묘하게 고정시켜놓았다.

「내가 행복한 결혼생활을 하고 있다는 게 이럴 때는 아쉽다니까요.」

팀이 한숨을 내쉬며 덧붙였다.

「당신이야말로 오늘밤 경매되어진 그 어떤 보물보다도 더 귀한 빛을 발하는군요.」

레바의 입술이 살짝 올라가며 슬픈 미소를 지어 보였다.

「고마워.」

오늘도 그녀는 오브제 다르를 상징하는 검정색 실크를 입고 싶었지만, 제레미를 위한 무도회에 상복을 입고 나타나고 싶지는 않았다.

그녀는 팀의 어깨에 손을 얹었다.

「자, 일을 해치우러 가자구.」

「이봐요, 레바. 우리는 지금 장례식장이 아니라 무도회장에 가는 거라구요.」

그녀는 아무 말도 하지 않았다. 오늘은 제레미의 수집품이 한 자리에 모여 있을 수 있는 마지막 밤이었다. 심지어 그녀는 '호랑이 신'과 그린 스위트까지도 함께 진열해놓았고, 가공되지 않은 은녹색의 다이아몬드도 진열해놓았다. 그건 다이아몬드가 분명했다. 실험을 해 보지 않았지만, 레바는 한 치의 의심도 없이 그 사실을 확신할 수 있었다. 다양한 녹색들 사이로 불가사의한 빛을 발하는 결정은, 그녀가 사랑한 남자만큼이나 독특해 보였다.

델 코로나도의 화려한 복도 여기저기에 우아하게 차려입고 서 있는 사람들의 낮은 대화가 레바의 침묵을 감싸주었다. 팀은 그녀를 이끌고 조지 7세가 춤을 추었다는 무도회장으로 안내했다. 9미터 정도 높이의 소나무 천장은 직접 손으로 문질러 반들반들한 윤기가 흘렀고, 화려한 벽지와 무거운 금색 헝겊들이 델 코로나도의 매력이자 특징인 빅토리아 시대의 분위기를 자아내고 있었다.

보통 때는 거대한 식당으로 사용되었던 곳이, 오늘은 제레미 싱클레어를 기리기 위한 장소로 사용되고 있었다. 제레미의 수집품들이 얌전하게 진열되어 있는 유리관과 벨벳이 깔려 있는 상자들이, 마치 거대하게 반짝이는 목걸이처럼 방안을 죽 둘러 늘어서 있었다. 화려하게 빛나는 옷을 입은 여자들이, 디너용 재킷과 타이를 맨 남자들의 에스코트를 받으며 상자들 사이로 미끄러지듯 들어오고 있었다. 그리고 꼭 맞는 검은색 실크 재킷 속에 무기를 숨긴 남자들이 조심스럽게 사람들 사이로 움직였다.

방안 어두운 곳의 구석구석에서 은녹색 눈동자에 야생의 호랑이와 같은 우아함을 지닌 남자를 찾던 레바의 어깨가 낙담으로 내려앉았다. 제레미 보위어 싱클레어의 마지막 추모행사에 레바가 참석한다는 사실은 챈스도 잘 알고 있었다. 만일 챈스가 그녀를 보기 원했다면, 그는 오늘밤 이 자리에 있어야 했다.

하지만 여기에 있는 남자들 중 챈스 워커를 닮은 사람은 어디에서도 보이지 않았다.

「도대체 저게 무슨…….」

제레미의 수집품을 바라보며 팀이 고함을 질렀다.

레바는 시선을 돌려, 거대한 붉은 머리의 남자가 비어 있는 유리상자를 도시락 통처럼 한 팔에 끼고 들어오는 것을 바라보았다. 사람들의 호기심 어린 시선을 무시한 채, 남자는 유리상자를 내려놓고 침착하게 뚜껑을 열었다. 그를 따라 들어온 모래빛 머리카락을 가진 남자의 군센 어깨와 흉터가 남아 있는 손이, 그가 광부임을 알려주고 있었다. 두 번째 남자는 손에 나무상자를 들고 있었고, 세 번째 남자는 자신들이 만들어낸 소동을 감상하듯 주위를 둘러보고 있었다.

팀이 레바의 팔을 강하게 끌어당겼지만, 그녀가 세 남자를 향해 시선을 돌리는 것을 막을 수는 없었다. 거칠고 자신감에 차 있는 그들의 모습이 챈스를 떠올리게 만들었다. 그녀는 전에도 세 사람을 본 적이 있음을 깨달았다. 실제로, 제레미의 수집품을 가지고 델 코로나도에 도착한 이후로 곳곳에서 그들을 볼 수 있었다. 레바의 맞은편에 자리를 잡은 그들은 경매품들을 가로막고 서서 무언가를 하고 있었다.

「경호원을 부를까요?」

팀이 부드럽게 물었다.

세 남자에게서 뿜어져 나오는 흥분과 긴장의 기분에 매료된 듯 레바는 머리를 흔들었다. 붉은 머리의 남자는 나무상자의 뚜껑을 열어젖히면서 두껍고 날렵한 손을 안으로 집어넣었다.

「기다려.」

레바가 조용히 말했다.

「저들이 뭘 하는지…… 오!」

레바의 헐떡임은 주위 사람들의 커다란 감탄사에 휩쓸려 들어갔다. 그의 커다란 손아귀 안에는 팔라 투어말린 결정이 박혀 있는 석영 원석이 들려 있었다. 분홍색 기둥 모양의 돌은 지각의 끊임없는 움직임에 의해 미세한 균열이 나 있었지만, 석영이 단단히 감싸안아 그들의 영광스러운 탄생과 부활의 시간들을 분명하게 보여주고 있었다. 주면체의 투어말린은 레바의 손만큼이나 길었고, 태양이 폭발하는 듯한 분홍색을 감싸안은 선명한 녹색 결정까지 포함하면 훨씬 더 컸다.

결국 챈스의 단호하면서도 부드러운 손길 아래 차이나 퀸이 새 생명을 찾았음이 분명했다.

시야가 흐릿해지며 레바의 눈에 눈물이 고였다. 그녀는 투어말린의 신비한 결정과 빛나는 영광과 경쟁할 수가 없었다. 챈스는 제대로 선택한 거였다. 무엇보다도 그런 그를 비난할 수가 없었다. 투어말린을 ─ 그 오묘하고 완벽한 모습을 ─ 보고 있노라면, 왜 남자들이 모든 것을 버리고 대지 아래의 어두운 통로를 들어가는 위험을 무릎쓰는지 알 수 있었다. 그것은 돈이 아니라 아름다움 때문이었다. 신들의 아름다움…….

거기에 비하면 그녀는 아무것도 아니었다. 아무것도…….

레바는 시선을 들어, 자신을 보고 있는 붉은 머리의 남자를 바라보았다. 그는 호기심이 담긴 손을 들어 살짝 아는 척을 한 뒤, 그녀에게 아무 말도 건네지 않은 채 자리를 떴다. 아니, 그럴 필요가 없었다. 투어말린 그 자체만으로도 분명한 의미를 지니고 있었다. 챈스가 이기고, 그녀가 졌다.

그리고 모든 것은 끝났다.

레바는 순간 자신이 느끼던 분노와 두려움 속에는, 언젠가 그녀의 '호랑이 신'이 돌아와 그녀가 틀렸음을 명백하게 입증해 보일지도 모른다는 걱정이 숨겨져 있었음을 깨달았다.

「소유자의 이름이 적혀 있지 않은걸요.」

레바의 옆으로 돌아오며 팀이 말했다.

「어떤 표시도 없어요. 단지 '비매품(NFS)'이라고 적혀 있는 작은 카드 한 장만 놓여져 있을 뿐이에요.」

「비매품이라…….」

레바는 중얼거렸다. 갑자기 그녀의 입술이 슬픔으로 일그러졌다.

「소유주의 이름 따위는…… 이미 알고 있잖아.」

「챈스요?」

「그말고 누가 이런 일을 하겠어?」

거칠어진 목소리로 레바가 되물었다.

「'호랑이 신'이야…….」

그녀의 말을 들은 사람들도, 그 말이 칭찬의 의미인지 경멸의 의미인지 알 수가 없었다. 레바 자신 또한 알지 못했다.

레바는 심호흡을 하고 천천히 앞으로 걸음을 옮겼다. 이 방안에서 아니, 이 호텔에서 빠져나갈 수 있다면, 그린 스위트의 표본이건 뭐건 다 줄 용의가 있었다. 하지만 그렇게 할 수는 없는 노릇이었다. 그린 스위트는 제레미가 차갑게 변해 그녀의 곁을 떠나기 전까지, 함께 샴페인을 마시고 춤을 추고 삶을 즐겼던 수많은 추억들을 상징했다. 그리고 그것들은 그 어떤 것으로 대신하지 못할 만큼 소중한 거였다.

「이제 무도회의 시작을 알릴까?」

등을 곧게 펴고 머리를 높게 쳐든 채, 황갈색 눈동자에 담긴 눈물을 감추며 레바는 팀에게 몸을 돌리며 말했다.

팀은 레바의 손을 들어 입술에 가볍게 댄 뒤, 몸을 숙여 인사를 하고 방안 한가운데로 그녀를 이끌고 나갔다. 그녀는 악사들이 기다리는 연단으로 얼굴을 돌려 지휘자에게 고개를 끄덕인 다음 팀에게로 몸을 돌렸다. 팀이 그녀를 품에 끌어안자, 음악이 시작되고 레바의 옷자락을 타고 왈츠가 흘렀다. 잠시 동안, 댄스 플로어는 두 사람만의 것이었다. 곧 화려한 음악에 황금색 실크 드레스의 우아한 움직임에 이끌리듯 다른 커플들이 나타났다.

춤이 끝나자 레바는 팀의 팔에 손을 얹고, 자부심에 가득 찬 여왕처럼 그가 에스코트를 하도록 했다. 팀은 벽을 따라 늘어서 있는 식탁들 중 호텔 앞쪽의 잔디밭이 보이는 창가 쪽으로 자리를 안내해주었다.

「고마워, 팀. 이제 지나에게 가봐.」

명령이라기보다는 권유에 가까운 어조로 말하며 레바는 미소를 지었다.

팀이 잠시 주저했다.

「혼자 있어도 괜찮겠어요?」

「그럼. 지나를 찾아서 춤도 추고 즐거운 시간을 보내도록 해.」

「그럼, 당신은 뭘 할 건데요?」

「샴페인이나 마시지 뭐.」

지나가는 웨이터에게 손짓을 해 보이며 레바가 대답했다.

「레바…….」

「자, 가라구.」

그녀는 부드럽게 재촉했다.

주저하며 몸을 돌려 자리를 떠나던 팀은 거대한 붉은 머리와 하마터면 부딪힐 뻔했다. 붉은 머리를 바라보던 레바는, 그가 이제껏 자신을 지켜보고 있었음을 깨닫고 질문을 던지듯 진한 벌꿀색 눈썹을 들어올렸다. 그는 멈칫하더니 그녀에게로 다가왔다.

「레드 데이요, 부인. 글로리의 남편이죠. 춤 한 곡 추실까요?」

「그러고 싶지 않은걸요.」

샴페인을 홀짝이면서 약간은 호기심이 담긴 눈으로 덩치 큰 남자를 바라보며 레바는 냉정하게 대답했다. 거의 50이 되어 가는 남자는, 맨 손으로 강철 판자를 뭉개버릴 수 있을 것처럼 거칠어 보였다.

「고맙군…….」

레바의 맞은편 의자에 털썩 주저앉으며 레드는 한숨을 내쉬었다.

「난, 춤이라고는 조금도 출 줄 모른다오. 티끌만큼도.」

레바는 잠시 그를 바라보면서, 그의 이름을 어디서 들었었는지를 고민했다. 글로리의 남편이 아니라 투어말린과 관련된……. 순간 그녀는 챈스가 중국 산 눈물 병을 보던 날을 떠올렸다. 그는 나직한 목소리로 팔라 투어말린에 대한 소유욕을 보였던 황태후에 대해 말을 할 때 그를 언급한 적이 있었다.

「당신도 수집가죠? 내가 기억하고 있는데, 정확하다면 루빌라이트를 수집하고 있죠?」

「맞소.」

레드의 푸른 눈동자가 열정으로 빛나고 있었다.

「당신……」

「그럼, 저 투어말린 원석이 당신의 소유인가요?」

그가 묻고 싶었던 것이 무엇이든 간에 그의 말을 냉정하게 자르며 레바가 물었다.

「그랬으면 하고 바라는 중이오. 끔찍할 정도로 아름답지 않소?」

「끔찍하리만큼……. 네, 그래요.」

건배를 하듯 샴페인 잔을 살짝 기울이며 레바는 냉소적으로 대답했다. 그리고 한 모금을 들이킨 뒤 얼굴을 찌푸렸다. 레바는 오늘을 위해 가장 좋은 것들만을 준비했다. 하지만 최고급 샴페인조차 마치 잿가루를 마시는 듯, 시금털털한 맛이 날 뿐이었다. 그녀는 돌덩이를 삼키듯 간신히 한 모금 더 입을 댔다.

「아마도 챈스가 당신에게 팔 거예요.」

그녀의 말에 레드는 천천히 머리를 흔들었다.

「그에게 하늘과 땅을 주겠다고…… 심지어 지옥으로 보내버리겠다는 협박까지 했지만…….」

「만일 그 협박을 행동으로 옮기는 데 도움이 필요하다면…….」

하얀 이를 살짝 드러낸 레바는 미소를 지으며 덧붙였다.

「내가 몇 가지 조언을 해드리도록 하죠.」

레드의 웃음소리는 그의 덩치만큼이나 우렁찼다.

「챈스가 당신을 어디서 찾아낸 거요, 꼬마 아가씨?」

「데스 계곡에서요. 그리고…….」

그녀는 냉정한 목소리로 덧붙였다.

「몇 주 후 차이나 퀸이라 불리는 광산과 날 맞바꾸었어요.」

레드는 깜짝 놀란 듯한 표정을 지었다.

「하지만 녀석은 광산이 자신의 것이 아니라고 하던데.」

「거짓말을 했겠죠.」

레바가 샴페인 잔을 내려놓자, 남아 있던 음료 속에 조그마한 거품이 일어났다.

「챈스 워커는 거짓말을 하지 않소. 그는 도둑질이나 사기를 친 적이 없소. 물론…….」

작은 의자 위에 올려진 거대한 덩치를 이리저리 움직이면서 레드는 덧붙였다.

「그의 십계명이 조금 다르다는 사실은 인정하오.」

레바는 아무런 말없이 그저 속으로 '아멘' 하고 되뇌었다. 한참 동안 그녀와 레드는 침묵 속에 싸인 채 앉아 있었다. 그리고 창문을 통해 비치는 달빛처럼 나른한 음악을 들으며, 잘 차려입은 여인들이 고귀한 보물이라 되는 듯 남자들의 품에 안겨 있는 모습을 구경했다.

「춤을 추지 않겠어요?」

그녀의 팔꿈치 쪽에서 누군가의 목소리가 들려왔다. 레바는 재빨리 머리를 돌렸다. 그녀의 옆에 서 있는 남자는 레드만큼이나 덩치가 컸다. 적어도 2미터는 되어 보이는 키에 챈스보다 어린…… 헤라클레스와 같은 덩치에 신처럼 잘생긴 청년이었다. 그녀는 한 눈에 그가 싫어졌다.

그 때문이 아니라 그가 아니기 때문에…….

그는 챈스가 아니었다.

「안 돼. 그녀는 춤을 좋아하지 않아.」

레드가 말했다.

「틀렸어요.」

순간적으로 무슨 수를 써서라도 춤을 추겠다는 결심으로 레바는 그의 말을 가로챘다.

「이 숙녀 분은 춤을 아주 좋아해요.」

레드는 레바의 화난 얼굴과 유혹적인 미소를 짓고 있는 청년의 얼굴을 번갈아 쳐다보았다.

「좋아, 이렇게 하지. 이 숙녀 분은 자네와 춤을 출 걸세. 하지만 단 한번이네. 듣고 있나, 멜보른?」

멜보른은 무관심하게 어깨를 으쓱해 보인 뒤, 레바를 향해 손을 뻗어 댄스 플로어로 데리고 나갔다. 커다란 덩치와는 달리 청년은 날렵하게 움직이고 있었지만, 그녀를 너무 바싹 잡아당기는 것 같았다. 레바는 조심스럽게 그의 가슴을 밀어, 둘 사이의 거리가 조금 벌어졌으면 좋겠다는 뜻을 조심스럽게 알렸다. 멜보른의 손이 등에서 허리로 미끄러지며 그녀를 더 가까이 잡아당겼다. 그녀는 조금 더 세게 밀며, 그에게 조금 더 거리를 요구했다.

「이건 왈츠지 레슬링이 아니에요.」

멜보른의 눈을 똑바로 바라보며 레바는 단호하게 말했다. 그의 눈동자는 그을린 피부와 밤색 머리카락과 대조를 이루는 파란색이었다.

「그럼, 레슬링을 그만둡시다.」

그녀를 향해 침착하게 미소를 지으며 그는 말했다.

「서로 팔을 뻗은 채 춤을 추는 게 쉬운 일은 아니잖소.」

레바는 매섭게 쏘아붙이려다 그의 말이 옳다는 것을 깨달았다. 그녀는 지금 두 사람 사이에 30센티미터가 넘는 거리를 두려고 애쓰는 중이었다. 자신의 반응이 너무나 본능적인 것이었기에 레바는 깜짝 놀랐다. 내가 왜 이러지? 지금까지 만난 사람들 중에 가장 잘생긴 남자와 춤을 추고 있으면서도 그의 손이 허리에 닿을 때마다 역겹다는 듯이 저항하고 있었다니. 이런 적은 한 번도 없었다.

「미안해요.」

챈스가 아닌 다른 남자가 가까이 다가올 때마다 비이성적인 반응을 보이는 자신을 꾸짖으며 그녀는 조용히 말했다.

멜보른은 한숨을 내쉬었다.

「그는 어디에 있소?」

「누구요?」

「당신을 소유한 남자 말이오. 물론 레드는 아니오. 그는 글로리의 것이니까. 한 여자에게 한 남자라는 건 신이 주신 법칙이니까요.」

「어떻게 내가 다른 남자의 소유라고 생각하는 거죠? 지금은 20세기라구요, 알고 있어요?」

레바의 반박에 멜보른은 머리를 흔들며 웃음을 터뜨렸다.

「그럴지도 모르죠. 하지만 세상에는 변하지 않는 것들이 있소. 당신에게 손을 대자마다 당신이 다른 남자의 것임을 알 수 있었소. 바디 랭귀지는 거짓말을 하지 않는다고, 어떤 사람이 내게 힘겨운 방법으로 가르쳐줬지.」

레바의 몸이 딱딱하게 굳었다. 데스 계곡에서 챈스도 똑같은 말을 했었다. 순간, 멜보른에게 바디 랭귀지를 가르친 사람이 누구인지 분명히 알 수 있었다. 곧이어 또다시 챈스가 옳았음을 분명히 깨달았다. 바디 랭귀지는 거짓말을 하지 않는다. 그녀는 그의 것이었다. 그가 원치 않는다고 해도.

레바는 아파 오는 마음을 억누르며 챈스가 아닌 다른 남자의 품안에서 편안한 마음을 가지려고 노력했다. 비록 완전히 성공하지는 못했지만, 적어도 멜보른과 팔을 멀찍이 뻗은 채 춤을 추는 일은 없었다. 춤곡이 끝나고 또 다른 곡이 시작되자, 멜보른은 미소를 지으며 그녀를 내려다보았다.

「레드의 성질이 그의 머리카락과 똑같은지 한번 시험해볼까요?」

멜보른의 유혹하는 듯한 남성적인 매력에 마음 편하게 대응했으면
좋겠다는 희망을 품으며 레바는 미소를 지으려 노력했다. 하지만 그
럴 수가 없었다. '호랑이 신'이 더 이상 그녀를 원하지 않는다고 해
도 그녀는 그의 소유였다. 슬픈 미소를 지으며 그녀는 머리를 흔들
었다.

「아니, 괜찮아요. 다른 어떤 운 좋은 여성분의 삶을 행복하게 만
들 수 있는 기회를 제가 빼앗을 수는 없죠.」

일순 레바는 커다란 남자의 몸에 거부 반응이 일어나는 것을 느꼈
다. 그는 그녀를 주의 깊게 바라본 뒤, 레드가 성마르게 기다리고 있
는 테이블로 그녀를 이끌었다.

「보기보다는 영리하군.」

레드는 미소를 짓고 있었다. 비웃음과는 달리 그는 청년을 좋아하
고 있는 듯했다. 그는 단지 멜보른이 레바와 춤을 춘다는 사실이 싫
은 것뿐이었다.

「누굴 위해서 그녀를 지키는 겁니까?」

멜보른이 퉁명스럽게 물었다.

레드는 어색하게 레바에게 시선을 던졌다. 그녀가 보이는 것과는
달리 침착하지 못하다는 것을 감지한 듯했다.

「난 이 아가씨의 보호자가 아니야.」

「이봐요…….」

멜보른은 레드만 들을 수 있을 만큼 낮은 소리로 말을 이었다.

「그녀는 사귀는 사람이 없다고 말했다고요. 하지만 당신하고 테드
그리고 이안이 나쁜 평판이라도 생길까 걱정하는 사람들처럼 그녀의
근처에 척하니 달라붙어 있잖아요. 게다가 당신은 그녀에게 다가오는
사람들을 다 내쫓고, 화장실을 제외한 모든 장소를 다 쫓아다니잖아
요. 심지어 충실한 사냥개처럼 그녀의 침실 맞은편에서 잠을 자구,

내게 춤을 몇 번 춰야 하는 것까지 지시하고 있잖아요. 난 그런 빌어먹을 떨거지가 아니라고요.」

「내게 그런 말을 하지는 말게.」

애처로운 표정으로 레바에게 시선을 돌린 뒤, 그는 다시 멜보른에게 주의를 기울였다.

「챈스 워커에게 가서 그렇게 말해보라고.」

멜보른은 몸을 똑바로 세우고, 매력적인 여성을 보는 듯한 시선이 아니라 흥미와 놀라움이 담긴 시선으로 다시 그녀를 바라보았다.

「젠장할. 그는 절대로 질투를 할 만한 사람이 아니었잖아요.」

레드는 어깨를 으쓱해 보였다.

「지금은 그래, 멜보른.」

「이런 제기랄.」

멜보른은 시선을 돌려 레바에게 미소를 지었다. 그리고 고개를 숙여 인사를 한 뒤, 몸을 펴고 그녀에게로 다가와 이마 위에 오빠와도 같이 키스를 해주었다.

「같이 춤을 추어서 기뻤어요.」

한참을 생각하듯 그녀를 바라보던 멜보른은 가볍게 미소를 지었다.

「당신의 바디 랭귀지만 아니었다면, 챈스에게 지옥으로 가라고 말하고 싶은 충동이 생기는걸요.」

레드가 재빨리 자리에서 일어났다.

「멜보른…….」

「걱정하지 말아요. 이미 교훈을 얻었다고요.」

그는 쓸쓸한 미소를 지으며 레바를 바라보았다.

「그때 난 워커가 나만한 덩치를 맨 손으로 상대하리라고는 꿈도 꾸지 않았다구요. 비록 그토록 자만심에 가득 차 거들먹거리고 있었지만, 그게 허세인 줄 알았죠.」

「그래도 살아남았잖아. 그러니 불평할 것도 없어.」

레드가 툴툴거렸다.

멜보른은 웃음을 터뜨리며 사람들 사이로 걸어 들어갔다. 레바는 커다란 의혹을 가득 품은 채, 멀어져 가는 그의 등을 바라보았다. 그런 다음 레드의 반대편 의자에 몸을 붙였다. 레드는 곁눈질로 레바를 바라보며 그녀의 기분을 살폈다.

「이쪽을 봐요, 레바.」

그가 조용히 말을 이었다.

「챈스가 그렇게 분별 없는 것도 아니오. 오늘밤 여기에는 깨끗한 실크 셔츠들 아래 나쁜 뜻을 품고 온 사람들이 버글거리고 있소. 챈스는 그들을 잘 알지. 당신이 워커의 여자라는 사실을 알고 있는 한, 감히 만질 수조차 없는 소중한 보석 같은 존재요. 챈스의 앞길을 막는 사람은 아무도 없소. 멍청한 놈들도 그 정도는 알고 있지.」

레드의 어르는 듯한 말을 무시한 채, 레바는 외로움과 분노와 손바닥을 파고드는 손톱을 느꼈다.

「챈스가 내게 왜 이러는 거예요? 그는 내 근처에 다른 사람이 접근하는 게 싫은가본데요, 이미 나와 그 조그만 땅덩어리랑 맞바꾸었잖아요. 그는 차이나 퀸을 가졌어요. 그리고 다행이 살아남았고 대박까지 터뜨렸어요. 그런데 왜 내가 나만의 행복을 찾겠다는 것까지 막는 거죠? 도대체 자신을 뭐라고 생각하는 거예요?」

긴장한 목소리로 레바는 말했다.

「불행한 한 남자요.」

그때 레바의 뒤에서 글로리가 끼여들며 레드 옆에 자리를 잡았다. 레드의 검정색 이브닝 정장과는 대조적으로 글로리는 선명한 오렌지색 드레스를 입고 있었다. 그녀는 차가운 녹색 눈동자로 레바를 바라보았다.

「챈스에게 광산을 건네주었을 때, 당신은 그 애에게 무덤을 준 거예요. 그는 전력을 다해 거기를 파 들어가고 있죠.」

레바의 얼굴이 창백해져 갔다. 그녀는 방안이 새까맣게 변해 가는 것을 느끼며 테이블을 움켜쥐었다. 차이나 퀸의 검은 입이 벌어지면서, 키키툭이 튀어나와 분홍 투어말린과 같은 눈동자를 부릅뜬 채 그녀에게 덤벼들려 하고 있었다.

「난 그런 걸 원한 게 아니에요. 그럴 생각은 없었다고요.」

그녀가 속삭였다.

「그 광산은 살인마요.」

레드가 담담하게 입을 열었다.

「챈스는 내가 광산 안으로 들어오는 것조차 허락하지 않았소. 우리는 이제까지 무수히 많은 광산에서 함께 일해왔는데도 말이오.」

「도대체 뭐 때문에요? 돈 때문에요? 챈스는 저 빌어먹을 돌덩이를 팔지 않을 거예요. 사랑 때문에도 돈 때문에도 안 팔 거라구요. 그 애는 그저 투어말린을 한 자루 가득 들고나와 우리에게 건네준 뒤, 저 빌어먹을 광산 안으로 다시 들어가버릴 거라구요. 도대체 그 애가 왜 그런다고 생각해요? 레바! 죽으려고 하는 게 아니라면 말이에요.」

글로리가 소리치듯 레바를 향해 말했다.

레바는 떨리는 몸을 추스르며 자리에서 일어났다. 그녀의 악몽이 현실로 벌어지고 있었다. 그녀는 챈스에게 가야만 했다. 가서, 차이나 퀸이 또다시 입을 다물어 사랑하는 남자를 영원히 집어삼키기 전에 그를 찾아야 했다. 그녀는 거대한 무도회장을 가득 메운 사람들의 시선과 반가움의 인사들을 무시한 채, 그들을 밀쳐내며 앞으로 나갔다. 그녀의 귓가에는 오직 글로리의 비난만이 가득 메아리칠 뿐이었다.

로비에 도착했을 때쯤 레바는 자신의 우아한 드레스를 높이 치켜든 채 정신 없이 달리고 있었다. 엘리베이터조차 느리게 느껴져 그녀는 계단을 달려 올라갔다. 사람들의 놀라는 표정들을 무시한 채 레바는 2층에 위치한 자신의 스위트룸을 향해 무작정 달렸다. 방 앞에 도착하자마자 그녀는 무릎 위로 치마를 들어올리고 스타킹 안에 숨겨놓았던 열쇠를 꺼내들었다. 손이 너무 떨려 자물쇠에 열쇠를 집어넣는 것조차 불가능했다.

「젠장!」

그녀는 침착하게 숨을 몰아쉬고 열쇠를 쑤셔 넣어 스위트룸을 열고 들어갔다. 자신의 뒤로 문이 쾅 소리를 내며 닫히는 것과 동시 침실의 문을 열고 들어간 그녀는, 가슴이 떨 만큼 아름다운 곳에 서 있는 자신을 발견했다.

레바의 트레이드마크인 검은색 실크가 의자 위에, 탁자 위에 그리고 바닥까지 사방을 뒤덮고 있었다. 실크더미 위에는 광부의 불빛이 비추어지는 것처럼 빛이 나는 팔라 투어말린이 쌓여 있었고, 단지 침대 위에만 유일하게 검은 실크가 빛을 반사시키고 있었다.

잠시 동안 레바는 자신이 보석 속으로 들어왔다고 착각했다. 아니, 아름답게 부서지는 불빛과 찬란한 빛을 뿜어대는 실크는 다시 차이나 퀸의 안에 들어온 듯한 환상을 불러일으키고 있었다. 열쇠가 떨어지는 것도 의식하지 못한 채, 레바는 천천히 몸을 돌려 그를 찾았다. 하지만 보이는 것은 그저 아름다운 투어말린뿐이었고, 그것도 눈물로 뿌옇게 흐려 보일 뿐이었다. 방안 어디에도 그녀가 사랑하는, 강하고 남성적인 우아함을 지닌 남자는 보이지 않았다.

「챈스……」

레바는 무의식중에 허공으로 손을 뻗으며 속삭였다.

「제발, 모습을 보여줘요.」

그녀의 등뒤로 침실의 문이 닫히는 소리가 들려온 것보다 먼저 그의 존재를 느낄 수 있었다. 남자의 손이, 햇살처럼 따스하고 상냥하고 단단한 손이 그녀의 어깨를 어루만졌다. 작은 비명 소리와 함께 레바는 몸을 돌려, 따스한 그의 품안으로 파고들었다. 꿈에서 깨어나면 그가 사라지고 없을까봐 차마 아무런 말도 꺼내지 못한 채, 그를 꼭 끌어안았다. 그는 그녀에게 입술을 비비면서 향기로운 피부 위로 다정한 말들을 속삭였다.

　「난 평생 보물에 대한 망상을 품으면서 살아왔소.」

　챈스의 목소리는 그윽하면서도 감정이 실려 떨리고 있었다.

　「나는 늘, 만일 기절할 만큼 놀랍고 너무나도 희귀하고 그것을 품고 있던 대지보다 아름답고 힘있는 무엇인가를 발견하게 되면, 내 인생은 성공한 거라고 생각하고 있었소. 그리고 그런 꿈을 쫓아 살아왔지만, 아무것도 이루어진 게 없소. 아무리 아름답고, 아무리 귀중하고, 아무리 희귀한 것이라 해도…….」

　그의 입술이 부드럽게 그녀의 것을 찾았다. 그의 혀가 미소짓고 있는 그녀의 입술을 따라 움직이며, 그녀의 눈물을 닦고 그녀의 숨결과 함께 했다. 그리고 자신에게 매달린 그녀의 입술에, 세상 그 어떤 말로도 표현할 수 없는 굶주림과 열정으로 가득 찬 부드러운 키스를 했다.

　「데스 계곡에서 당신에게 키스를 했을 때…… 내 세상이 완전히 바뀌고 말았소.」

　손가락으로 그녀의 예민한 목과 팔의 곡선을 따라 문지르면서 챈스는 말을 이었다.

　「나는 또 다른 실비어에게 차이나 퀸을 얻어낼 생각을 하고 있었소. 하지만 순수하게 날 믿고, 내 품안에서 통곡을 하고, 그 어떤 남자와도 하지 않은 그리고 그 어떤 것도 중요하지 않다는 듯이 내게 키스하는 여인에게 광산을 뺏으려 한 것은 아니었소.」

챈스의 손가락 끝이 레바의 뺨을 타고 그려진 눈물자국을 따라 움직였다.

「단 한번도 당신을 실비어와 같은 여자라고 믿은 적은 없소. 하지만 난 그렇게 생각하려 했소. 난 그 어떤 것보다도 차이나 퀸을 원하고 있었소. 당신을 본 순간, 난 알 수 있었소. 그 광산에서 내가 평생 찾아왔던 것을 발견하리라는 것을 직감적으로 알 수 있었소. 그리고 난 당신의 사무실을 찾아갔지. 그곳에서 당신에게 손을 뻗는 술 취한 망나니 녀석을 본 거요.」

그 사실을 떠올린 듯, 부드러움이 사라진 챈스의 손이 긴장으로 굳어졌다.

「그날 당신을 건드리지 않은 것만으로도 토드 녀석은 운이 좋았던 거요, 채튼. 안 그랬다면 내가 녀석을 죽여버렸을 거요.」

레바는 마음속을 가득 메워오는 감정들로 인해 숨을 쉬지도 말을 하지도 못한 채, 그저 떨고 있었다. 그녀는 챈스의 은녹색 눈동자를 보면서, 그에게 배운 침묵과 강인함으로 스스로를 다스리며 그의 말에 귀를 기울였다.

「그 다음 날 당신에게 광산에 대해 말을 하려 했었소.」

왼쪽 어깨 위에 달려 있는 세 개의 눈물 방울 모양의 다이아몬드를 손으로 어루만지며 챈스는 말을 이었다.

「하지만 팀이 끼여들었지. 그리고 당신은 날 당신만의 해변으로 데려갔소. 당신은 주차장에 서서 당신 자신만을 사랑해준 남자는 없었다고 말했지. 하지만 그런 당신이 너무나 아름답고 자랑스러웠소. 순간, 나는 퀸에 대해 말을 하면 당신이 날 증오하게 될 것임을 깨달았소. 그래서 나 자신에게 말했지. 둘이서 함께 많은 시간을 보내게 되면, 내가 데스 계곡을 간 이유와 로스앤젤레스로 온 이유가 다르다는 것을 당신에게 이해시킬 수 있을 거라고 말이오.」

그는 손을 들어 그녀의 얼굴을 감싸쥐었다. 알아들을 수 없는 중얼거림과 함께 챈스는 몸을 숙여 다시 그녀의 입술을 가졌다. 그의 욕구와 열기 그리고 자제력은, 레바가 호텔의 침실로 돌아와 환상처럼 느껴지는 아름다운 풍경에 둘러 싸여 있는 자신을 발견한 순간부터 조금씩 무너져 가고 있었다. 챈스가 자신을 들어올려 실크가 뒤덮여 있는 침대 위로 옮기는 동안, 레바는 그에게 사랑한다고 말을 하려 했다. 하지만 그녀가 할 수 있는 건, 그저 자신의 열정이 요구하는 대로 그의 애무에 반응을 보이는 것뿐이었다. 그는 조심스럽게 그녀의 발을 땅에 내려놓은 뒤 계속 말을 하는 동시에 그녀의 입술과 눈동자에 키스를 했다. 그의 굵은 목소리와 단어들이 그녀를 꼭 끌어안고 있는 그의 강한 손길만큼이나 유혹적이었다.

「매 분 매 초, 당신과 함께 있으면 난 더욱 많은 걸 원하게 되오.」

그렇게 중얼거리며 챈스는 그녀의 왼쪽 어깨로 손을 올려, 따스함과 향긋함으로 가득한 그녀의 몸에서 실크를 벗겨냈다.

욕망의 전율이 챈스의 온몸을 타고 흐르며 그녀에 대한 욕구가 여전하다는 것을 아니, 훨씬 강해졌음을 알렸다. 레바는 그의 피부에서 나오는 열기를 느끼고 싶은 마음에, 매끄럽게 주름이 잡힌 그의 하얀 셔츠 위로 손을 올렸다. 그녀는 새틴 스타킹과 금색 레이스 팬티만을 남겨놓고 드레스가 몸에서 흘러 내려가는 것을 느끼며 그의 머리카락에 입술을 문질렀다.

그의 입술이 그녀의 반짝이는 귀걸이 아래를 스쳐 지나갔다.

「사금과 다이아몬드군.」

챈스는 거칠게 중얼거리며 그녀의 입술을 정복했다. 레바의 입술을 완벽하게 소유한 챈스는, 천천히 그리고 깊숙이 혀를 움직이면서 실크 드레스 아래 숨어 있는 아름다운 육체를 손으로 어루만졌다. 자신의 손길 아래 그녀가 변화하는 것을 느끼며 깊은 신음 소리와 함께 갑자기 그녀를 들어올려, 자신의 굶주린 입술에 젖가슴을 가져다 댔다. 거칠게 자신의 것임을 주장하는 입술의 움직임과 함께 그녀는 커져 가는 욕구에 비명을 질렀다.

열정의 화염이 레바를 휩쓸고 지나가며 그녀를 완전히 녹여버렸다. 레바는 챈스가 자신을 사랑하는지 아닌지는 더 이상 중요하지 않았다. 그는 그녀를 침대에 눕힌 뒤 재빨리 셔츠를 벗어 던졌다. 그러는 동안 레바는 그의 피부 아래로 움직이는 근육을 어루만졌다.

그는 귀걸이를 제외하고 그녀의 옷을 모두 벗겨냈다. 그리고 자신의 옷을 벗으며 뜨거운 은색 눈동자로 그녀를 내려다보았다.

「함몰된 동굴을 파고 나온 후에, 당신이 웃음을 터뜨리며 몸을 돌려 햇살이 주는 즐거움과 살아났다는 기쁨을 나에게도 나누어준 순간, 나는 절대로 당신에게 광산에 대해 말할 수 없다는 결심을 했소. 아니, 난 당신을 잃을지도 모르는 위험을 감수하고 싶지가 않았소. 순간 당신과 결혼을 하고 나면, 무슨 일이 닥쳐도 문제가 되지 않을 거라는, 당신을 잃지 않을 거라는 생각이 들었소. 그리고 그 온천에서 서로의 몸을 씻겨준 순간부터 우리는 다시 시작하는 거라고 다짐했지. 그런데 글로리가 와서 내 모든 꿈을 박살내버렸소.」

레바는 시선을 들어 챈스의 거친 외모 아래 분명하게 드러난 고통을 바라보았다. 그가 상처 입는 것을 참을 수가 없어 뭐라고 말을 하고 싶었지만, 챈스가 다시 성급한 목소리로 말을 이었다.

「우리가 함께 했던 그 모든 것에서부터 당신이 떠날 수 있으리라고는 믿지 않았소. 난 당신이 화가 나 있다는 걸, 그리고 내가 당신에게 상처를 입혔다는 걸 알고 있었소. 하지만 일단 당신이 날 허락하고, 다시 당신과 사랑을 나누고 난 뒤라면, 당신을 속이려 했던 것이 아님을 설명할 수 있을 거라고 믿었소.」

레바의 옆에 누운 챈스는 자신을 사로잡고 있는 욕망과 갈증에도 불구하고 그녀에게 손을 대지 않았다. 그의 단단한 몸의 구석구석이 성급한 욕구와 자제력으로 굳어져 있었다. 잠시 눈을 감았다가 다시 떠진 그의 눈동자 속에는 멍한 충격이 가득했다.

「하지만 당신은 아무것도 남겨놓지 않은 채 내게서 도망쳐버렸소. 그래서 난 그 망할 광산으로 돌아갔지. 그리고 만일, 가능한 깊게 그리고 빠르게 열심히 파 들어가다 보면, 모든 것을 뒤로 돌릴 수도 있다고 생각했소. 내 여인을, 그리고 사랑을. 하지만 내가 찾은 건, 그저 차갑고 딱딱한 나라는 멍청이의 몸값인 돌덩이뿐이었소. 누가 그런 멍청이를 되사려고 하겠소?」

챈스의 목소리에 담긴 씁쓸함이 레바의 마음을 아프게 했다.

「챈스…….」

가라앉은 목소리로 레바는 그의 이름을 나직이 불렀다.

「당신은 나와 말을 하려 하지도 않았고, 만나려 하지도 않았소. 하지만 당신이 여기에 올 거란 걸 알고 있었소. 오늘은 제레미를 위한 날이니까. 그래서 나도 왔소.」

챈스의 손이 움직였지만, 레바를 만지는 대신 두 사람 사이에 놓여 있는 검은 실크와 대비되는 흐릿한 종이 한 장을 들어올렸다.

「당신이 내게 차이나 퀸을 포기하라고 한 말을 이해할 수가 없었소.」

그가 조용히 말을 이었다.

「지금은 알 수 있소. 한때는 퀸의 차가운 보물만으로도 만족할 수 있었소. 하지만 지금의 내게는 오직 당신의 생생한 온기와 웃음 그리고 날 만지는 당신의 손길만이 필요할 뿐이오. 당신은 내가 발견한 그 어떤 것보다 아름답고, 어둠보다도 햇빛보다도 더 신비스럽고 소중한 존재요. 그 어떤 말이나 비유로도 설명할 수 없는 존재 말이오. 어둠 속을 파헤치며 보내온 내 모든 삶이 다 당신을 찾기 위한 과정이었는데도, 난 그 사실을 미처 알지 못했소.」

레바는 그의 이름을 속삭이며 그의 얼굴을 양손을 감쌌다. 부드럽게 그녀의 손을 치운 챈스는 그녀의 손바닥 위에 종이를 올려놓았다.

「그걸 읽어보시오.」

한없이 흘러내리는 눈물 때문에 레바는 아무것도 보이지 않았다.

「그럴 수가 없어요.」

「차이나 퀸에 대한 권리양도 증서요. 그녀는 이제 당신의 거요, 레바. 백퍼센트 당신 소유지. 당신이 떠난 그날 이후로 계속.」

「난 퀸을 원하지 않아요.」

레바는 절망감에 종이를 구겨 어두운 구석으로 집어던졌다.

「이해하지 못하는 건가요?」

그녀는 소리를 질렀다. 그리고 다시 울음을 터뜨렸다. 하지만 방금 전과는 다른 이유 때문이었다. 챈스의 손이 움직이며 그녀에게 조금씩 불을 지피고 고통에 가까운 쾌락을 불러일으키고 있었다. 레바는 자신의 눈을 감고 성마른 신음 소리와 함께 그의 손길 아래 몸을 비틀었다. 그는 재빨리 몸을 움직여 자신의 단단한 몸으로 그녀를 감싸안았다.

「당신이 원한다면 홀로 내려가, 처음 만나는 사람에게 차이나 퀸을 주겠소. 지금 당장이라도 그렇게 하겠소. 저 빌어먹을 돌멩이까지도. 당신이 원한다면 난 모든 걸 포기할 수 있소. 당신을 제외한 모든 것을 말이오. 내게 당신을 포기하라고 말하지 마시오. 그렇게 하지 않을 거요. 아니, 그렇게 할 수는 없소. 마침내 사랑이 무엇인지를 알게 되었단 말이오. 그러니 절대로 그걸 포기할 수는 없소. 당신을 사랑하오, 레바.」

그녀를 바라보며 거친 목소리로 챈스는 말했다.

놀라움으로 커다래진 그녀의 눈동자가, 넘쳐흐르는 감정으로 빛을 발하고 있었다. 사랑하는 여인을 바라보는 챈스의 몸이 전율과 두려움으로 뻣뻣하게 굳어져 갔다.

「뭐라고 말을 좀 해보시오, 채튼. 당신의 사랑을 잃어버렸을지 모른다는 생각을 하게 만들지 말고.」

「차이나 퀸을 그냥 가지고 있어요.」

레바가 속삭였다.

고통과 나약함 그리고 절망으로 그의 표정이 어두워졌다.

「우리의 아이들을 위해서요.」

그가 오해했다는 걸 깨달은 레바는 미소를 짓는 동시에 눈물을 흘리며 재빨리 덧붙였다. 그녀는 그의 딱딱한 어깨에 얼굴을 묻고, 자신이 아플 만큼이나 꼭 그를 끌어안았다.

「당신은 내 사랑을 잃지 않을 거예요, 챈스. 평생요. 난 언제나 당신을 사랑할 거니까요.」

그의 손가락이 그녀의 머리카락을 어루만지며 숨겨져 있는 금색 핀을 찾아 움직였다. 벌꿀색 머리 단이 매끄럽게 그의 손가락을 타고 흘러내렸다. 일단 사랑한다는 말을 입 밖으로 내자, 더 이상 감출 수가 없는 것처럼 그는 달콤한 말을 계속 되풀이해 속삭였다. 매 호흡마다, 매 손길마다 그녀가 얼마나 소중한 존재인지 속삭이는 그의 말에 레바의 목소리가 뒤섞여 들어갔다. 그녀 또한 그를 애무하며 그에 대한 자신의 생각들을 속삭였다.

'호랑이 신'이 그렇게 그녀의 품안에 머무른 순간, 뜨겁고 빛나는 그의 몸이, 그의 영혼이 그녀의 일부가 되었다.

−끝−

옮긴이의 말

    이제는 완연한 봄이네요. 3월까지 몰아치던 추위도 완전히 누그러지고 정말 따뜻하네요. 햇살이 내리쬐는 하늘을 보면서, 어디론가 여행을 가고 싶다는 생각을 했습니다. 끝없이 펼쳐지는 황토색 사막 위에, 대지 위에, 따뜻한 모래 바람이 불고 붉은 황혼이 물 드는 곳으로요. 멋진 남자와 함께라면 더 좋겠죠.

    지난 겨울, 보석이라는 낯선 소재와 주 배경이 되어 펼쳐지는 미국 서부의 황야가 저도 모르게 제 마음을 사로잡았습니다. 덕분에 보석이라고는 다이아몬드와 진주밖에 구별할 줄 몰랐던 제가 전기석 (Toutmaline)이라는 새로운 보석에 대해서도 알게 되었답니다. 섬뜩할 정도로 분홍색을 띤 아름다운 돌들을 구경하다 보니, 중국 황태후가 팔라 산(産) 전기석에 집착을 보였다는 사실을 이해할 수 있겠더군요. 실제로 전기석은 여러 가지 원소들이 뒤섞여 만들어지는 원석이라는데요. 워낙 균열이 많아 보석의 연마가 까다롭지만, 그 색이 다

338 ● 엘리자베스 로웰

양하고 아름다워서 전 세계적으로 유명하다고 하네요.

우리의 주인공인 챈스와 레바가 찾는 팔라 지역의 전기석은 대부분이 분홍색을 띠고 있는데, 분홍색이야말로 가장 고귀하고 아름다운 전기석이라고 합니다. 그래서 분홍색 전기석 또는 팔라 산 전기석을 홍전기석(Rubellite)이라고 따로 이름을 붙이기도 한다더군요.

투어말린에 대해 조사를 하던 중, 실제로 샌디에이고 북쪽의 팔라 지역에는 '투어말린 퀸'이라는 광산이 있다는 사실을 알게 되었어요. 실제로 투어말린 퀸에서도 1900년대 초, 황태후의 죽음 이후 전기석 시장이 붕괴되기 시작하고, 그 채산성이 맞지 않아 지난 70년대 초까지 거의 채굴되지가 않았답니다. 하지만 1970년대 이후, 투어말린 퀸의 소유주와 그의 동료들의 모험과 도전을 통해 마침내 아름다운 분홍색 전기석 광산은 또 다른 전성기를 맞게 되었다고 합니다. 마치 챈스와 레바처럼요…….

가슴속에 상처를 묻고 사는 두 사람…….

눈이 많이 내렸던 지난 겨울, 저는 차갑고 냉혹해 보이는 그리고 약간은 느끼하게 느껴지는 ― 그럼 어떻습니까, 멋있는데 ― 챈스와 과거의 아픔과 새로운 사람을 만나는 것이 두려운 레바의 보물찾기와 사랑찾기를 따라다니며, 두 사람의 이야기를 여러분 앞에 내놓을 준비를 했답니다. 그러고 나니 이제는 두 사람이 처음 만났을 때와 같은 4월이군요.

따스한 봄의 사막을 꿈꾸는 저처럼, 두 사람의 사랑 속에서 여러분들도 올 봄 행복하게 보내시기를 바랍니다.

2001년 4월
풍납동에서

Nobody's Baby But mine

천재 물리학자 닥터 제인 달링턴은 절실하게 아기를 원하지만 아이의 아버지를 찾기가 쉽지 않다. 제인은 어린 시절, 뛰어난 두뇌로 인해 자신을 괴물처럼 여기게 되었고, 자신의 아이에게는 그런 괴로움을 겪게 하고 싶지 않았다. 그래서 아이의 아버지가 될만한 사람으로, 머리가 나쁜 사람을 선택하려고 한다.

그런 의미에서 시카고 스타즈의 전설적인 쿼터백, 칼 보너는 완벽한 후보처럼 보였다. 결국 제인은 여성 팬으로 가장해서 임신에 성공하지만, 칼에게 그 사실을 들키고 만다. 칼과 강제로 결혼을 하게 된 그녀는 그의 고향, 샐베이션으로 가게 된다. 칼의 가족들에게 상처를 주지 않기 위해 일부러 좋지 않은 모습을 보이는 제인.

그녀는 너무 늦게, 칼이 겉보기보다 훨씬 똑똑하다는 사실을 알게 되는데……

6월 첫째주 출간예정입니다.

Mary Jo Putney

Thunder and Roses

니컬러스는 집시인 엄마와 백작의 아들이었던 아버지 사이에서 태어나 어린 시절은 집시로 자라났지만 일곱 살부터 아브데어 노백작인 할아버지에게 맡겨져 자라난다.

그를 찾아온 모건 목사의 딸인 클레어는 니컬러스 백작에게 펜레이쓰 탄광의 열악한 작업 환경을 개선시켜줄 것을 부탁한다. 그는 감리교도이자 여교사인 그녀의 사회적 지위와 명성을 요구하며 자신과 삼 개월 동안 함께 지낼 것을 제안한다. 매일 한번의 키스를 허락해야 한다는 조건과 함께. 니컬러스는 4년 전 할아버지의 젊은 부인을 농락해서 할아버지를 심장마비로 죽게 만들고, 아내인 캐롤라인 역시 상심를 이기지 못해 마차 사고로 죽게 만들었다는 비난을 안고 마을을 떠났다가 돌아온 처지였다.

모건의 엄격함과 고집스러움에 매력을 느낀 그는 그녀에게 그 동안 숨겨왔던 비밀, 전 아내 캐롤라인은 할아버지의 정부였고 자신을 후계자로 삼기 싫었던 노백작이 계획적으로 결혼을 시켰다는 사실을 털어놓는데······.

6월 둘째주 출간예정입니다.

옮긴이 . 조 지 현
◉
1973년 생.
세종대학교 교육학과 졸업.
현재 프리랜서로 활동 중.
번역서로는
『웨딩』『백학의 신율』『아름다운 너에게』
『아름다운 언약』『진실』『매혹』등이 있다.

미완의 사랑

지은이/엘리자베스 로웰
옮긴이/조지현
펴낸이/양장목
펴낸곳/현대문화센타
주소/서울시 은평구 대조동 191-1(122-030)
전화/384-0690~1 팩스/384-0692
E-mail/HDbook@netsgo.com 천리안 ID/hdpub
Homepage : http://HDbook.co.kr

출판등록일/1992년 11월 19일(제3-448호)
초판 1쇄 인쇄일/2001년 5월 10일
초판 1쇄 발행일/2001년 5월 14일

값/8,500원

ISBN 89 - 7428 - 164 - 3

우 편 엽 서

보내는 사람

이름 _____ 성별(남 · 여) _____

전화번호 _____ 나이 _____

직업 _____

주소 _____

□□□ - □□□

우 표

도서출판 현대문화센타 편집부

서울시 은평구 대조동 191-1 ㈜122-030

전화 : (02)384-0690~1 팩스 : (02)384-0692

E-mail : Hdbook@netsgo.com

홈페이지 http://www.hdbook.co.kr

현대문화센터 애독자 카드

보내주신 의견은 편집기획에 소중한 자료로 활용하겠습니다.
많은 사용과 충고 부탁드립니다.

구입도서명 · 구입장소

구입동기
1. 지인이의 이름을 보고
2. 서점에서(□ 제목 □ 표지 □ 내용)이 눈에 띄어
3. 신문 · 잡지 광고를 보고
4. 권두에 의해
5. 출판사 이름을 보고
6. 신간안내나 서평을 보고
7. 기타(   )

구입서체에 대한 느낌
1. 내용(□ 좋다 □ 그저 그렇다 □ 별로다)
2. 제목(□ 좋다 □ 그저 그렇다 □ 별로다)
3. 표지(□ 좋다 □ 그저 그렇다 □ 별로다)
4. 정가(□ 적절 하다 □ 그렇다 □ 싸다 □ 비싸다)

좋아하는 작가 · 작품
1. 국내
2. 국외

즐겨 희망하는 소설 장르
□ 로맨스 □ 판타지 □ S F
□ 추리 · 공포
□ 미스터리 □ 역사소설 □ 페미니즘 소설
□ 기타(   )

구입했던 현대문화센터의 책

현대문화센터에 바라는 말